PREMIÈRE ÉTAPE

BASIC FRENCH READINGS

ALTERNATE SERIES

OTTO F. BOND

GENERAL EDITOR

D. C. HEATH AND COMPANY

BOSTON

These graded readers are aimed at strengthening that basic structure of language learning and consequently they remain perennial favorites.

We are reissuing all the combined volumes in a form which will enhance their value in the classroom. The five booklets in each volume are now paged consecutively, instead of separately as they were in the previous edition. Where the prefaces to the individual booklets became redundant, an adjustment has been made. We have taken this occasion to correct broken type, misprints, and a few minor items of information. Textually no changes could be made because vocabulary and constructions are so carefully interwoven that changes at any one point would involve changes throughout.

V. C.

PUBLISHER'S PREFACE

The principle of vocabulary building through graded readings is accepted as fundamental in all language work. It was first developed and applied to modern foreign languages by a group at the University of Chicago in the early thirties. Its success is indicated not only by the popularity of the original series, but by the countless similar readers developed by various publishers since that time.

The original series of graded readers produced by the University of Chicago Press was taken over by D. C. Heath and Company and expanded considerably, first as the Heath-Chicago series and later independently. The increasing popularity of the German, French, and Spanish series encouraged the publishers to develop alternate series in each language at both the elementary and intermediate level; in the case of German, even a third series of elementary readers has been published. The Italian series is expanding to the intermediate level now, and the Russian series will do likewise.

These graded readers were constructed so carefully that their value is timeless. Each series begins with words of the highest frequency and adds systematically from page to page. Grammatical constructions begin with the simplest ones and increase in difficulty with each succeeding booklet. Yet the language is always clear, current, and unstrained. The student learns without realizing that his text is becoming increasingly difficult. Every student needs to know the most common words and constructions regardless of the teaching approach.

iii

CONTENTS

DANTÈS

Épisode tiré du
COMTE DE MONTE–CRISTO
PAR ALEXANDRE DUMAS

RETOLD AND EDITED BY
OTTO F. BOND

BOOK ONE—ALTERNATE

UNE!... DEUX!... TROIS!...

FOREWORD

THIS foreword concerns *you*, not me. I hope you will read it. *You* should know what sort of adventure is at the turn of your hand, what step you are about to take up the learning staircase of French, how far along the ascent *Dantès* will bring you. For I assume that you will read *Dantès* as your first French book. It was so intended.

To begin with, you know 48.7 per cent of its total vo- cabulary already ... almost one-half of its 651 words ... and you haven't yet read a page of it. The explanation? *Cognates* ... words similar in form and meaning in French and English ... a common Latin inheritance. That makes for easy reading, doesn't it?

If you are familiar with the 97 words that form fifty per cent of running discourse in French — the same 97 little words that underlie the study of grammar, and with which you talk but about which you can say nothing — then the vocabulary load of *Dantès* drops to a paltry 237 words, or one burden word to every 29 words of text. That is *word density*. A low density, of course, also makes for ease in reading.

However, if you begin to read *Dantès* before you complete the study of French grammar, and these 97 grammar variables are not all known to you, you will find them listed on page 51, included in the end vocabulary, and drilled in the exercises. You will never learn a more valuable set of French words. Better master them at this first encounter!

3

At this stage of your reading, an irregular verb form is just another *new* word, and deserves the same treatment. So irregular verb forms have been limited to 52 forms from 24 of the commonest irregular verbs. What is more important, perhaps, is the limitation of tense to the *present* (with an occasional present perfect), since the present is the tense you live in, offers the greatest irregularity, and requires the most practice. You will find all irregular verb forms listed in the end vocabulary and again in the exercises.

Now, valuable as the number, density, and limitation of new words and verb forms may be to the beginner in reading, there is something else that greatly matters also, and that is the *value* of the vocabulary. The beginner needs words of use beyond the requirements of the moment, words frequent in occurrence, rich in meanings, productive of other words, entering into relationship with others to form idioms, not too specific and technical . . . in short, general utility words. Of the 237 non-cognate words, exclusive of grammar variables, in *Dantès*, 216 are of general utility or *basic*. Make them permanent stock! All new words and expressions are annotated and explained at the bottom of the page when they first occur, unless cognate. Derivatives and compounds of words already known or introduced for the first time, if not cognate, are given in parentheses. Specific words needed to tell a particular story are in small capitals. All groups are dealt with in the exercises.

Finally, the idioms — those colorful word combinations that reveal a people's culture — are few in number (45) and of common occurrence. Sentences are usually short and simple. Dialogue and statement alternate. Repetition is unstinted. I have done what I can to bring Dantes' immortal adventure down to your reading level . . . may you capture some of the thrill of the original tale!

THE EDITOR

4

DANTÈS

I

M. L'INSPECTEUR FAIT SES VISITES

Le 30 juillet[1] 1816, M. l'inspecteur général des prisons de Sa Majesté Louis XVIII[2] visite, l'une après[3] l'autre, les chambres du Château d'If.[4] Il demande[5] aux prisonniers si la nourriture[6] est bonne, et s'il y a[7] quelque[8] chose[9] qu'ils désirent.   5

L'un après l'autre, les prisonniers lui répondent[10] que la nourriture est détestable et qu'ils désirent leur liberté.

L'inspecteur général leur demande s'ils n'ont pas d'autre chose[11] à lui dire.   10

Ils ne répondent pas. Quand[12] on est prisonnier, peut-on désirer autre chose que la liberté ?

L'inspecteur se tourne et dit au gouverneur de la prison qui l'accompagne :

[1] **juillet,** July. [2] Brother of Louis XVI, king of France from 1814 to 1824. [3] **après,** after. [4] **château,** castle. The *Château d'If* was built by François Ier on the little island of If, two kilometers from Marseille, and served as a state prison. [5] **demander,** to ask (for). [6] **nourriture,** food. [7] **il y a,** there is (are). [8] **quelque,** some, any. [9] **chose,** thing. [10] **répondre, to** answer, reply. [11] **d'autre chose,** something else. [12] **Quand,** When.

— Je ne sais pas pourquoi[1] je fais ces visites, ni[2] pourquoi je demande aux prisonniers s'il y a quelque chose qu'ils désirent. C'est toujours[3] la même[4] chose. La nourriture est toujours détestable, et
5 les prisonniers sont toujours innocents. Ce qu'ils désirent, c'est toujours la liberté. En avez-vous d'autres ?

— Oui, nous avons des prisonniers qui sont dangereux ou fous,[5] que nous gardons dans les cachots.[6]
10 — Eh bien, descendons dans les cachots.

— Mais on ne descend pas dans les cachots du château d'If sans gardes. Ces prisonniers-là sont très dangereux.

— Eh bien, prenez des gardes.
15 — Comme vous voulez, dit le gouverneur.

II

ON DESCEND AUX CACHOTS

Au bout[7] de quelques moments, deux gardes arrivent, tenant[8] des torches. On commence de descendre par un escalier[9] humide et sans lumière.[10] Une odeur désagréable fait hésiter l'inspecteur.
20 C'est comme une odeur de mort.[11]

— Oh ! dit-il, qui peut vivre[12] là ?

— Un prisonnier des plus dangereux, Edmond Dantès. C'est un homme capable de tout. Il a

---

[1] **pourquoi,** why. [2] **ni,** nor. [3] **toujours,** always. [4] **même,** same. [5] **fou (fol, folle),** mad, insane. [6] CACHOT, dungeon, dark cell. [7] **bout,** end; **au bout de,** after. [8] **tenir,** to hold. [9] **escalier,** staircase, stairs. [10] **lumière,** light. [11] **(mort),** *n.f.,* death. [12] **vivre,** to live.

voulu tuer[1] le porte-clefs[2] qui lui apporte[3] sa nourriture.

— Il a voulu tuer le porte-clefs ?

— Oui, monsieur,[4] celui qui nous accompagne.
Le désespoir[5] a rendu[6] ce prisonnier presque[7] fou. 5
Voilà[8] pourquoi on le garde dans ce cachot.

— Il est préférable d'être complètement fou . . .
on ne souffre[9] plus . . . on ne désire plus la mort.

— Sans doute, dit le gouverneur. Nous avons dans
un autre cachot, dans lequel on descend par un autre 10
escalier, un vieil[10] abbé,[11] un Italien. L'abbé est ici
depuis[12] 1811. En 1813, le désespoir l'a rendu complètement fou. A présent, il désire vivre, il prend de
la nourriture, il est content. Lequel de ces prisonniers voulez-vous voir ?   15

— Tous les deux.[13] Commençons par Dantès.

— Très bien, répond le gouverneur, et il fait signe
au porte-clefs d'ouvrir[14] la porte[15] du cachot.

III

LE PRISONNIER DANGEREUX . . .

La porte massive s'ouvre lentement.[16]
Par la lumière des torches, on voit dans un coin[17] 20

---

[1] **tuer,** to kill.   [2] **(porte-clefs),** turnkey, jailer.   [3] **(apporter),**
to bring.   [4] **monsieur,** sir, Mr.   [5] **(désespoir),** despair, desperation.   [6] **rendre,** to render, make.   [7] **(presque),** almost.
[8] **voilà,** there is (are), *here* that is.   [9] **souffrir,** to suffer.
[10] **vieil** (*m.* **vieux**, *f.* **vieille**), old.   [11] **abbé,** priest.   [12] **depuis,**
since, for; **l'abbé est ici depuis 1811,** the priest has been here
since 1811.   [13] **Tous les deux,** Both.   [14] **ouvrir,** to open.
[15] **porte,** door.   [16] **lentement,** slowly.   [17] **coin,** corner.

du cachot une forme indistincte. La forme fait **un** mouvement vers[1] la lumière. C'est un homme. C'est Dantès.

Il s'approche[2] lentement du gouverneur. Quand 5 il voit l'inspecteur, accompagné par deux gardes, **et** auquel le gouverneur parle[3] avec respect, il n'hésite plus. Cet homme doit[4] être une autorité supérieure . . . on peut l'implorer . . . on peut lui parler de ses injustices . . . Avec une éloquence touchante, il im- 10 plore son visiteur d'avoir pitié de[5] lui.

— Que demandez-vous ? dit l'inspecteur.

— Je demande quel crime j'ai commis.[6] Je de- mande qu'on me donne des juges.[7] Je demande qu'on me tue, si je ne suis pas innocent. Mais, si je 15 suis innocent, je demande qu'on me donne la liberté.

— Votre nourriture est-elle bonne ?

— Oui, je le crois[8] . . . je n'en sais rien . . . cela n'est pas important. Un homme innocent meurt[9] dans un cachot, victime d'un acte d'injustice . . . 20 Voilà ce qui est important . . . à moi, le prisonnier condamné à mort . . . à tous les juges qui rendent la justice . . . au roi[10] qui nous gouverne . . .

— Vous êtes très humble, à présent, dit le gou- verneur. Vous n'êtes pas toujours comme cela. 25 Vous n'avez pas parlé de cette manière le jour où[11] vous avez voulu tuer votre porte-clefs . . .

---

[1] **vers,** toward.   [2] **s'approcher (de),** to approach.   [3] **parler,** to speak, talk.   [4] **doit** (*pres. ind.* devoir), must.   [5] **pitié,** pity; **avoir pitié de,** to pity.   [6] **commis** (*p.p.* **commettre**), committed. [7] **juge,** judge.   [8] **croire,** to believe, think.   [9] **meurt** (*pres. ind.* **mourir**), is dying.   [10] **roi,** king.   [11] **où,** where, when.

— Oui, je le sais, monsieur, et je demande pardon à cet homme qui m'apporte ma nourriture et qui est toujours bon pour moi[1] . . . Mais que voulez-vous ?[2] Le désespoir m'a rendu furieux.

— Et vous ne l'êtes plus ?   **5**

— Non, monsieur. La captivité m'a rendu humble . . . je suis ici depuis si longtemps ![3]

— Si longtemps ? demande l'inspecteur.

— Oui, monsieur. Je suis ici depuis le 28 février[4] 1815.   **10**

— Nous sommes le 30 juillet 1816. Cela fait dix-sept mois[5] que vous êtes prisonnier au Château d'If . . . ce n'est pas longtemps.

— Ah ! monsieur, dix-sept mois de prison ! Mais vous ne savez pas ce que c'est que d'être prisonnier[6] **15** dans un cachot du Château d'If ! Dix-sept mois, ce sont dix-sept années ![7] . . . et quand on meurt lentement pour un crime qu'on n'a pas commis ! Ayez pitié de moi, monsieur ! Demandez pour moi des juges, monsieur . . . on ne peut refuser des juges à un **20** homme accusé.

— C'est bien,[8] dit l'inspecteur. On va voir.[9]

La porte du cachot se referme.[10]

---

[1] **bon pour moi,** good (kind) toward me.   [2] **Mais que voulez-vous?** But what do you expect?   [3] **(longtemps),** long, long time.   [4] **février,** February.   [5] **mois,** month.   [6] **ce que c'est que d'être prisonnier,** what it is to be a prisoner.   [7] **(année),** year.   [8] **C'est bien,** All right !   [9] **On va voir,** We shall see.   [10] **(refermer),** to shut (close) again.

9

IV

L'inspecteur général se tourne vers le gouverneur:
— De quels crimes cet homme est-il accusé ? demande-t-il.

— De terribles crimes, je crois . . . Vous allez voir
5 les notes dans le registre des prisonniers, en remontant[1] . . . mais, à présent, voulez-vous passer au cachot de l'abbé ?

— Je préfère remonter . . . mais, après tout, il est nécessaire de continuer ma mission.

10 — Ah ! le vieil abbé n'est pas un prisonnier comme l'autre. Sa folie[2] n'est pas désagréable.

— Et quelle est sa folie ?

— Oh ! une folie étrange[3]: il se croit possesseur d'un trésor[4] immense. La première[5] année de sa
15 captivité, il a voulu offrir[6] au roi un million, en lui demandant sa liberté. La seconde année, deux millions; la troisième[7] année, trois millions, etc., etc. L'abbé est à sa cinquième[8] année de captivité; il va vous demander de vous parler en secret, et il va vous
20 offrir cinq millions.

— Ah ! ah ! c'est curieux . . et qui est ce millionaire ?

— Un Italien, l'abbé Faria.

— N°[9] 27 !

---

[1] (remonter), to go up again.　[2] (folie), madness, insanity.
[3] étrange, strange, queer.　[4] trésor, treasure.　[5] premier, first.
[6] offrir, to offer.　[7] (troisième), third.　[8] (cinquième), fifth.
[9] N° = Numéro, number.

10

— C'est ici. Ouvrez, Antoine.

Le porte-clefs ouvre la porte du N° 27, et l'inspecteur regarde[1] avec curiosité dans le cachot de *l'abbé fou.*

V

LE PRISONNIER FOU

L'abbé Faria se tourne et regarde avec surprise ces 5 hommes qui viennent de descendre[2] dans son cachot.

— Que demandez-vous ? dit l'inspecteur.

— Moi, monsieur ? dit l'abbé. Je ne demande rien.

— Vous ne comprenez[3] pas. Je suis agent du 10 gouvernement. J'ai mission de descendre dans les prisons et de demander aux prisonniers si leur nourriture est bonne et s'il y a quelque chose qu'ils désirent.

— Je comprends, monsieur. La nourriture est la même que dans toutes les prisons; elle est mauvaise.[4] 15 Mon cachot est humide . . . l'air ici est mauvais . . . mais que voulez-vous ? C'est une prison. Mais tout cela n'est pas important. J'ai des révélations de la plus grande importance à faire au gouvernement . . . voilà ce qui est important, monsieur. Pouvez-vous 20 me parler en secret ?

— Monsieur, ce que vous me demandez est impossible.

— Mais, monsieur, s'il est question d'offrir au

---

[1] **regarder,** to look (at). [2] **qui viennent de descendre,** who have just descended. [3] **(comprendre),** to understand. [4] **mauvais,** bad, wretched.

gouvernement une somme[1] immense ? . . . une
somme de cinq millions ? . . .

— Mon cher[2] monsieur, dit le gouverneur, vous
parlez de votre trésor, n'est-ce pas ?

5 Faria regarde le gouverneur un moment en silence.

— Sans doute, dit-il. De quoi voulez-vous que je
parle ?

— Mon cher monsieur, dit l'inspecteur, le gouvernement est riche. Il ne veut pas de votre ar-
10 gent.[3] Gardez-le pour le jour où vous allez sortir[4]
de prison.

— Mais si je ne sors pas de prison ? Si on me tient
dans ce cachot, et si j'y meurs sans avoir dit mon
secret ? . . . Ah ! monsieur, un secret comme celui-là
15 ne doit pas être perdu ![5] J'offre six millions, monsieur; oui, j'offre six millions, si l'on[6] veut me rendre
la liberté.

— Je vous ai demandé si votre nourriture est
bonne.

20 —· Monsieur, vous ne me comprenez pas. Je ne
suis pas fou. Je vous dis la vérité.[7] Ce trésor dont
je vous parle, existe. Voulez-vous me rendre[8] la
liberté, si je vous dis où l'on peut trouver[9] le trésor ?

— Vous ne répondez pas à ma question, dit l'in-
25 specteur avec impatience.

---

[1] **somme,** sum.   [2] **cher,** dear.   [3] **argent,** money, silver.
[4] **sortir,** to go (come) out, leave.   [5] **perdu** (*p.p.* **perdre**), lost.
[6] **l'on: on** may be preceded by **l'** after **que, si, ou, où** (see
line 23), etc. to prevent hiatus; it has no vocabulary value.
[7] **vérité,** truth.   [8] (**rendre**), to return, give back.   [9] **trouver,**
to find.

— Ni vous à ma demande ![1] Vous êtes comme les autres qui n'ont pas voulu me croire ! Vous croyez tous que je ne dis pas la vérité ! Je vous maudis ![2] Vous ne voulez pas de mon argent ? Je le garde ! Vous me refusez la liberté ? Dieu[3] va me la donner ! 5 Allez ! . . . je n'ai plus rien à dire.

Les hommes sortent. Le porte-clefs referme la porte.

VI

LE REGISTRE DES PRISONNIERS

— Je crois que l'abbé est possesseur de quelque trésor, dit l'inspecteur, en remontant l'escalier. 10

— Ou qu'il s'imagine qu'il en est possesseur, répond le gouverneur. Moi, je crois qu'il est fou.

Arrivé dans la chambre[4] du gouverneur, l'inspecteur examine le registre des prisonniers.

Il y trouve cette note concernant Dantès: 15

EDMOND DANTÈS: Bonapartiste[5] fanatique. A pris[6] une part active au retour[7] de l'île[8] d'Elbe. À tenir sous la plus stricte surveillance.

L'accusation est très positive. Il n'y a pas de doute. 20

[1] (demande) n. proposal. [2] (maudire), to curse. [3] **Dieu,** God. [4] **chambre,** room. [5] The **Bonapartistes** were adherents of the imperial monarchy established by Napoleon Bonaparte in 1804. [6] **pris** (*p.p.* **prendre**), taken. [7] (**retour**), return. [8] **île,** island. Following his abdication in April, 1814, Napoleon was sent to the island of Elba, from which he escaped to France a year later, to regain power for the Hundred Days ending in Waterloo (June 18, 1815) and his exile to St. Helena.

13

L'inspecteur général n'hésite plus. Il écrit[1] ces trois mots[2] sur la page du registre:

Rien à faire.[3]

Il écrit les trois mots sans hésiter, et il referme le livre.[4]

Rien à faire . . . rien à faire . . . trois mots qui signifient la même chose que *perdu!* Mais dans le cachot de Dantès, un homme prend un morceau[5] de plâtre[6] et écrit sur le mur,[7] au coin, une date:

30 JUILLET 1816

et après la date, chaque[8] jour, il fait une marque.

VII

LE NUMÉRO 34

Les jours passent, et les mois . . .

On change de gouverneurs . . . on change de porteclefs. Pour le nouveau[9] gouverneur, un prisonnier n'est plus un homme, c'est un numéro.

On ne dit plus: Dantès. On dit: le numéro 34.

Dantès passe tous les degrés du malheur.[10]

Il commence par douter de son innocence. Il prie,[11] non pas Dieu, mais les hommes.

Il prie qu'on le tire[12] de son cachot pour le mettre[13]

[1] **écrire,** to write. [2] **mot,** word. [3] **Rien à faire,** Nothing to be done. [4] **livre,** book. [5] **morceau,** piece. [6] PLÂTRE, plaster. [7] **mur,** wall. [8] **chaque,** each. [9] **nouveau** (*f.* **nouvelle**), new. [10] (**malheur**), unhappiness. [11] **prier,** to pray, beseech, beg. [12] **tirer,** to take from (out of). [13] **mettre, to** put, place.

dans un autre. Un autre cachot, c'est une distraction
de quelques jours. Il prie qu'on lui accorde[1] l'air,
la lumière, des livres, des instruments . . . Rien de
tout cela ne lui est accordé, mais il recommence ses
demandes.   5

Il parle à son porte-clefs . . . parler à un homme
est un plaisir.[2] Dantès parle pour le plaisir d'entendre[3] sa propre[4] voix.[5] Mais il ne peut pas tirer
un mot du porte-clefs.

Un jour, il prie le porte-clefs de demander pour lui 10
un compagnon. Le porte-clefs va transmettre la
demande du numéro 34 au nouveau gouverneur.
Mais le gouverneur s'imagine que Dantès veut trouver de l'aide pour s'échapper[6] de prison. Et il refuse.

Le cercle des ressources humaines est complet. 15
Dantès se tourne vers Dieu.

VIII

LA RAGE[7]

Les mois passent . . .

Toujours la même vie[8] de prison . . . pas de lettre
. . . pas de livres . . . pas de compagnon . . . pas un
signe visible de Dieu en réponse à ses prières.[9] Seul[10] 20
dans le silence profond de son cachot, Dantès n'en-

---

[1] **accorder,** to allow, grant.   [2] **plaisir,** pleasure.   [3] **en-**
tendre, to hear.   [4] **propre,** own.   [5] **voix,** voice.   [6] **échapper,**
to escape; **s'échapper de,** to escape.   [7] RAGE, madness, rage.
[8] **(vie),** life.   [9] **(prière),** prayer, entreaty.   [10] **Seul,** Alone.

15

tend que la voix de son propre cœur.[1] Dieu n'est plus là.

Dantès passe de la prière à la rage.

Il maudit le porte-clefs, le gouverneur, le roi. Il
5 maudit les hommes qui l'ont mis[2] où il est. Il se dit
que c'est la haine[3] des hommes, et non la vengeance
de Dieu, qui le tient prisonnier dans le Château d'If.
Il trouve que la mort est trop[4] bonne pour ces
hommes, car[5] la mort, c'est le repos.[6] Et lui, vic-
10 time innocente des injustices de ces hommes, n'a
pas de repos.

Enfin,[7] dans sa rage, il maudit Dieu.

Il ne veut plus vivre. S'il meurt, il peut échapper à
la haine des hommes, à la vengeance de ses ennemis,
15 à cette horrible vie de la prison. C'est dans la mort
seule[8] qu'il peut trouver enfin le repos qu'il désire.
Mais pourquoi cette mort n'arrive-t-elle pas ? Veut-
elle qu'il l'aide à venir ?

Cette idée de suicide lui apporte du calme.

20 La vie de prison, le malheur dans son cœur . . . il
les trouve à présent plus supportables, car il sait enfin qu'il peut les laisser[9] là, quand il le veut.

La porte de sa prison va s'ouvrir.

---

[1] cœur, heart. [2] mis (*p.p.* mettre), put, placed. [3] HAINE,
hate, hatred. [4] trop, too. [5] car, for, because. [6] (repos),
rest, repose. [7] (Enfin), Finally, at last. [8] (seul), only.
[9] laisser, to leave.

IX

LA MORT PAR LA FAIM[1]

Quatre années passent lentement . . . lentement . . .

Dantès ne compte[2] plus les jours. Pour lui, le temps[3] n'existe pas. Il n'a qu'une seule idée: *mourir*. 5

Il y a deux moyens[4] de mourir. L'un est très simple: se pendre.[5] L'autre consiste à se laisser[6] mourir de faim.

Le premier moyen, Dantès le trouve mauvais. On pend des pirates, des criminels. Il ne veut pas 10 adopter pour lui-même[7] une mort si peu honorable.

Il adopte le deuxième moyen: la mort par la faim.

Chaque jour, il jette[8] son pain[9] par la fenêtre[10] barrée[11] de son cachot. Les premiers jours, il le jette avec joie, puis[12] avec réflexion, enfin avec regret. 15

Il n'est pas facile[13] de se laisser mourir de faim ! Il n'est pas facile de refuser de vivre ! Car le pain, c'est la vie !

Un jour, il prend le morceau de pain et le regarde longtemps. Il l'approche de sa bouche.[14] Il ouvre la 20 bouche. Puis, d'un mouvement violent, il jette le

---

[1] **faim,** hunger. [2] **compter,** to count. [3] **temps,** time.
[4] **moyen,** way, means. [5] **pendre (se),** to hang. [6] **(laisser),**
to let, allow. [7] **(lui-même),** himself. [8] **jeter,** to throw
(away). [9] **pain,** bread. [10] **fenêtre,** window. [11] **(barré),**
barred. [12] **puis,** then, afterward. [13] **facile,** easy. [14] **bouche,**
mouth.

pain par la fenêtre. Mais ce n'est pas son pain qu'il jette, c'est son existence ! C'est la vie qu'il refuse là.

Les derniers[1] instincts de la vie combattent sa résolution de mourir. C'est un combat terrible, 5 sans pitié. Enfin, un jour, il n'a plus la force[2] de jeter par la fenêtre le pain qu'on lui apporte. Il tombe[3] sur son lit.[4]

X

UN BRUIT[5] MYSTÉRIEUX

Le lendemain[6] matin,[7] quand Dantès ouvre les yeux,[8] il ne voit plus, il entend avec difficulté. 10 Quand il referme les yeux, il voit des lumières brillantes. C'est le dernier jour de son existence qui commence !

Le soir,[9] vers neuf heures,[10] il entend un bruit dans le mur au coin de son cachot.

15 Dantès croit que c'est un rat, car les rats sont ses seuls compagnons de tous les soirs.[11] Ils se laissent tomber de sa table sur son lit. Ils prennent le pain qu'il laisse. Dantès ne s'occupe[12] pas de les tuer.

Mais cette fois,[13] ce n'est pas comme le bruit d'un

---

[1] **dernier,** last. [2] **force,** strength, might, force. [3] **tomber,** to fall. [4] **lit,** bed. [5] **bruit,** noise, sound. [6] **(lendemain),** next day, day after. [7] **matin,** morning; **le lendemain matin,** the next morning. [8] **yeux** (*sing.* œil), eyes. [9] **soir,** evening. [10] **(heure),** o'clock. [11] **tous les soirs,** every evening. [12] **occuper,** to occupy; **s'occuper de,** to occupy (busy, trouble) oneself with. [13] **fois,** time.

rat. C'est comme le grattement[1] d'un instrument sur une pierre.[2]

Dantès écoute.[3] Le grattement continue toujours.

Il y a une idée toujours présente à l'esprit[4] de tous les prisonniers: *la liberté.* Cette idée prend posses- **5** sion de l'esprit de Dantès. Ce bruit qui arrive au moment où il va mourir, n'est-il pas un signe que Dieu a pris pitié de lui?

Le bruit mystérieux continue trois heures. Puis Edmond entend un autre bruit comme celui d'une **10** pierre qui tombe. Puis, le silence.

Quelques heures après, le grattement recommence.

A ce moment, le porte-clefs entre dans le cachot.

XI

LA JOIE ET LE DOUTE

Tous les soirs, quand le porte-clefs apporte des vivres[5] au prisonnier, il lui demande de quelle ma- **15** ladie il souffre. Dantès ne lui répond toujours pas. Puis le porte-clefs met les vivres sur la table et regarde son prisonnier très attentivement. Edmond se tourne toujours vers le mur.

Mais ce soir, Dantès commence à parler sur tous **20** les sujets possibles . . . sur la mauvaise qualité des vivres . . . sur le froid[6] dont il souffre dans ce misérable cachot . . . sur son lit qu'il trouve dur[7] comme

---

[1] (**grattement**), scraping, grating. [2] **pierre,** stone. [3] **écouter,** to listen (to). [4] **esprit,** mind, spirit. [5] (**vivres**), *n.pl.,* provisions. [6] **froid,** cold. [7] **dur,** hard.

une pierre . . . Il dit tout cela d'une voix haute[1] et rapide comme celle d'un homme qui a la fièvre.[2]

Le porte-clefs, croyant que son prisonnier est aussi[3] fou que l'abbé Faria, met la soupe et le mor-
5 ceau de pain sur la table, et sort.

Dantès est fou, mais c'est la folie de la joie ! Le porte-clefs n'a pas entendu le grattement dans le mur. Il n'a pas donné l'alarme. Et ce bruit qui est comme le compagnon de Dantès dans ses derniers
10 moments, va continuer . . .

Dantès écoute.

Le bruit est si distinct que l'on peut l'entendre sans effort.

— Sans doute, se dit-il, c'est quelque prisonnier
15 comme moi qui travaille[4] à sa délivrance. Et moi qui ne peux rien faire pour venir à son aide !

Puis une idée sombre passe dans l'esprit de Dantès: ce bruit n'a-t-il pas pour cause le travail[5] d'un employé du château pour réparer la chambre
20 voisine ?[6]

Comment[7] savoir si c'est un prisonnier ou un employé du gouverneur ? Comment ? . . .

---

[1] **haut,** high; *here* loud. [2] FIÈVRE, fever. [3] **aussi,** also, as; **aussi . . . que,** as . . . as. [4] **travailler,** to work. [5] (**travail**) *n.,* work. [6] VOISIN *adj.,* next, neighboring; *n.,* neighbor. [7] **Comment,** How.

XII

LES TROIS COUPS[1]

Mais, c'est très simple !

On attend[2] l'arrivée[3] du porte-clefs, **on lui fait** écouter ce bruit, et on le regarde attentivement. Mais ce moyen de savoir est si dangereux, car on risque tout. 5

Dantès est si faible[4] que son esprit n'est pas capable de penser[5] longtemps à ce qu'il doit faire. Ses idées sont confuses et indistinctes.

Enfin, il fait un effort suprême pour se tirer de sa folie[6]: il s'approche de la table, prend l'assiette[7] de 10 soupe, et la boit.[8]

Au bout de quelques moments, il sent[9] que la force rentre[10] dans son corps.[11] Toutes ses idées prennent leur place. Il peut penser.

Il se dit: 15

— Si celui qui travaille dans le cachot voisin est un employé du gouverneur, je n'ai qu'à frapper[12] contre[13] le mur, et il va laisser son travail un moment pour écouter, et puis il va continuer. Mais si c'est un prisonnier, il va cesser[14] son travail, car il va tout 20 risquer en continuant.

---

[1] **coup**, blow, knock. [2] **attendre**, to wait (for). [3] (**arrivée**), arrival, coming. [4] **faible**, weak, feeble. [5] **penser**, to think; **penser à**, think about. [6] **se tirer de sa folie**, to recover from his madness. [7] **assiette**, plate. [8] **boit** (*pres. ind.* **boire**), drinks. [9] **sent** (*pres. ind.* **sentir**), feels. [10] (**rentrer**), to return. [11] **corps**, body. [12] **frapper**, to strike, knock. [13] **contre**, against. [14] CESSER, to stop, cease.

Avec cette réflexion, Dantès s'approche du coin de sa prison, détache un morceau de pierre, et frappe contre le mur.

Il frappe trois coups.

5   Au premier coup, le bruit mystérieux cesse.

XIII

LA CENT[1] DEUXIÈME FOIS

Edmond écoute.

Une heure passe . . . deux heures passent . . .

Pas un bruit ne se fait entendre. Rien ne vient troubler le silence de sa prison.

10   Trois heures . . . quatre heures . . .

Le temps passe si lentement quand on attend, seul, dans un cachot !

Edmond mange[2] un morceau de son pain et boit un peu d'eau.[3] Un peu plus de force lui rentre dans le 15 corps, un peu plus d'espoir[4] dans l'esprit.

Les heures du jour passent, le silence continue toujours.

La nuit[5] vient enfin, mais le bruit ne recommence pas. On n'entend que des rats dans la chambre.

20   — C'est un prisonnier, comme moi ! se dit Edmond, avec une immense joie. Et l'espoir lui rend la vie active, violente.

La nuit se passe comme les autres . . . Mais

[1] cent, hundred; cent deuxième, one hundred and second. [2] manger, to eat. [3] eau, water. [4] (espoir), hope. [5] nuit, night.

Edmond ne ferme pas les yeux de cette nuit. Il écoute toujours.

Trois jours se passent, soixante-douze[1] mortelles heures comptées minute par minute.

Enfin, un soir, après la dernière visite du porte- 5 clefs, Dantès met son oreille[2] contre le mur et écoute. Cent fois il a mis[3] son oreille contre ce mur et a écouté, et cent fois il n'a rien entendu. Mais cette fois, la cent et unième,[4] il lui semble[5] qu'il sent une vibration dans sa tête,[6] mise contre les pierres 10 silencieuses.[7]

D'un mouvement violent, Dantès se jette sur son lit, la tête entre les mains[8]:

— Voilà la folie qui va recommencer ! pense-t-il.

Quelquefois,[9] la nuit,[10] après des heures passées à 15 écouter, il lui semble qu'il entend des coups indistincts . . . le grattement d'un instrument dur sur une pierre . . . une voix faible qui l'implore . . . Et il voit des mots écrits[11] en lettres de lumière sur le sombre mur de son cachot: *Justice . . . Délivrance . . . Ven-* 20 *geance.* Puis voilà la lumière du jour qui entre par la petite fenêtre barrée . . . c'est le jour qui commence, et qui va passer . . . comme tous les autres ! Et l'espoir se change en désespoir.

Eh bien,[12] cette vibration dans sa tête ? l'a-t-il 25 imaginée, aussi ? A-t-elle eu[13] pour cause le mouve-

---

[1] **soixante-douze,** seventy-two.　[2] **oreille,** ear.　[3] **mis** (*p.p.* **mettre**), placed (put).　[4] (**unième**), first.　[5] **sembler,** to seem.　[6] **tête,** head.　[7] (**silencieux,** *f.* **silencieuse**), silent.　[8] **main,** hand.　[9] (**Quelquefois**), Sometimes.　[10] **la nuit,** at night.　[11] **écrit** (*p.p.* **écrire**), written.　[12] **Eh bien,** Well !　[13] **eu** (*p.p.* **avoir**), had.

ment trop rapide de son propre cœur ? Ou le travail
d'un homme dans le cachot voisin ?

Il s'approche du mur, met l'oreille contre la même
pierre et écoute attentivement.

5 C'est la cent deuxième fois.

XIV

UNE CRUCHE[1] BRISÉE[2]...

Il n'y a plus de doute !

De l'autre côté[3] du mur, un homme, un prisonnier
comme lui, travaille. Il travaille lentement, avec
précaution. On n'a plus de difficulté à l'entendre.

10 Edmond est presque fou de joie. Il ne veut pas
attendre un moment pour venir en aide au travailleur[4] inconnu.[5]

Il commence par déplacer[6] son lit, derrière[7] lequel
il lui semble que le travail de délivrance se fait.[8]

15 Puis il examine les pierres du mur pour voir s'il est
possible d'en faire tomber une, en creusant[9] dans le
plâtre humide.

Mais il est impossible de creuser sans un instrument tranchant.[10] Edmond n'a pas d'objet tran-

20 chant.

Les barres de sa fenêtre sont en fer.[11] Mais Ed-

---

[1] **cruche,** jug.   [2] BRISER, to break.   [3] **côté,** side; **de l'autre
côté,** on the other side.   [4] **(travailleur),** worker.   [5] **(inconnu),**
unknown.   [6] **(déplacer),** to move, displace.   [7] **derrière,** behind.   [8] **se faire,** to take place.   [9] **creuser,** to dig.   [10] **(tranchant)** *adj.* sharp, cutting.   [11] **fer,** iron; **en fer,** of iron.

mond sait bien qu'elles sont très solides et bien fixées dans la pierre.

Le lit et la table sont en bois.[1] Le bois n'est pas tranchant.

La cruche ? . . . ah ! voilà pour Dantès la seule 5 ressource: briser la cruche et, avec un des morceaux, creuser dans le plâtre . . .

Il laisse[2] tomber la cruche à terre.[3] La cruche se brise en cent morceaux.

Dantès prend deux ou trois morceaux tranchants, 10 les cache[4] dans son lit, et laisse les autres sur la terre. Pourquoi se troubler pour une cruche brisée ? . . . L'accident est trop[5] naturel.

Edmond a toute la nuit pour travailler, mais dans l'obscurité le travail ne va pas bien. Enfin il cesse 15 ses efforts, replace son lit et attend le jour.

Avec l'espoir, vient la patience.

XV

UN TRAVAIL INUTILE[6]

Toute la nuit, Dantès écoute le travailleur inconnu. Le jour vient enfin, le porte-clefs entre.

Dantès lui dit qu'en buvant[7] de l'eau de la cruche, 20 elle a échappé de sa main et s'est brisée en tombant à terre.

---

[1] **bois,** wood; **en bois,** wooden.   [2] **(laisser),** to let, allow; **laisser tomber,** to drop.   [3] **terre,** earth; **à terre,** to the ground.
[4] **cacher,** to hide.   [5] **trop,** too.   [6] **(inutile),** useless.   [7] **buvant** (*pres. part.* **boire**), drinking.

25

Le porte-clefs, en murmurant, va chercher[1] une nouvelle cruche. Il ne s'occupe pas de prendre les morceaux de la cruche brisée. Et il ne cherche pas à voir si tous les morceaux sont là.

5 Il revient[2] un instant après, dit au prisonnier qu'il ne doit pas penser que tous les accidents sont naturels, et sort.

Dantès écoute le bruit de ses pas[3] dans l'escalier. Puis, quand il ne peut plus les entendre, il déplace son
10 lit et examine le travail de la nuit précédente.

Il voit que le plâtre entre les pierres est très faible. On peut le détacher par fragments. Ces fragments sont presque des atomes. Au bout d'une heure, Dantès en a détaché assez[4] pour remplir[5] ses deux
15 mains.

— Comme ça, se dit-il, faire un passage de deux pieds[6] de diamètre et de vingt[7] pieds de longueur[8] va prendre presque deux années ! Et si je trouve, un jour, du roc[9] dans le passage ? . . . Ou des barres
20 de fer fixées dans le plâtre ? . . .

Il pense aux heures lentes[10] des années passées à ne rien faire dans sa prison . . . Pourquoi n'a-t-il pas rempli ces heures d'un travail lent et continu ? . . . d'un travail comme celui-ci ? . . .

25 Cette idée lui donne une nouvelle force.

En trois jours, Dantès enlève[11] tout le plâtre au-

---

[1] **chercher,** to search, look for; **aller chercher,** go for.
[2] **(revenir),** to come back, return. [3] **pas** *n.*, step. [4] **assez,** enough. [5] **remplir,** to fill. [6] **pied,** foot. [7] **vingt,** twenty.
[8] **(longueur),** length. [9] **roc,** rock. [10] **lent,** slow. [11] **(enlever),** to remove, take away (out).

26

tour¹ d'une des pierres dans le mur derrière son lit.
Puis il fait des efforts pour enlever la pierre elle-
même. C'est une pierre de plus de deux pieds de
longueur.

Impossible de la tirer du mur ! Les morceaux de la 5
cruche se brisent quand Dantès veut les employer²
comme levier.³

Après une heure d'efforts inutiles, Dantès cesse le
travail. Il cache les fragments de plâtre derrière son
lit, replace le lit contre le mur, et cherche dans son 10
esprit ce qu'il faut⁴ faire.

Lui faut-il abandonner là son espoir ? Lui faut-il
attendre, inerte et inutile, que cet homme inconnu,
de l'autre côté du mur, travaille pour sa délivrance ?
Y a-t-il une autre ressource ? . . .   15

Une nouvelle idée lui passe par l'esprit.

XVI

ET UN MANCHE⁵ DE CASSEROLE⁶

Le porte-clefs apporte tous les jours la soupe de
Dantès dans une casserole.

Cette casserole a un manche de fer. C'est à ce
manche de fer que pense le jeune⁷ homme en ce 20
moment.

C'est toujours la même chose. Le porte-clefs
entre, verse⁸ la soupe de la casserole dans l'assiette de

---

¹ **autour (de),** around.   ² **employer,** to use, employ.
³ **(levier),** lever.   ⁴ **faut** (*pres. ind.* **falloir**), it is necessary.
⁵ **manche** *m.,* handle.   ⁶ CASSEROLE, saucepan, casserole.
⁷ **jeune,** young.   ⁸ **verser,** to pour.

27

Dantès, et enlève la casserole. Le prisonnier mange la soupe, verse un peu d'eau sur son assiette et la garde pour un autre jour.

Mais ce soir, Dantès met son assiette à terre, entre
5 la table et la porte. Puis, il attend.

Le porte-clefs entre et, ne voyant pas bien dans l'obscurité du cachot, il met le pied sur l'assiette et la brise en vingt morceaux.

Cette fois, il n'y a rien à dire contre Dantès.
10 Dantès a laissé son assiette à terre, mais le porte-clefs n'a pas regardé à ses pieds.

Le porte-clefs murmure . . . et voilà tout !

Puis il regarde autour de lui pour voir s'il y a quelque chose où il puisse[1] verser la soupe. Il n'y trouve
15 rien.

— Laissez la casserole, dit Dantès, si vous le voulez.

Le porte-clefs, ne voulant pas remonter, redescendre et remonter une seconde fois, laisse la casserole
20 et sort.

Le cœur de Dantès se remplit de joie.

Après avoir mangé la soupe, le jeune homme attend une heure pour être certain que le porte-clefs ne va pas revenir chercher[2] sa casserole. Puis il déplace
25 son lit et recommence son travail, en employant le manche de fer de la casserole comme levier.

Au bout d'une heure, la pierre est tirée du mur où elle fait un trou[3] de plus de deux pieds de diamètre.

Dantès porte[4] les fragments de plâtre dans le coin

[1] **puisse** (*pres. subj.* **pouvoir**), can. [2] **revenir chercher,**
to come back for. [3] **trou,** hole. [4] **porter,** to carry, take.

de sa prison, y fait un trou dans la terre avec un morceau de sa cruche, et couvre[1] le plâtre de terre.

Il continue à creuser toute la nuit.

XVII

ON TRAVAILLE NUIT ET JOUR

Le lendemain matin, il replace la pierre dans son trou, met son lit contre le mur et se jette sur son lit. 5

Le porte-clefs entre et met le pain du prisonnier sur la table.

— Eh bien ! vous ne m'apportez pas une nouvelle assiette ? demande Dantès.

— Non, répond le porte-clefs. Vous êtes un brise- 10 tout.[2] Vous avez brisé votre cruche et vous êtes cause que j'ai brisé votre assiette. On vous laisse la casserole et on y verse votre soupe. Comme ça,[3] vous n'allez pas ruiner le gouvernement !

Dantès sent dans son cœur une gratitude profonde 15 et remercie[4] Dieu de ce morceau de fer, au moyen duquel[5] il compte, un jour, retrouver[6] sa liberté.

Une chose l'inquiète[7] : le prisonnier de l'autre côté du mur ne travaille plus.

— Eh bien, se dit-il, si mon voisin ne vient pas à 20 moi, c'est à moi[8] d'aller à mon voisin !

Le jour,[9] il travaille de toutes ses forces ; le soir, il

---

[1] **couvrir**, to cover.   [2] (**brise-tout**), a person who breaks everything.   [3] **Comme ça**, In that way.   [4] **remercier**, to thank (**de**, for).   [5] **au moyen de**, by means of.   [6] (**retrouver**), to regain, find again.   [7] (**inquiéter**), to worry, disturb.   [8] **c'est à moi**, it is for (up to) me.   [9] **Le jour**, By day; *cf.* **le soir**, in the evening.

29

tire du trou assez de plâtre pour remplir trois fois
sa casserole.

Quand l'heure de la visite du soir arrive, il remet[1]
la casserole sur la table.   Le porte-clefs entre et **y**
5 verse la soupe.   Puis, la soupe versée, le porte-clefs
sort et remonte l'escalier.

Dantès s'approche du mur et écoute.

Tout est silencieux.   Il est évident que son voisin
n'a pas de confiance[2] en lui.   Mais Dantès continue
10 de travailler toute la nuit.   Il ne prend pas de repos.
Vers le matin, son instrument trouve un obstacle.

Le travail cesse.

XVIII

UNE VOIX DE DESSOUS[3] TERRE

Cet obstacle, est-ce du roc ? . . . Ou du fer ? . . .
Dantès le touche avec ses mains.   C'est du bois !
15 Il faut creuser dessus[4] ou dessous, car l'objet barre
complètement le passage.

Le jeune homme n'a pas pensé à cet obstacle.

— Oh ! mon Dieu, mon Dieu ! s'écrie-t-il,[5] je vous
ai prié nuit et jour, et vous ne m'avez pas entendu !
20 Mon Dieu ! après m'avoir enlevé la liberté de la
vie . . . mon Dieu ! qui m'avez rendu la vie et l'espoir après m'avoir refusé le calme de la mort . . .
mon Dieu ! ayez[6] pitié de moi, ne me laissez pas
mourir dans le désespoir !

---

[1] (**remettre**), to replace, put back.   [2] (**confiance**), trust,
faith, confidence.   [3] (**dessous**), under, underneath, beneath.
[4] (**dessus**), above, over.   [5] (**s'écrier**), to cry (out), exclaim.
[6] **ayez** (*impv.* **avoir**), have.

— Qui parle ici de Dieu et de désespoir en même temps? dit une voix qui semble venir de dessous terre.

Edmond, tremblant des pieds à la tête comme un homme qui a la fièvre, s'écrie: 5

— Au nom[1] de Dieu! vous qui avez parlé, parlez encore![2] Qui êtes-vous?

— Qui êtes-vous vous-même? demande la voix.

— Un prisonnier.

— De quel pays?[3] 10

— Français.[4]

— Votre nom?

— Edmond Dantès.

— Votre profession?

— Marin.[5] 15

— Depuis combien[6] de temps êtes-vous ici?

— Depuis le 28 février 1815.

— Votre crime?

— Je suis innocent.

— Mais de quoi vous accuse-t-on? 20

— D'avoir conspiré[7] pour le retour de l'empereur.

— Quoi! pour le retour de l'empereur! l'empereur n'est plus sur le trône?

— Il a abdiqué à Fontainebleau[8] en 1814 et a 25

---

[1] **nom,** name. [2] **encore,** again; *also* still, yet. [3] **pays,** country. [4] **(Français),** French. [5] **(marin),** sailor. [6] **combien,** how much (many); **Depuis combien de temps êtes-vous ici?** How long have you been here? [7] CONSPIRER, to plot. [8] Napoleon signed his abdication April 4, 1814, at his favorite château of Fontainebleau, some 35 miles southeast of Paris. The château was built by François Ier.

31

été[1] mis sur l'île d'Elbe. Mais vous-même depuis combien de temps êtes-vous ici, que vous êtes ignorant de tout cela ?

— Depuis 1811.

5 Dantès ne trouve pas de réponse . . . quatre ans de prison de plus que lui ![2]

XIX

UNE ERREUR

La voix continue:

— C'est bien, ne creusez plus. Mais dites-moi[3] à quelle hauteur[4] de la terre se trouve[5] l'excavation 10 que vous avez faite ?

— A la hauteur d'un pied, presque.

— Comment est-elle cachée ?

— Derrière mon lit.

— A-t-on déplacé votre lit depuis que vous êtes 15 en prison ?

— Jamais.[6]

— Sur quoi donne[7] votre chambre ?

— Elle donne sur un corridor.

— Et le corridor.

20 — Communique avec l'intérieur du château.

— Hélas ![8] murmure la voix.

---

[1] **été** (*p.p.* **être**), been.　[2] **quatre ans . . . que lui,** four years more of prison than he.　[3] **dites** *pres. ind. and impv.* **dire.**
[4] **(hauteur),** height.　[5] **se trouver,** to be, be located.　[6] **jamais,** never. **Ne** is omitted when the verb is lacking.　[7] **donner sur,** to look out (open, face) upon.　[8] ʜᴇ́ʟᴀs ! alas !

32

— Mon Dieu ! qu'y a-t-il ?[1] s'écrie Dantès.

— Ah ! j'ai fait une erreur sur mon plan ! Je n'ai pas de compas. Une erreur sur mon plan a fait une différence de dix pieds en réalité. J'ai pris le mur que vous creusez pour le mur extérieur du châ- 5 teau . . .

— Mais en creusant de l'autre côté, vous risquez de tomber dans la mer !

— C'est ce que j'ai voulu.

— Mais comment échapper à la mort dans la mer ? 10

— Je sais nager.[2] En nageant, il est possible d'arriver à une des îles qui se trouvent près[3] du Château d'If . . .

— Mais où allez-vous trouver la force de nager si longtemps ? 15

— J'ai confiance en Dieu . . . Mais, pour le moment, tout est perdu.

— Tout est perdu ?

— Oui. Refermez votre trou avec précaution, ne travaillez plus, et attendez. 20

— Mais qui êtes-vous ? . . . dites-moi qui vous êtes ?

— Je suis . . . je suis . . . le N° 27.

---

[1] **qu'y a-t-il?** what is the matter? [2] **nager,** to swim. [3] **près,** near; **près de,** near, close to.

XX

AMI[1] OU TRAÎTRE?[2]

— Vous n'avez pas de confiance en moi? demande Dantès, croyant que cet homme pense à l'abandonner. Ah! je vous assure que je ne suis pas un traître! Je préfère me tuer que de profiter de votre se-
5 cret. Mais, au nom de Dieu! ne m'enlevez pas votre présence!... laissez-moi entendre encore votre voix... ou, je vous l'assure, je vais me briser la tête contre ce mur!

— Quel âge avez-vous?[3] votre voix semble être
10 celle d'un jeune homme.

— Je ne sais pas mon âge. Je suis ignorant du temps qui s'est passé depuis que je suis ici. Ce que je sais, c'est que je suis entré dans cette prison à l'âge de dix-neuf[4] ans.[5]

15 — Presque vingt-six ans, murmure la voix. Eh bien! à cet âge on n'est pas encore un traître.

— Oh! non! non! je vous assure que je préfère me faire couper en morceaux[6] que de révéler ce que vous m'avez dit.

20 — Vous avez bien fait de me parler, vous avez bien fait de me prier de ne pas vous abandonner, car j'ai pensé à le faire. Mais votre âge me rassure,[7] je vais revenir à vous... attendez-moi.

---

[1] ami, friend. [2] TRAÎTRE, traitor. [3] Quel âge avez-vous?
How old are you? [4] (dix-neuf), nineteen. [5] an, year. [6] me
faire couper en morceaux, to have myself cut into pieces.
[7] (rassurer), to reassure.

— Quand cela ?

— Il faut que je calcule nos chances; laissez-moi vous donner le signal.

— Mais vous n'allez pas m'abandonner . . . me laisser seul. Vous allez venir à moi ou me permettre [5] d'aller à vous. Et si nous ne pouvons pas nous échapper, nous pouvons parler, vous des personnes que vous aimez,[1] moi des personnes que j'aime. Vous devez aimer quelqu'un ?

— Je suis seul . . . je n'ai pas d'amis. [10]

— Eh bien, si vous êtes jeune, je veux être votre camarade. Si vous êtes vieux, je veux être votre fils.[2] J'ai un père[3] qui doit avoir l'âge de soixante-douze ans, s'il vit[4] encore. Je vais vous aimer comme j'aime mon père. [15]

— C'est bien, je vais revenir le matin.

XXI

LE SIGNAL

Dantès replace la pierre dans le trou, couvre de terre les débris[5] et remet son lit contre le mur.

Le soir, le porte-clefs vient; Dantès est sur son lit. De là, il lui semble qu'il peut bien garder son secret. [20] Sans doute il regarde son visiteur d'un œil[6] étrange, car le porte-clefs lui dit:

— Encore la folie, hein ?[7]

---

[1] (aimer), to like, love. [2] fils, son. [3] père, father. [4] vit (*pres. ind.* vivre), lives. [5] DÉBRIS, refuse, rubbish, debris. [6] œil, eye (*pl.* yeux). [7] HEIN ? eh ?

35

Edmond ne répond rien, croyant que l'émotion de sa voix pourrait[1] révéler ses sentiments.[2]

Le porte-clefs verse la soupe dans la casserole et sort, en murmurant.

5 Dantès croit que son voisin va profiter du silence et de la nuit pour recommencer la conversation avec lui, mais la nuit se passe sans le signal qu'il attend.

Mais le lendemain matin, après la visite du porte-clefs, comme Dantès déplace son lit, il entend frap-
10 per trois coups . . . Il enlève la pierre et écoute.

— Est-ce vous ? dit-il. Me voilà ![3]

— Votre porte-clefs, est-il remonté ? demande la voix de dessous terre.

— Oui, il ne va revenir que ce soir; nous avons
15 douze[4] heures de liberté.

— Je puis continuer mon travail ?

— Oh ! oui, oui, sans perdre de temps, je vous prie !

Immédiatement la masse de terre sur laquelle Dantès a mis ses deux mains disparaît.[5]

20 La masse de terre et de pierres détachées disparaît dans un trou qui vient de s'ouvrir au-dessous de[6] l'excavation que lui-même a faite.

Au fond[7] de ce trou sombre et profond, Dantès voit paraître[8] une tête, deux bras[9] et enfin un homme
25 tout entier qui sort avec agilité de l'excavation.

Dantès prend dans ses bras ce nouvel ami, si long-

---

[1] **pourrait** (*past fut.* pouvoir), could, might.   [2] (**sentiment**), feeling, sentiment.   [3] **Me voilà !** Here I am !   [4] **douze,** twelve.   [5] (**disparaître**), to disappear.   [6] **au-dessous de,** under, beneath.   [7] **fond,** bottom.   [8] **paraître,** appear.   [9] **bras,** arm.

temps attendu, et le tire vers sa fenêtre pour l'examiner dans le peu de lumière qui entre dans son cachot.

XXII

L'ABBÉ FARIA

C'est un homme assez[1] petit, aux cheveux[2] blancs,[3] à l'œil pénétrant, à la barbe[4] noire[5] et très longue. 5 Les lignes[6] de son visage[7] révèlent un homme plus habitué[8] à l'exercice des facultés morales qu'à des forces physiques.

Il paraît[9] avoir soixante-cinq ans, mais une certaine vigueur dans les mouvements indique que c'est 10 un homme beaucoup[10] plus jeune.

Les deux hommes se regardent quelques instants avec curiosité. Puis Dantès dit avec une émotion qu'il ne peut plus cacher:

— Ah! mon ami!... car vous l'êtes, n'est-ce 15 pas?... dites-moi qui vous êtes et de quoi on vous accuse...

Le visiteur sourit[11]:

— Je suis l'abbé Faria, en 1807 secretaire du cardinal Spada à Rome, mais depuis 1811 le numéro 20 27 au Château d'If. On m'accuse d'avoir des idées

---

[1] (assez), rather, quite. [2] **cheveux** *pl.*, hair. [3] **blanc** (*f.* blanche), white; **aux cheveux blancs**, with white hair. [4] **barbe**, beard. [5] **noir**, black. [6] **ligne**, line. [7] **visage**, face. [8] HABITUÉ, accustomed. [9] (**paraître**), to seem. [10] **beaucoup,** much, many. [11] (**sourire**), to smile.

politiques contraires à celles de Napoléon Ier. Voilà
tout !

— Mais votre vie ici ? . . . les longues années
passées dans la solitude ? . . .

5 — Ma vie ici ? . . . c'est très simple. J'ai passé les
années à méditer sur les choses de l'esprit, à écrire un
livre sur la vie politique de mon pays, à fabriquer[1]
des outils[2] nécessaires à mes travaux, à faire des
plans pour échapper de la prison, à creuser ce pas-
10 sage . . . inutile !

Ce mot *inutile* révèle à Dantès la déception[3] profonde de Faria de trouver un second cachot là où il a
cru[4] trouver la liberté.

L'abbé continue:

15 — Eh bien ! Voyons s'il y a moyen de faire disparaître aux yeux de votre porte-clefs les traces de
mon passage. Il faut que cet homme ne sache[5] pas
ce qui s'est passé,[6] ou tout est perdu pour jamais.

Il prend la pierre et la fait entrer dans le trou.
20 Elle le ferme[7] assez mal.[8]

— Ah ! dit l'abbé, en souriant, je vois que vous
n'avez pas d'outils ?

— Et vous ? demande Dantès, avec surprise.

— J'ai passé quatre ans à en fabriquer de toutes
25 sortes. répond l'abbé. Voulez-vous les examiner ?

Dantès accepte l'invitation cordiale de son voisin
et les deux hommes disparaissent dans le passage.

---

[1] **fabriquer,** to make, manufacture. [2] **outil,** tool. [3] DÉ-
CEPTION, disappointment (*a dangerous cognate*). [4] **cru** (*p.p.*
croire), believed, thought. [5] **sache** *pres. subj.* **savoir.** [6] **se
passer,** to happen, take place. [7] **fermer,** to close, shut.
[8] **mal,** badly, poorly.

Pour ces deux prisonniers c'est une nouvelle vie qui commence.

Comme le cœur humain est étrange !

XXIII

DES PLANS

Les jours qui suivent sont remplis de conversations, de visites, de plans. 5

Dantès ne cesse pas d'admirer l'énergie, la patience et la haute intelligence de son nouvel ami, et de sa part,[1] Faria admire la résolution et le courage du jeune homme. Il trouve en Edmond un fils, comme celui-ci trouve en lui un père. 10

Un jour, l'abbé dit à Dantès:

— Vous avez retrouvé vos forces; nous pouvons recommencer notre travail. Voici mon plan: c'est de creuser un passage au-dessous du corridor qui communique entre votre cachot et le mien. Par ce 15 passage on arrive au-dessous de la galerie où se trouve la sentinelle. Une fois là, on fait une excavation au-dessous d'une des pierres dans le plancher[2] de la galerie. A un moment donné, quand la sentinelle met le pied sur cette pierre, elle tombe et le garde 20 disparaît dans l'excavation. On se jette sur lui, on le lie,[3] et on lui ferme la bouche avec un morceau de son vêtement.[4] Puis on passe par une des fenêtres de la galerie, on descend le long du[5] mur extérieur au

---

[1] de sa part, on his part. [2] (plancher), floor. [3] lier, to tie, bind. [4] (vêtement), clothing. [5] le long de, along, the length of.

moyen d'une corde faite de morceaux de vêtements, et on s'échappe de l'île, en nageant dans la mer.

— Admirable ! s'écrie Dantès. Et combien nous faut-il de temps pour exécuter ce plan ?

5 — Un an.

— Quand pouvons-nous commencer ?

— Immédiatement.

Le même jour, les deux hommes commencent à creuser dans le plancher du cachot de l'abbé Faria.

XXIV

HÉLAS !

10 Après quinze[1] mois d'efforts nuit et jour, les deux travailleurs arrivent sous[2] la galerie. Au-dessus de[3] leur tête, ils entendent les pas de la sentinelle sur les pierres du plancher.

Dantès est occupé à placer un morceau de bois 15 sous une des pierres, comme support, quand il entend l'abbé Faria qui l'appelle[4] avec un accent de détresse.

Il revient à lui. Faria n'a que le temps de donner quelques instructions, avant de[5] tomber mourant dans les bras de son ami.

20 Dantès le porte dans sa chambre, où il lui fait boire une potion indiquée dans ses instructions. La vie de Faria est sauvée, mais son côté gauche[6] est paralysé. Il lui est impossible de s'échapper du château.

---

[1] **quinze,** fifteen. [2] **sous,** under. [3] **Au-dessus de,** Above, over. [4] **appeler,** to call. [5] **avant,** before; **avant de,** before (*with an infinitive*). [6] **gauche,** left.

Cette attaque est la seconde. La troisième va suivre.[1]

L'abbé appelle Dantès auprès de[2] son lit:

— Partez![3] lui dit-il. Ne restez[4] plus ici! Vous êtes jeune, ne vous inquiétez pas de moi![5] Il me faut attendre la mort ici . . . seul!

— C'est bien, dit Dantès. Moi, aussi, je reste!

Faria regarde attentivement ce jeune homme si noble, si simple, et voit sur son visage la sincérité de son affection.

— Eh bien! dit-il, j'accepte!

Puis, lui prenant la main:

— Comme je ne puis et que[6] vous ne voulez pas partir, il faut remplir le passage fait sous la galerie. La sentinelle peut le découvrir[7] et donner l'alarme. Allez faire ce travail, dans lequel je ne puis plus vous aider. Employez-y toute la nuit et ne revenez que le matin après la visite du porte-clefs. J'ai quelque chose d'important à vous dire.

Dantès prend la main de l'abbé, qui lui sourit, et sort avec ce respect qu'il a toujours accordé à son vieil ami.

XXV

LE TESTAMENT[8]

Le lendemain matin, quand Dantès rentre dans la chambre de son compagnon de captivité, il trouve

---

[1] suivre, to follow. [2] auprès de, beside. [3] partir, to leave, depart. [4] rester, to remain, stay. [5] ne vous inquiétez pas de moi, don't worry about me. [6] que *here* = comme. [7] (découvrir), to discover. [8] TESTAMENT, will.

Faria assis[1] sur son lit, le visage calme.   L'abbé tient un morceau de papier de la main gauche.

Sans rien dire, il donne le papier à Dantès.

— Qu'est-ce ? demande celui-ci.[2]

5   — Regardez bien, lui dit l'abbé en souriant.   Ce papier, c'est mon trésor.

Dantès prend le morceau de papier sur lequel sont tracés des caractères étranges.   C'est un vieux testament, portant la date du 25 avril[3] 1498, dans lequel 10 un certain César Spada donne à un membre de sa famille des instructions pour trouver un trésor fabuleux qu'il dit caché dans les grottes de la petite île de Monte-Cristo.[4]

Par un accident curieux l'abbé Faria a découvert[5] 15 le secret du vieux manuscrit qu'il a trouvé entre les pages d'un livre donné à lui par le dernier descendant de la famille Spada.   Il est le seul possesseur légitime de ce trésor.

— Eh bien! mon ami, dit Faria, vous savez mon 20 secret.   Si nous nous échappons jamais à cette prison, la moitié[6] de ce trésor est à vous.[7]   Mais si je meurs ici, et si vous vous échappez seul, je vous laisse cette fortune entière.

— Et vous dites que cette fortune se compose . . .

25   — De presque treize[8] millions de notre monnaie.

— Impossible !   C'est une somme énorme !

---

[1] (**assis**), seated, sitting.   [2] **celui-ci,** the latter.   [3] **avril,** April.   [4] The little island of Monte-Cristo is south of the island of Elba, off the coast of Tuscany, Italy.   [5] **découvert** (*p.p.* découvrir), discovered.   [6] **moitié,** half.   [7] **est à vous,** is yours.   [8] **treize,** thirteen.

— Impossible ! . . . et pourquoi ?   La famille
Spada est une des plus vieilles d'Italie. Des trésors
comme celui-là sont des accumulations faites par des
années de travail continu de la part de tous les
descendants d'une famille, et gardées de père en 5
fils.[1]

— Eh bien, je ne dois accepter ni la moitié de la
fortune, ni la fortune entière; je ne suis pas votre
descendant légitime.

— Vous êtes mon fils, Dantès ! s'écrie le vieil abbé. 10
Vous êtes l'enfant[2] de ma captivité. Dieu vous a
donné à moi pour consoler l'homme qui ne peut pas
être père et le prisonnier qui ne peut pas être libre.[3]

XXVI

ADIEU ![4]

Faria ne connaît[5] pas l'île de Monte-Cristo, mais
Dantès la connaît. Il a passé quelques heures sur 15
cette petite île qui se trouve entre la Corse[6] et l'île
d'Elbe. Elle est complètement déserte.[7] Dantès fait
le plan de l'île à Faria, et Faria dit à Dantès les
moyens à employer pour retrouver le trésor.

Les jours se passent . . .   20

Une nuit, Edmond croit entendre son ami qui
l'appelle d'une voix de détresse.

Sans perdre un instant, il déplace son lit, tire la

---

[1] de père en fils, from father to son. [2] enfant, child.
[3] libre, free. [4] (adieu), good-bye. [5] connaître, to know.
[6] Corse, Corsica. [7] désert, deserted.

pierre, se plonge dans le passage et arrive dans la chambre de l'abbé.

Faria est assis sur son lit, le visage pâle, les mains tremblantes:

5 — Eh bien, mon ami, dit-il, c'est la troisième attaque qui commence . . . la dernière, vous comprenez, n'est-ce pas ? Ne criez pas, ou vous êtes perdu ! . . . vous et celui qui va prendre ma place ici . . . car un autre prisonnier va venir, après ma 10 mort . . . et il faut que vous restiez près de lui pour l'aider. Je ne suis qu'une moitié de cadavre[1] liée à vous pour vous paralyser dans tous vos mouvements . . .

— Oh ! mon ami, mon ami, je vous prie ! J'ai 15 sauvé votre vie une fois; je vais la sauver une seconde ! Il reste[2] encore un peu de votre potion. Dites-moi ce qu'il faut que je fasse[3] cette fois; y a-t-il des instructions nouvelles ? Parlez, mon ami, j'écoute.

20 — Il n'y a pas d'espoir. Mais . . . si vous voulez . . . faites comme la première fois. Si après avoir versé douze gouttes[4] de la potion dans ma bouche, vous voyez que je ne reviens pas à moi,[5] vous pouvez en verser le reste. C'est tout. Maintenant,[6] ap-25 prochez-vous, j'ai encore deux choses à vous dire. La première, c'est que je prie Dieu de vous accorder le bonheur[7] et la prospérité que vous méritez. La

---

[1] CADAVRE, corpse. [2] **Il reste,** There remains. [3] **fasse** *pres. subj.* **faire.** [4] **goutte,** drop. [5] **que je ne reviens pas à moi,** that I do not regain consciousness. [6] **Maintenant,** Now. [7] **(bonheur),** happiness.

seconde, c'est que le trésor des Spada existe . . . le
vieil abbé qu'on croit fou ne l'est pas . . . mon trésor
existe ! Partez ! Allez à Monte-Cristo . . . profitez
de notre fortune . . . vous avez assez souffert.[1]

Une convulsion violente passe sur son corps. Ses [5]
yeux ne voient plus. Il presse la main d'Edmond:
— Adieu ! adieu ! murmure-t-il. Ne criez pas ! Je
ne souffre pas comme la première fois . . . je n'ai plus
assez de forces pour souffrir. C'est le privilège des
jeunes de croire . . . de garder de l'espoir . . . mais [10]
les vieux voient plus clairement la mort. Oh ! la
voilà ! . . . Elle vient . . . Libre, enfin ! Votre main,
Dantès ! . . . adieu ! . . . adieu ! . . .

Puis, avec un dernier effort dans lequel il met
toutes ses facultés, il s'écrie « Monte-Cristo ! Monte- [15]
Cristo ! », et sa tête retombe[2] sur le lit.

XXVII

LA MORT PASSE AU N° 27

Dantès, suivant les instructions, verse les gouttes
de la potion dans la bouche de son ami.

Une heure, deux heures passent . . .

Edmond, assis auprès du lit, tient la main pressée [20]
sur le cœur de Faria. Il sent le froid qui pénètre dans
le corps inerte. Les yeux de l'abbé restent ouverts[3]
et fixes. Enfin Dantès comprend qu'il est en présence d'un mort.[4] Saisi[5] d'une terreur profonde et

---

[1] souffert (*p.p.* souffrir), suffered.   [2] (retomber), to fall
back.   [3] ouvert (*p.p.* ouvrir), opened; *adj.* open.   [4] (mort)
m., dead man.   [5] saisir, to seize.

invincible, il se plonge dans le passage, replace la pierre au-dessus de sa tête, et rentre dans sa propre chambre.

Il est bien temps.[1] Le porte-clefs va venir.

5 Sa visite faite, le porte-clefs passe dans le cachot de Faria.

Dantès est pris d'une impatience de savoir ce qui va se passer dans le cachot de son ami quand le porte-clefs va découvrir que le prisonnier est mort. Il
10 rentre dans le passage et arrive à temps pour entendre les exclamations du porte-clefs, qui appelle à l'aide.

Les autres porte-clefs arrivent. Puis on entend ce pas régulier habituel aux gardes. Derrière les gardes
15 arrive le gouverneur.

Edmond entend des voix qui disent:

— Inutile de jeter de l'eau au visage; il est bien mort.[2]

— Eh bien ! le vieux fou est allé chercher son
20 trésor !

— Avec tous ses millions, il n'est pas assez riche pour payer sa place dans un cimetière.[3]

— Oh ! il n'est pas nécessaire de payer sa place dans le cimetière du Château d'If !

25 — On va lui faire les honneurs du sac ![4]

Puis on n'entend plus les voix.

Dantès écoute toujours. Au bout d'une heure, il entend le bruit des pas qui reviennent au-dessus de sa tête.

---

[1] **Il est bien temps,** It is just in time. [2] **(mort)** *adj.,* dead.
[3] CIMETIÈRE, cemetery. [4] **sac,** bag, sack.

— Ce sont des hommes, pense-t-il, qui viennent chercher le cadavre.

Il y a des mouvements rapides, des bruits indistincts, le choc[1] d'un objet lourd[2] qu'on laisse tomber sur le lit . . . 5

— A quelle heure, ce soir ? demande une voix.

— Vers dix ou onze[3] heures, répond une autre.

— Faut-il laisser un garde dans le cachot ? demande la première.

— Pourquoi faire ?[4] répond l'autre. On va fermer 10 le cachot comme toujours, voilà tout.

Les voix cessent. Les pas remontent le corridor.

Le silence de la mort descend sur le numéro 27 et pénètre dans le cœur de Dantès.

XXVIII

LES HONNEURS DU SAC

Edmond sort du passage et regarde autour de lui. 15 La chambre du mort est vide.[5]

Sur le lit, le long du mur, on voit un sac, dans lequel on peut distinguer[6] la forme d'un corps humain.

— Voilà, pense Dantès, tout ce qui reste de Faria, l'ami, le bon compagnon. Il n'existe plus. Je suis 20 seul . . . seul dans le silence de la prison . . . seul dans mon malheur. Je n'ai plus qu'à mourir !

Mais cette idée de suicide passe:

[1] CHOC, shock. [2] lourd, heavy. [3] onze, eleven. [4] Pourquoi faire ? What for ? [5] vide, empty. [6] DISTINGUER, to make out, distinguish.

— Mourir ! Oh non ! s'écrie-t-il. J'ai trop souffert
pour mourir maintenant. Non ! je veux vivre . . .
je veux retrouver ce bonheur qu'on m'a enlevé.
Avant de mourir, il faut me venger de[1] mes ennemis.
5 J'ai des amis à recompenser. . . . Mais à présent on
va me laisser ici . . . je ne vais sortir de ce cachot
que comme Faria.

Comme Faria ? . . . comme Faria ? . . .

Dantès reste là, les yeux fixes, comme un homme
10 frappé d'une idée horrible:

— Oh ! murmure-t-il, de qui me vient cette idée ?
. . . est-ce de vous, mon Dieu ? . . . s'il n'y a que les
morts qui sortent d'ici, pourquoi ne prend-on pas la
place des morts ?

15 Il se jette sur le sac hideux, le coupe[2] avec le couteau[3] de Faria, tire le cadavre du sac et le porte dans
sa propre chambre.

Il met le cadavre sur son lit, le couvre, presse une
dernière fois cette main froide, et tourne la tête le
20 long du mur.

Puis il rentre dans le passage, tire le lit contre le
mur, et passe dans l'autre chambre. Là, il prend
une aiguille[4] et du fil,[5] cache ses vêtements sous le lit
de Faria, se met dans le sac ouvert, se remet dans la
25 même situation où il a trouvé le cadavre, et referme
le sac au moyen de l'aiguille et du fil qu'il a pris.

C'est le travail d'une heure . . .

---

[1] (se **venger**), to avenge oneself (**de**, upon).   [2] **couper, to
cut.**   [3] **couteau,** knife.   [4] **aiguille,** needle.   [5] **fil,** thread.

XXIX

LE CIMETIÈRE DU CHÂTEAU D'IF

Vers onze heures, des pas se font entendre dans le corridor.

Edmond comprend que l'heure de partir est venu.

La porte s'ouvre et trois hommes entrent dans la chambre. Le premier porte une torche, les deux **5** autres portent une civière.[1]

On met la civière à terre. Puis on s'approche du lit, on prend le sac par ses deux extrémités, et on le transporte du lit à la civière.

Le cortège,[2] précédé par l'homme à la torche, re- **10** monte l'escalier. On sort dans l'air de la nuit.

Au bout de quelques pas, les porteurs[3] s'arrêtent[4] et mettent la civière à terre.

On va chercher quelque chose; puis on revient, en portant un objet lourd, qu'on place sur la civière **15** auprès d'Edmond, et qu'on attache avec une corde à ses pieds.

— Eh bien ! c'est fait ? demande l'un des porteurs.

— Oui, dit l'autre, et bien fait !

— Allons !   **20**

On fait cinquante[5] pas, puis on s'arrête pour ouvrir une porte. Dantès peut entendre le bruit de la mer qui vient se briser contre les murs du château.

Encore quatre ou cinq pas, en montant tou- jours . . .   **25**

[1] CIVIÈRE, litter, stretcher.   [2] CORTÈGE, procession. [3] (porteur), bearer, porter.   [4] s'arrêter, to stop.   [5] (cinquante), fifty; On fait cinquante pas, They take fifty steps.

Dantès sent qu'on le prend par la tête et par les pieds et qu'on le balance.

— Une ! disent les porteurs.

— Deux !

5 — Trois !

En même temps, Dantès se sent jeté dans un espace énorme, tombant, tombant toujours . . . tiré en bas[1] par quelque objet lourd . . .

Puis, avec un bruit terrible, il entre dans une eau 10 froide et disparaît.

On a jeté Dantès dans la mer, au fond de laquelle le tire un boulet[2] lourd attaché à ses pieds.

La mer est le cimetière du Château d'If.

FIN[3]

---

[1] en bas, down, below. [2] BOULET, cannon ball. [3] (fin), end.

EXERCISES

I. INITIAL WORD STOCK. This is the list of words that furnishes nearly fifty per cent of running discourse in French. It is the vocabulary base for *Book I*, the initial word stock assumed as known. No reading is possible without a sure knowledge of them; do you know their English equivalents?

Articles: le, la, les, un, une

Adjectives: autre, bon, ce, cet, cette, ces, grand, leur, leurs, mon, ma, mes, notre, nos, petit, quel, quelle, quels, quelles, son, sa, ses, ton, ta, tes, tout, toute, tous, toutes, votre, vos.

Adverbs: bien, ici, là, ne . . . pas, ne . . . que, où, pas, plus, rien, oui, non, si, y.

Conjunctions: comme, et, mais, ou, que, si.

Nouns: enfant, femme, homme, jour.

Numerals: un, une, deux, trois, quatre, cinq, six, sept, huit, neuf, dix.

Partitive: de, de la, de l', des, du.

Prepositions: à, au, aux, avec, dans, de, du, des, en, par, pour, sans, sur.

Pronouns: ça, cela, ceci, dont, elle, elles, en, eux, il, ils, je, le, la, l', les, lequel, laquelle, lesquels, lesquelles, lui, leur, leurs, me, mien, mienne, miens, miennes, moi, nôtre, nôtres, nous, on, où, que *inter.*, que *rel.*, qui *inter.*, qui *rel.*, quoi, se, sien, sienne, siens, siennes, soi, tien, tienne, tiens, tiennes, te, toi, tu, vôtre, vôtres, vous, y.

Verbs: aller, avoir, dire, donner, être, faire, pouvoir, prendre, savoir, venir, voir, vouloir.

II. IRREGULAR VERBS: The following are the irregular verb forms used in *Book I*. State the infinitive form and the English equivalent for each one:

51

ils étaient	ils viennent	je vais	je puisse
il revient	il peut	il sait	ils vont
j'ai	ouvert	il tient	ils doivent
buvant	je maudis	commis	découvert
vous dites	il fasse	ils ont	ayez
il est	il faut	il meurt	il va
il écrit	je puis	été	voyant
je dois	il dit	ils prennent	il vient
souffert	il sache	je tiens	il doit
eu	il pourrait	je peux	je sais
je meurs	mis	mort	croyant
il vit	voyons	il a	ils tiennent
nous sommes	il est	vous êtes	ils sont
cru	tu es	dites	ils reviennent

III. Idiomatic Expressions. The following is a check list of the important idiomatic expressions met in reading *Book I;* they are arranged after the key word and in the order of occurrence in the text (the number of the page is indicated in parentheses). Do you know what they mean?

avoir: *Il y a* quelque chose que je désire. (5)
chose: Je n'ai pas *d'autre chose* à dire. (5)
bout: *Au bout de* quelques jours, il revient. (6)
deux: Je veux les voir *tous les deux.* (7)
approcher: Il *s'approche de* la table. (8)
avoir: Je souffre; *ayez pitié de* moi. (8)
vouloir: Mais *que voulez-vous?* Je suis prisonnier. (9)
bien: « *C'est bien!* » dit-il, « on va voir. » (9)
venir: Il *vient de monter* l'escalier. (11)
tout: *Tous les soirs* les rats sont ses compagnons. (18)

occuper: Il ne *s'occupe* pas *de* les tuer. (18)
penser: *A* quoi *pense-t-il* en ce moment? (21)
côté: Le bruit vient *de l'autre côté du* mur. (24)
faire: Un changement *se fait* dans son cœur. (24)
tomber: Il a *laissé tomber* sa cruche. (25)
chercher: *Allez chercher* une nouvelle assiette. (26)
ça: *Comme ça,* il ne va pas retrouver la liberté. (29)

le: *Le soir,* il attend le signal. (29)
depuis: *Depuis combien de* jours *est-il* ici? (31)

trouver: L'excavation *se trouve* près du plancher. (32)
avoir: *Qu'y a-t-il,* mon ami? Vous souffrez? (33)
avoir: Cet homme-là semble *avoir soixante ans.* (34)
dessous: On fait un passage *au-dessous du* corridor. (36)
à: C'est un petit homme *à* barbe blanche. (37)
passer: Savez-vous ce qui va *se passer* ce soir? (38)
long: On va descendre *le long du* mur. (39)
dessus: Il entend des pas *au-dessus de* sa tête. (40)
avant: Ne revenez pas *avant de* le faire. (40)
inquiéter: Son ami *s'inquiète de* lui. (41)
bas: Il est tiré *en bas* par le boulet. (50)

IV. SPECIFIC WORDS. The following non-cognate words were needed to tell this story; justify their use by indicating their function in the tale:

cachot	porte-clefs	abbé	folie	haine
plâtre	cruche	voisin	boulet	casserole
cimetière	testament	civière	maudire	échapper
briser	tranchant	accorder	trésor	grattement

Such words are not of common occurrence; they are not in our basic vocabulary. You may not meet them again for some time. Are there any English words which they may suggest as of possible relationship? Which ones might be called "dangerous" or misleading? Why?

V. WORDS USED ONCE ONLY. The italicized words in the following sentences occurred but once in *Book I;* most of them are basic and will occur again in the Series. What do they mean?

1. Il y a *treize enfants* dans le *cortège.* 2. Il regarde *chaque marin* d'un *œil* étrange. 3. C'est un vieil homme aux *cheveux blancs* et à la *barbe noire.* 4. On attend son *arrivée* dans l'île *déserte.* 5. Ils vont *saisir* mon ami. 6. *Quelqu'un* conspire contre lui. 7. *Quinze* millions, c'est *beaucoup* d'argent! 8. Je suis *mal habitué* à la *déception,* monsieur. 9. *Quelquefois* il ne me *remercie* pas de mes

53

efforts. 10. Le testament *se compose* de quelques *lignes* de caractères étranges. 11. La chambre est *vide*. 12. Il coupe le sac avec le *couteau* de Faria.

VI. IDENTICAL COGNATES. Many French words have the same form and meaning as their English equivalents. Sometimes there are slight differences in spelling; at other times, the form is identical, but the meanings differ in part (= partial cognates) or wholly (= false cognates). Here are some of the identical or partial cognates used in *Book I:* note the endings, and pronounce the words aloud (guard against your English speech habits!):

A. Adjectives: –**able**: détestable, désagréable, supportable, honorable, admirable. –**ible**: impossible, horrible, invincible, possible, visible, terrible. –**ant**: ignorant, important, brillant. –**ent**: innocent, content, violent, présent, évident. –**ive**: massive, active, positive.

B. Nouns: –**ion**: mission, million, question, vibration, distraction, portion. –**age**: visage, passage, âge, courage. –**ice**: justice, service, injustice. –**ent**: moment, présent, agent, instrument, accident, mouvement. –**ence**: intelligence, patience, innocence, silence, différence.

VII. COGNATES DIFFERING IN SUFFIX. The following words differ in form only slightly from their English equivalents, the difference being in the form of the suffix. Note the French suffix, determine the English suffix, and give the English word equivalents. Pronounce the French words (caution!):

A. Adjectives: –**eux, –euse**: dangereux, furieuse, curieux, mystérieux. –**ide**: rapide, humide, solide. –**eur**: supérieur, intérieur, extérieur. –**aire**: contraire, nécessaire. –**el**: mortel, habituel, naturel. –**ique**: physique, fanatique.

B. Nouns: –**eur**: inspecteur, gouverneur, visiteur, porteur, possesseur. –**té**: majesté, liberté, curiosité, difficulté, qualité, réalité, –**ier**: prisonnier, papier. –**re**: lettre, traître, membre, cadavre. –**ie**: maladie, énergie, galerie.

54

C. Verbs: -er (*drops*): visiter, passer, aider, profiter, accepter, ruiner. –er (*drops* **r**): désirer, commencer, refuser, examiner, arriver. –er (= ate): hésiter, séparer, méditer, calculer. **–quer** (= cate): indiquer, communiquer.

VIII. CATEGORIES. From the following words select (1) five that concern *food*, (2) ten that relate to *time*, (3) fifteen that relate to the *body*, (4) ten that pertain to *feelings and emotions*, and (5) five that concern forms of *matter:*

cheveux	plaisir	pierre	soir	yeux	cœur
amour	vivre	année	pain	bois	matin
haine	espoir	corps	temps	argent	pied
nuit	sourire	voix	lumière	manger	mois
fer	faim	heure	bras	bouche	bonheur
malheur	tête	boire	jour	oreille	main
eau	juillet	vivres	an	folie	barbe
œil	aimer	mort	sentir	jeune	penser

IX. COMPLETIONS. Select the word in parentheses that correctly completes the sense of the sentence, pronounce the completed sentence, and give its English equivalent:

1. Faria est assis (1–presque, 2–auprès de, 3–au-dessous de) son lit. 2. Le bruit (1–verse, 2–sourit, 3–cesse). 3. Son côté (1–lent, 2–lourd, 3–gauche) est paralysé. 4. Il remet le lit (1–contre, 2–entre, 3–en bas) le mur. 5. Qui (1–connaît, 2–disparaît, 3–remplit) dans la mer? 6. Il est (1–faible, 2–vide, 3–inutile) de répondre. 7. On ne sait pas depuis (1–combien, 2–comment, 3–comme) de temps il travaille. 8. Il (1–appelle, 2–referme, 3–rentre) la porte. 9 Il écoute. (1–mais, 2–pourquoi, 3–ni) il n'entend rien. 10. La pierre est trop (1–jeune, 2–ouverte, 3–dure).

LA BARBE
OU LES CHEVEUX

Comédie en un acte
par
Joseph Maury

ADAPTED AND EDITED BY

J. Douglas Haygood

AND

OTTO F. BOND

BOOK TWO—ALTERNATE

SAPRISTI! RIEN . . . RIEN!

FOREWORD

Here is something in a light mood, a sort of barbershop chord in literature. It is frivolous, feather-brained, wise-cracking. It has little adornment, no moral. The medieval farce is its ancestor, and the radio is the latest branch on its ancestral tree. Nothing could be more sprightly than its give and take.

You will add 165 *new* non-cognate words, 86 per cent in the basic list. Smooth reading is assured by much repetition and by the excess of cognate words over non-cognate words. Also, that 97-item initial word stock of which we spoke in *Book I* will serve again, as ever, to bind the discourse together. Be sure to *know* these form words at the end of *Book II*, since many of them will not appear in the end vocabulary of the succeeding books of the series.

There is an overlap in this play of 31 per cent of the vocabulary in *Book I*. That is a point decidedly in your favor. And all of the non-cognate words, except seventeen, get at least one repetition; many get more than three. Educational insurance!

Of idioms, there are 72. Plays, because of their conversational nature, are usually rich in colorful phrases and popular terms and ways of expression. This farce is no exception. Make the more useful idioms *your own* by giving them special attention. (Although you will probably prefer the less useful and more spicy items!) A well-ordered idiom stock is one of the prime requisites of a fluent and accurate reading ability.

THE EDITORS

LA BARBE OU LES CHEVEUX

PERSONNAGES [1]

Figaro [2]	Coiffeur [3]
Trulard	Premier Client [4]
Baudru	Deuxième Client
Becdoiseau	Troisième Client
Communeau	Quatrième Client

Un Agent de Police

L'action se passe à Épagneul-les-Bains,[5] dans un salon de coiffure [6] pour hommes. Au milieu,[7] une chaise.[8] À droite [9] et à gauche, deux glaces,[10] l'une en face de [11] l'autre. Devant [12] chaque glace, un fauteuil [13] et une petite table. Sur chaque table, des bouteilles [14] d'eau de Cologne,[15] des brosses,[16] des boîtes [17] de poudre,[18] etc.

---

[1] (personnage), character.   [2] A stock name for a barber, derived from Beaumarchais' famous character in *Le Barbier de Séville* and *Le Mariage de Figaro*.   [3] coiffeur, hairdresser, barber.   [4] client, customer.   [5] A fictitious and comic name (*Spaniel Baths*), in mockery of many fashionable bathing and health resorts, such as Aix-les-Bains, Bagnols-les-Bains, etc.   [6] (coiffure), way of arranging one's hair; **salon de coiffure**, hairdressing parlor.   [7] **Au milieu**, In the middle.   [8] **chaise**, chair.   [9] **A droite**, To the right.   [10] **glace**, mirror.   [11] **en face de**, opposite.   [12] **Devant**, In front of.   [13] fauteuil, armchair.   [14] **bouteille**, bottle.   [15] So named because it was invented in Cologne in the eighteenth century.   [16] **brosse**, brush.   [17] **boîte**, box.   [18] **poudre**, powder.

SCÈNE PREMIÈRE

Au lever [1] *du rideau,* [2] *Trulard met son chapeau* [3] *et s'approche lentement de la porte de gauche. Figaro le suit, en donnant un coup de brosse* [4] *rapide et superficiel à ses vêtements.*

TRULARD. Oui. Un temps [5] superbe . . .

FIGARO. Mais un peu chaud, [6] n'est-ce pas?

TRULARD. Que voulez-vous? C'est la saison.

FIGARO. Ça, c'est vrai. [7]

5 TRULARD. Eh bien, au revoir, [8] monsieur Figaro. (*Il sort.*)

FIGARO. Au revoir, monsieur Trulard. Merci. [9]

SCÈNE II

BAUDRU *entre à gauche, son chapeau à la main.* [10] *Il a une barbe superbe, mais il n'a pas de cheveux. En effet,* [11] *il a la tête aussi polie* [12] *qu'une boule* [13] *de billard. Figaro lui indique le fauteuil de gauche. Baudru s'assied confortablement et attend. Figaro s'approche de son client et le regarde un moment.*

---

[1] (lever) *n.*, rising, rise. [2] RIDEAU, curtain. [3] **chapeau,** hat. [4] **coup de brosse,** stroke of a brush, brushing. [5] **(temps),** weather. [6] **chaud,** warm, hot. [7] **vrai,** true. [8] (revoir), to see again; **au revoir,** good-bye. [9] (merci), thanks, thank you. *Cf.* **remercier.** [10] **à la main,** in his hand. [11] **effet,** effect; **en effet,** in fact. [12] (poli), polished. [13] **boule,** ball.

Figaro, *suivant, d'une main agile, les contours*[1] *de la barbe de Baudru.* Couper? un peu par-ci?[2] un petit peu[3] par-là?[4]

Baudru. Non. Vous me couperez les cheveux, assez courts.[5] Sur le front[6] et autour des oreilles. 5

Figaro, *étonné.*[7] Les cheveux?

Baudru. Oui, mon ami, les cheveux.

Figaro. Sur le front?

Baudru. Oui, mon ami, sur le front. Ici. (*Il indique sa tête.*) Vous voyez? Autour des oreilles. 10 Là. (*Il indique ses oreilles.*) Vous voyez?

Figaro, *cherchant sur le crâne*[8] *de Baudru.* Mais oui! je vois . . . je vois.

Baudru. Eh bien, alors?

Figaro. Je vois le front . . . les oreilles . . . (*Re-* 15 *gardant de près.*[9]) Mais, les cheveux, partis! Ils sont partis par la fenêtre ou bien[10] ils se cachent?

Baudru, *furieux.* Allons![11] Cherchez-les. Vous êtes coiffeur, n'est-ce pas?

Figaro. Oui, monsieur. 20

Baudru. Vous connaissez votre métier?[12]

Figaro. Le métier de magicien, non, monsieur. Mais le métier de coiffeur, oui, monsieur, je peux dire que je le connais.

Baudru. Montrez[13] que vous le connaissez, alors. 25

---

[1] contour, outline. [2] **par-ci,** here. [3] **un petit peu, a** very little. [4] **par-là,** there. [5] **court,** short. [6] **front,** forehead, front part of the head. [7] (**étonné**), surprised, startled. [8] crâne, cranium, skull. [9] **de près,** close, closely. [10] **ou bien,** or else. [11] **Allons!** Come! come! [12] **métier, trade,** profession. [13] **montrer,** to show.

Montrez-le. C'est tout ce que l'on [1] vous demande. On ne vous demande pas d'être impertinent.

FIGARO, *à la droite de Baudru, son rasoir* [2] *à la main.* Permettez . . .

5 BAUDRU. Permettez . . . quoi? Je lis [3] sur votre porte: « Figaro. — Coiffeur. — Salon de coiffure. » J'entre. Elle est ouverte au public, votre boutique? [4]

FIGARO. Oui, monsieur.

BAUDRU. Je m'assieds dans un fauteuil et je vous
10 dis: « Coupez-moi les cheveux. » [5] Mais vous ne faites pas ce que je vous dis. Vous trouvez plus amusant, plus intelligent, de dire toutes sortes de choses stupides sur la forme de mon crâne.

FIGARO. Tout de même,[6] je ne peux pas m'em-
15 pêcher [7] de remarquer que vous avez le front assez découvert.[8]

BAUDRU. Et après? [9] S'il est découvert, c'est qu'il [10] n'est pas couvert.[11]

FIGARO. Enfin! Vous reconnaissez qu'il est dé-
20 couvert?

BAUDRU. Vous demandez si je le reconnais! Mais oui,[12] je le reconnais! Et j'en suis bien content.[13] Il est découvert. Très découvert. Excessivement découvert. Et savez-vous qui l'a découvert?

25 FIGARO. Ce n'est pas moi, au moins! [14]

---

[1] The l' has no vocabulary value. [2] RASOIR, razor. [3] **lire,** to read. [4] BOUTIQUE, shop. [5] **Coupez-moi les cheveux,** Give me a haircut. [6] **Tout de même,** Just the same. [7] **empêcher,** to prevent; **s'empêcher,** to refrain. [8] (découvert) *p.p.* **découvrir,** discovered, *also* uncovered, bare. [9] **Et après?** Well? So what? [10] **qu'** = parce que. [11] (couvert) *p.p.* **couvrir,** covered, *also* clothed, with a hat on. [12] **Mais oui!** Yes, indeed! [13] (**content**), satisfied. [14] **au moins,** at least.

BAUDRU.   Vous n'êtes pas assez fort.[1]   C'est
Christophe Colomb qui l'a découvert, Christophe
Colomb en personne.

FIGARO.   Il travaille bien, ce Christophe Colomb.
Vous pouvez être content.   5

BAUDRU.   Je suis, en effet, très content.   Regardez.
(*Il fait un geste* [2] *vers la glace.*)   Ça ressemble à
quelque chose, un front comme celui-là.

FIGARO.   Oui ... ça ressemble à un œuf.[3]   Ça
ressemble à l'œuf de Christophe Colomb.   10

BAUDRU.   Eh!   Là!   Faites attention![4]   C'est
en disant des choses comme ça que l'on prend un
mal de tête.[5]   Parlons peu et parlons bien.   Voulez-
vous me couper les cheveux?

FIGARO.   Mais, monsieur, vous n'en avez pas!   15

BAUDRU.   Je n'en ai pas!   Qui vous l'a dit?
Comment le savez-vous?   Cherchez ... Cherchez.
Je ne peux pas vous les présenter l'un après l'autre,
en vous disant: « Tenez,[6] mon ami, en voici [7] un,
coupez-le.   Tenez, mon ami, en voici encore un,[8] 20
coupez-le.   (*Il accompagne chaque* « Tenez » *d'un
geste de la main, comme s'il présentait à Figaro un
cheveu.*)   Tenez, mon ami, en voici ... » (*Voyant
que Figaro, à qui il s'adresse,*[9] *se tourne pour aller
s'asseoir dans le fauteuil de droite, il s'arrête, le* 25
bras droit [10] *en l'air à la hauteur de l'œil.*)   Si c'est

---

[1] (**fort,**) clever.   [2] **geste,** gesture.   [3] **œuf,** egg.   [4] **faire
attention,** pay attention, look out.   [5] **mal de tête,** headache.
[6] (**Tenez**) *exclamation,* Look here!   See here!   [7] **voici,** here is,
here are.   [8] **encore un,** another; **en voici encore un,** here's another one.   [9] (**s'adresser à**), to speak to.   [10] (**droit**) *adj.,* right.

65

ainsi [1] que vous connaissez votre métier, je vous fais mes compliments. Quel artiste! (*Figaro sourit.*) Oh! vous pouvez sourire. Je vous vois très bien. Souriez, mon ami. Souriez. (*Il regarde l'image de*
5 *Figaro qu'il voit dans la glace qui est devant lui.*)

FIGARO. Je souris . . . je souris.

BAUDRU, *après un temps.* Eh bien? J'attends . . . Je vous attends . . . Vous êtes déjà [2] fatigué? [3]

FIGARO. Non, je ne suis pas fatigué. J'attends,
10 moi aussi.

BAUDRU. Qu'est-ce que vous attendez?

FIGARO. J'attends que vos cheveux poussent. [4]

BAUDRU. Si vous attendez encore cinq minutes, c'est ma main qui poussera [4] sur votre figure [5]
15 Vous verrez. [6]

FIGARO. Votre main? . . . Je suis bien tranquille. [7] Si ce n'est que ça! [8] (*Il regarde furieusement l'image de Baudru dans la glace qui est devant lui.*) Ah! . . .

20 BAUDRU. Oui, ma main. Eh bien, pourquoi me regardez-vous avec des yeux de poisson? [9] (*Il se lève,[10] en parlant à l'image de Figaro dans la glace.*)

FIGARO. Vous dites? Ah! Pas plus poisson que
25 vous, au moins! (*Il se lève, en faisant des gestes furieux devant l'image de Baudru dans la glace.*)

---

[1] **ainsi,** so, thus; **si c'est ainsi,** if that's the way. [2] **déjà,** already. [3] **(fatigué),** tired. [4] **pousser,** to push, *also* to grow. [5] **figure,** face. [6] **verrez** *fut.* voir. [7] **tranquille,** quiet, at ease; **je suis bien tranquille,** my mind is at rest. [8] **Si ce n'est que ça!** If that's all it is! [9] **poisson,** fish. [10] **(se lever),** to rise, get up.

BAUDRU. Vous savez, j'en ai battu [1] de plus forts que vous.

FIGARO. Et moi, j'ai battu des brutes qui étaient dix fois plus grandes et dix fois plus grosses [2] que vous.

BAUDRU. Vous dites? Mais je pourrais [3] vous 5 retourner [4] comme une omelette. Rien ne pourrait m'empêcher de le faire, vous savez.

FIGARO. Comment dites-vous ça?

BAUDRU. Je dis: comme une o-me-let-te.

FIGARO, *furieux.* Comme une omelette! Et si je 10 vous transformais en pâté de foie gras? [5] . . . là? . . . tout de suite? [6] . . . qu'est-ce que vous diriez?

BAUDRU. (*Il attend, en prenant une attitude de boxeur.*) Allez . . . allez-y [7] . . . allez-y . . .

FIGARO, *avec un geste de pitié.* Pauvre fou! Mais 15 regardez-vous! Est-il permis [8] d'être ridicule à ce point-là! [9]

BAUDRU. Ridicule ou pas, je suis toujours là! Allez-y! . . . Allez-y! . . .

SCÈNE III

BECDOISEAU *entre à gauche. Il a de longs cheveux. Baudru s'assied et se calme peu à peu.*[10] *Figaro se lève*

---

[1] **battre,** to beat. [2] **gros** (*f.* **grosse**), big, large. [3] **pourrais** *p. fut.* **pouvoir.** [4] **retourner,** to return, *also* turn over, flip. [5] **pâté de foie gras,** goose liver pasty. The pasty (**pâté**) is made from the livers (**foie**) of fat (**gras,** *f.* **grasse**) geese and is considered a great delicacy in France. [6] **suite,** succession; **tout de suite,** at once. [7] **allez-y,** go to it! go ahead! [8] **permis** *p.p.* **permettre.** [9] **Est-il permis . . . ce point-là!** How can one be so ridiculous! [10] **peu à peu,** gradually.

et indique au nouveau client le fauteuil de droite qu'il vient de quitter.[1]

FIGARO, *à Becdoiseau.* Par ici, monsieur. (*Becdoiseau s'assied.*) (*Figaro suit, d'une main agile, les contours des cheveux de son client.*) Couper? un peu par-ci? . . . sur le cou?[2]

5 BECDOISEAU. Vous voulez me couper le cou?

FIGARO. Non. Les cheveux sur le cou. Comme ceci. (*Il fait un geste comme s'il coupait les cheveux sur le cou de Becdoiseau.*)

BECDOISEAU. Sapristi![3] Ne touchez pas à ça . . .

10 FIGARO, *la main sur le front de Becdoiseau.* Sur le front? . . . un petit peu par là? . . . comme ceci? (*Geste.*)

BECDOISEAU. Ne touchez pas! . . . Ça me fait mal.[4] Vous allez me raser.[5]

15 FIGARO, *étonné.* Vous raser?

BECDOISEAU. Oui. Me raser, de près.

FIGARO. De près?

BECDOISEAU. De près. (*Regardant Figaro.*) Sapristi! Si je vous demandais un poisson mort,[6] ou la

20 Tour[7] Eiffel, vous ne seriez[8] pas plus étonné!

FIGARO. Monsieur, je . . .

BECDOISEAU. Il n'y a pas de « Monsieur, je ». Avez-vous un rasoir?

---

[1] **quitter,** leave, quit. [2] **cou,** neck. [3] **Sapristi!** By Jove! [4] **Ça me fait mal,** That hurts. [5] (**raser**), to shave. [6] (**mort**) *adj.,* dead. [7] **tour,** tower. The Eiffel Tower in Paris was erected in 1889 by the French engineer Eiffel. It is 300 meters high and is of steel skeleton construction. [8] **seriez** *p. fut.* **être.**

FIGARO. Oui.

BECDOISEAU. Avez-vous de l'eau chaude? Du savon?[1]

FIGARO. Et vous, avez-vous de la barbe?

BAUDRU, *riant.*[2] Ah! voilà ce que j'attendais! 5 (*A Becdoiseau, dans la glace.*) Mon cher monsieur, nous sommes tombés sur[3] un coiffeur pas ordinaire. Il ne veut pas vous raser. Il ne veut pas me couper les cheveux! Comment trouvez-vous la farce?[4]

BECDOISEAU, *riant.* C'est le premier animal de 10 cette sorte que je trouve.

BAUDRU. Il faut venir à Épagneul-les-Bains pour voir ça.

BECDOISEAU. Je ne regrette pas d'avoir fait le voyage,[5] maintenant. 15

BAUDRU. Si vous aimez les curiosités, vous êtes extraordinairement heureux.[6] Vous ne pouviez pas en trouver de plus rares.

BECDOISEAU, *tournant son fauteuil pour se trouver face au public. A Figaro.* Monsieur, êtes-vous 20 décidé?[7]

FIGARO, *au milieu de la scène.*[8] A quoi?

BECDOISEAU. A me raser?

BAUDRU, *tournant son fauteuil pour se trouver face au public. A Figaro.* Eh bien, êtes-vous décidé? 25

FIGARO. A quoi?

---

[1] SAVON, soap.   [2] (rire), to laugh; *cf.* sourire.   [3] nous sommes tombés sur, we have happened upon.   [4] FARCE, joke, farce.   [5] (voyage), trip, journey.   [6] heureux, happy, *also* lucky.   [7] (décidé), resolved; êtes-vous décidé? have you made up your mind?   [8] (scène), stage, scene.

BAUDRU. A me couper les oreilles ... non! les cheveux, les cheveux.

FIGARO, *à Becdoiseau.* Monsieur, êtes-vous décidé à me laisser tranquille?[1] (*A Baudru.*) Monsieur, 5 êtes-vous décidé à disparaître? ... et plus vite[2] que ça, avec votre front et vos oreilles?

BAUDRU. Moi? Disparaître? Mon cher ami, ne comptez pas trop sur cela.

BECDOISEAU. Et moi, j'ai l'honneur de vous in-10 former que je me trouve très confortablement assis dans ce fauteuil, et que j'ai l'intention d'y rester le plus longtemps possible.[3]

FIGARO. Vous avez l'air[4] d'oublier[5] que je suis chez moi,[6] ici!

15 BAUDRU. Oui. Vous êtes chez vous. C'est vrai. Mais n'oubliez pas que votre salon de coiffure est ouvert au public et que vous ne pouvez refuser vos services à personne.[7] Vous entendez? A personne! Nous connaissons les règlements.[8]

20 BECDOISEAU. Nous connaissons les règlements comme si nous les avions faits. Du moment que[9] nous avons de l'argent pour payer ...

BAUDRU. Très bien! très bien! Du moment que nous avons de l'argent pour payer ...

---

[1] **à me laisser tranquille,** to leave me alone, not to bother me. [2] **vite,** quick, quickly. [3] **le plus longtemps possible,** as long as possible. [4] **avoir l'air,** to seem (de, to). [5] **oublier,** to forget. [6] **chez,** at the home of; **chez moi,** at home, in my own house. [7] **ne ... personne,** not ... anyone, nobody, no one. **Ne** is omitted when the verb is omitted. [8] RÈGLEMENT, rule, regulation. [9] **Du moment que.** As soon as, *also* since. There is chance for a pun here.

FIGARO. Vous avez beaucoup d'argent?

BAUDRU. Ne vous occupez pas de ça. On vous paiera bien!

BECDOISEAU. Royalement! (*Gaiement.*) Nous en avons. Nous en avons.　　　　　　　　　　　5

FIGARO. Oh! vous en avez! Je suis certain que vous n'en avez pas assez pour vous payer ma tête.[1] Il faut payer cher [2] ma tête [3] . . . très cher . . . trop cher pour vous!

BAUDRU. N'insistez pas! Nous ne cherchons pas 10 de têtes . . . et certainement pas de têtes d'animal! [4]

BECDOISEAU. Ni de têtes de bois! [5] . . . car vous avez une tête de bois, mon ami. C'est terrible à dire, mais c'est comme ça.[6]

BAUDRU. Pour la quatrième fois . . .　　　　　15

BECDOISEAU. Pour la troisième fois . . .

BAUDRU. Voulez-vous me couper les cheveux?

BECDOISEAU. Me raser?

FIGARO, *impertinent.* Mon Dieu! quel bruit! (*Il va s'asseoir sur la chaise et commence à lire un* 20 *journal.*[7])

BAUDRU, *à Becdoiseau.* Attendons. Monsieur sera [8] prêt [9] à nous servir dans quelques minutes, sans doute.

---

[1] **pour vous payer ma tête,** to make sport of me, to get a rise out of me.　[2] **(cher),** dearly.　[3] **Il faut payer cher ma tête,** It is necessary to pay a high price for my head *or* to pay dearly for my head. The punning here becomes complicated and farfetched.　[4] The insult is heightened by the use of **animal** as an epithet meaning "brute."　[5] **tête de bois,** blockhead.　[6] **mais c'est comme ça,** but that's the way it is.　[7] **journal,** newspaper.　[8] **sera** *fut.* **être.**　[9] **prêt,** ready.

71

Becdoiseau, *à Baudru.*   Vous n'êtes pas pressé?[1]

Baudru, *à Becdoiseau.*   Moi, pressé? Oh non!

Becdoiseau, *à Baudru.*   Et moi, j'ai deux heures devant moi.

5   Baudru, *à Becdoiseau.*   Vous habitez[2] Épagneul-les-Bains?

Becdoiseau, *à Baudru.*   Pendant[3] trois mois seulement.   Pendant l'été.[4]   Je suis premier violoncelle[5] au Casino municipal.

10   Baudru.   Ah! ah! j'aurai le plaisir de vous entendre.   Et moi, je suis ici pour un mois.   C'est mon estomac.[6]   Je bois de l'eau minérale.   Elle est excellente, l'eau d'Épagneul-les-Bains.   Très agréable et très digestive.   Aussi,[7] j'en bois . . . j'en bois des 15 quantités fabuleuses.

Figaro, *laissant tomber son journal.*   Ah! Ça me fait penser que je n'ai pas encore bu[8] mon apéritif.[9] (*Il se lève.*)   Vous avez bien fait de mentionner notre eau minérale.   Merci. (*Il sort à droite.*)

20   Baudru, *à Becdoiseau.*   Notre homme est complètement fou.

Becdoiseau, *à Baudru.*   Il s'imagine que nous allons partir, comme des enfants bien dociles, sans rien dire.

25   Baudru, *à Becdoiseau.*   Si c'est ça qu'il attend, il attendra longtemps.

---

[1] (**pressé**), hurried, in a hurry.   [2] **habiter,** to live in.   [3] **Pendant,** During, for.   [4] **été** *n.m.,* summer.   [5] VIOLONCELLE, 'cello, *also* 'cellist.   [6] ESTOMAC, stomach.   [7] (**Aussi**), And so . . .   [8] **bu** *p.p.* **boire.**   [9] APÉRITIF, appetizer, drink before a meal.

BECDOISEAU, *à Baudru.* Pour ma part, je ne quitte pas ce fauteuil avant d'être rasé.

BAUDRU, *à Becdoiseau.* Je vous tiendrai compagnie. Je suis très heureux [1] d'avoir fait votre connaissance,[2] car j'adore la musique. 5

BECDOISEAU, *à Baudru.* Vous êtes musicien?

BAUDRU, *à Becdoiseau.* Un peu. J'ai un petit phonographe . . .

BECDOISEAU, *à Baudru.* Ah bon! Vous connaissez alors « Au clair [3] de la lune » [4] et « J'ai du 10 bon tabac » ? [5] . . .

BAUDRU, *à Becdoiseau.* Oh! voyons, mieux [6] que ça! Je connais déjà par cœur un morceau que vous devez connaître, comme premier violoncelle. C'est la « Berceuse » [7] de . . . de . . . Attendez . . . de . . . 15

BECDOISEAU, *à Baudru.* La « Berceuse » de « Jocelyn » ? [8]

BAUDRU, *à Becdoiseau.* Ah! oui. Vous la connaissez?

BECDOISEAU, *à Baudru.* Mais oui! C'est plus de 20 mille fois que je l'ai . . . Écoutez! (*Il commence à chanter.*[9]) « Ah! ne t'éveille [10] pas encore! »

BAUDRU, *à Becdoiseau.* C'est ça! C'est très

---

[1] (**heureux**), happy.   [2] (**connaissance**), acquaintance; *cf.* **connaître.**   [3] **clair** *adj.*, clear; *n.m.*, light.   [4] **lune**, moon. [5] **tabac,** tobacco.   [6] **mieux** *adv.*, better.   [7] BERCEUSE, cradle song, lullaby.   [8] On the theme of Lamartine's poem *Jocelyn* (1835), Armand Silvestre and Victor Capoul wrote the libretto of the opera by that name, the music for which was composed by Benjamin Godard (1888). Its *Berceuse* is a popular air.   [9] **chanter,** to sing.   [10] **éveiller,** to wake up; **s'éveiller,** to awake.

joli![1] (*Chantant.*) « Ah! ne t'éveille pas encore!... »

FIGARO, *entrant à droite et portant une jumelle [2] de
proportions considérables.* Messieurs,[3] avec cet ins-
5 trument de précision que j'ai l'honneur de vous
présenter, je pourrai, sans quitter cette position
stratégique, (*montrant la chaise*) inspecter (*à Baudru*)
cette boule bizarre que je vois entre vos oreilles...

BAUDRU, *à Becdoiseau.* Quel idiot! Croyez-vous?
10 FIGARO, *à Becdoiseau.* Examiner votre figure
d'enfant...

BECDOISEAU. Quel imbécile!

FIGARO, *à Baudru.* Et si je trouve sur votre crâne
poli...

15 BAUDRU. Vous ne feriez pas mal d'être aussi poli
que lui.

FIGARO. Et si je trouve sur votre crâne plus poli
que moi, le plus petit cheveu, croyez-moi, je vais
l'examiner avec toute l'ardeur d'une investigation
20 vraiment scientifique!

BAUDRU. A la maison [4] des fous!

FIGARO. Je saisis délicatement ce cheveu rare
d'une main, et, en cinq secondes, de l'autre, je le
coupe en quatre.

25 BAUDRU. Propre [5] à rien!

BECDOISEAU, *montrant Figaro.* Ce propre à rien
est capable de tout.

---

[1] **joli,** pretty.   [2] JUMELLE, opera-glasses, binoculars.
[3] **Messieurs** = *pl. of* **monsieur.**   [4] **maison,** house; **maison
de fous,** madhouse, insane asylum.   [5] (**propre**), fit, suitable,
proper; **propre à rien,** good-for-nothing.

74

FIGARO, *à Becdoiseau.* Et vous, monsieur, j'ai l'œil sur vous. (*Il regarde Becdoiseau dans sa jumelle.*) Et si un seul poil[1] était assez fou pour se permettre d'apparaître[2] sur votre figure, je me jetterais tout de suite sur mon meilleur[3] rasoir, sur 5 mon rasoir numéro un, et, d'un seul coup, je lui ferais quitter le jour,[4] à votre poil innocent! Vous entendez!

BECDOISEAU, *à Figaro.* Oui. Oui. J'entends. Ce n'est pas de l'intelligence que vous montrez 10 là . . .

BAUDRU, *à Figaro.* Vous êtes aussi intelligent qu'un poisson mort . . . qu'un poisson très mort. Que dis-je? Aussi intelligent que deux poissons morts. 15

FIGARO, *à Baudru, la jumelle aux yeux.* Chut![5] Ne bougez[6] pas! Je ne sais pas votre nom, monsieur. Je vais vous appeler Christophe Colomb. Ça ne vous fait rien,[7] dites, que je vous appelle Christophe Colomb? 20

BAUDRU. Oh! si vous insistez!

FIGARO, *à Baudru.* Ne bougez pas, monsieur Christophe Colomb. Ne bougez pas. Il me semble que je vois quelque chose sur votre crâne. (*Il se lève sur la pointe[8] des pieds.*) Serait-ce[9] un cheveu? 25

---

[1] **poil,** hair.　[2] (**apparaître**), appear;　*cf.* **disparaître, paraître.**　[3] **meilleur** *adj.*, better, best.　[4] **quitter le jour,** depart this life.　[5] **Chut!** Ssh!　[6] **bouger,** stir, move, budge. [7] **Ça ne vous fait rien,** That doesn't make any difference to you.　[8] **pointe,** tip, point; **sur la pointe des pieds,** on tiptoe.　[9] **Serait-ce,** Could it be.

Ce n'est pas possible. Il serait arrivé [1] comme une bombe, comme une soupe sur un cheveu . . . pardon! comme un cheveu sur une soupe.

BAUDRU, *à Becdoiseau.* Sur une soupe! Il prend
5 ma tête pour une soupe! (*A Figaro.*) Vous dites?

FIGARO, *à Baudru, la jumelle aux yeux.* Attendez! Attendez, monsieur l'Œuf . . . monsieur Christophe Colomb! Il faut voir ce que c'est. Après tout, il est possible qu'un cheveu y pousse en ce moment . . .
10 avec un crâne comme celui-là, il faut compter sur tout. (*Il s'approche de près et regarde la tête de Baudru avec la jumelle.*) Sapristi! Rien . . . rien! J'ai fait erreur! Quel malheur! [2]

BECDOISEAU, *à Baudru, montrant Figaro.* C'est à
15 rire,[3] n'est-ce pas? A rire!

FIGARO, *allant vers la chaise, à Becdoiseau.* Si c'est à rire, riez. Mais il faut savoir, jeune homme, que tout le monde [4] peut faire erreur, et qu'il n'y a que ceux qui ne font rien qui . . .

20 BECDOISEAU. Oui. Je le sais. (*A Baudru, montrant Figaro.*) Il appelle ça, travailler, lui!

BAUDRU. C'est colossal! Il faut le voir pour le croire.

FIGARO, *à Baudru.* Il a compris,[5] sans doute, que
25 j'allais le faire quitter le jour, votre cheveu, et il est rentré dans son trou. (*S'arrêtant et parlant plus bas.*) Ou bien il s'amuse à se cacher . . . et il rit en

---

[1] **Il serait arrivé,** It must have arrived.   [2] (**malheur**), misfortune; *cf.* **bonheur, heureux.**   [3] **C'est à rire,** It is enough to make one laugh.   [4] **monde,** world; **tout le monde,** everyone.   [5] **compris** *p.p.* **comprendre,** understood.

voyant que je le cherche. Eh! Eh! (*Il se tourne et s'approche de Baudru sur la pointe des pieds, comme pour surprendre* [1] *le cheveu. La jumelle aux yeux, il écoute.*) Non, il ne rit pas. Rien . . . rien . . . rien. (*Il va vers la chaise et s'assied. Avec résignation.*) 5 Attendons. (*Il reprend* [2] *le journal et commence à lire.*)

BAUDRU, *à Figaro.* Si vous faites toutes ces farces ridicules pour nous amuser, je vous assure que vous perdez le temps.[3] Ça ne nous intéresse pas. 10

BECDOISEAU. Tout de même, nous ne sommes pas difficiles [4] à amuser. Mais vraiment, vous n'êtes pas trop fort. Vous êtes au-dessous de zéro. (*Figaro se lève et vient vers Baudru.*)

FIGARO, *la jumelle aux yeux.* Ça pousse! Ça 15 pousse! Si vous restez là, bien tranquillement, pendant deux ou trois ans, je crois que je pourrai trouver du travail à faire.

BECDOISEAU. Allez vous asseoir! Oui, quelle bonne idée! Asseyez-vous! 20

FIGARO. C'est une idée comme une autre.[5] (*Il retourne à la chaise et s'assied.*) Je vous observe de mon observatoire. (*Il regarde Baudru dans sa jumelle.*)

BECDOISEAU, *à Baudru.* On est très bien ici,[6] au 25 moins.

---

[1] (surprendre), to surprise; *cf.* prendre, reprendre, comprendre. [2] (reprendre), take (up) again. [3] perdre le temps, to waste time. [4] difficile, hard, difficult. [5] C'est une idée comme une autre, It's a good enough idea. [6] On est très bien ici, It is very comfortable here.

77

Baudru, *à Becdoiseau.* Ah! oui. Et ça sent [1] bon, les boîtes de poudre et l'eau de Cologne! Vous êtes venu, l'été dernier, à Épagneul?

Becdoiseau, *à Baudru.* Non. C'est la première
5 fois.

Baudru, *à Becdoiseau.* Vous habitez quel hôtel?

Becdoiseau, *à Baudru.* L'Hôtel des Acacias.

Baudru, *à Becdoiseau.* Dans le parc? [2] (*Becdoiseau fait un signe d'affirmation.*) Je connais.
10 Vous êtes bien?

Becdoiseau, *à Baudru.* Hum! Comme ci, comme ça.[3] La nourriture laisse un peu à désirer.[4] La viande [5] est trop cuite,[6] et les légumes,[7] pas assez. Et c'est assez désagréable, vous savez, car je ne
15 mange que de la viande et des légumes. Et vous?

Baudru, *à Becdoiseau.* Moi, je suis à l'Hôtel des Eaux.

Becdoiseau, *à Baudru.* La nourriture est bonne?

Baudru, *à Becdoiseau.* Je crois qu'elle est bonne.
20 Il me semble que j'ai entendu quelqu'un le dire. Mais je ne pourrais pas l'affirmer.[8] Je ne mange que des œufs ... des omelettes ... vous savez. C'est mon estomac ...

Becdoiseau, *à Baudru.* Les œufs, sont-ils frais?
25 Baudru, *à Becdoiseau.* Je crois qu'ils sont frais, mais je ne pourrais pas l'affirmer.

---

[1] (**sentir**), smell.   [2] PARC, park.   [3] **Comme ci, comme ça,** So-so.   [4] **laisse un peu à désirer,** is not very satisfactory.   [5] **viande,** meat.   [6] **cuit** (*p.p* **cuire**), cooked, well done (*of meat*).   [7] **légume,** vegetable.   [8] AFFIRMER, to swear to something.

Becdoiseau, *à Baudru.* Comment ça?[1]

Baudru, *à Becdoiseau.* On me les sert très chauds.

Figaro, *lisant toujours.* Moi, je déteste les œufs très chauds. 5

Becdoiseau, *se tournant vers Figaro.* Comment! Vous êtes encore là, vous?

Baudru, *se tournant vers Figaro.* Qu'est-ce que vous faites ici? Voulez-vous disparaître et nous laisser tranquilles? 10

SCÈNE IV

Communeau *entre à gauche. Il a une barbe, des moustaches, et des cheveux formidables.* Bonjour, monsieur Figaro. (*Il va pour sortir.*) Il y a des clients. Je reviendrai.

Figaro, *allant à lui.* Non . . . non. Restez. Je 15 suis à votre service.

Communeau. Je voudrais,[2] car le temps est très chaud, me débarrasser[3] de tout cela. (*Il montre sa barbe et ses cheveux.*) Les cheveux très courts . . . la barbe, aussi. 20

Figaro, *à Baudru et à Becdoiseau.* Messieurs, vous allez voir du beau travail. (*A Baudru.*) Regardez ces cheveux-là . . . c'est comme une forêt![4] Et c'est solide! Ça résiste. On peut tirer. (*Il tire.*) 25

---

[1] **Comment ça?** How's that?   [2] **voudrais** (*p. fut.* **vouloir**), should like.   [3] **se débarrasser,** get rid (**de,** of).   [4] **forêt,** forest.

79

COMMUNEAU. Aïe![1]   Pas si fort![2]

FIGARO, *à Becdoiseau.*   Et vous, monsieur, regardez cette barbe superbe!

BECDOISEAU. Et après?

5 FIGARO, *à Communeau, en montrant Baudru.*   Je vais prier ce monsieur de quitter son fauteuil pour quelques instants. Il est très raisonnable.[3] (*Très poli.*) Monsieur, voulez-vous être assez bon pour vous lever et venir vous asseoir ici. (*Il indique la*
10 *chaise.*) Oh! quelques secondes! (*Communeau suit Figaro.*)

BAUDRU, *excessivement poli.*   Monsieur, voulez-vous me permettre de vous faire remarquer[4] que je suis entré dans votre salon de coiffure bien avant ce
15 monsieur (*Il indique Communeau.*), et que, pour cette raison,[5] je ne puis lui donner ce fauteuil que j'occupe en attendant que[6] vous vouliez vous occuper de moi.

COMMUNEAU. Allez-y, monsieur Figaro.

20 FIGARO, *montrant Becdoiseau.*   Je vais m'adresser à ce monsieur. Il sera certainement plus raisonnable. (*A Becdoiseau.*) Monsieur, voulez-vous être assez bon pour . . .

BECDOISEAU, *excessivement poli.*   Monsieur, je
25 serai assez bon, quand vous m'aurez rasé, et après avoir coupé les cheveux à monsieur. (*Il indique Baudru.*)

---

[1] **Aïe!** Ouch!   [2] (**fort**), hard.   [3] (**raisonnable**), rational, reasonable.   [4] **remarquer**, to notice; **faire remarquer**, to call attention to, point out.   [5] **raison**, reason.   [6] **en attendant que**, until.

COMMUNEAU. Allez. Coupez les cheveux à monsieur. (*Il montre Baudru.*) Qu'est-ce que vous attendez?

FIGARO, *furieux*. Sapristi! vous, aussi! Qu'est-ce que j'attends? J'attends qu'il ait [1] des cheveux, mon 5 ami, des cheveux! (*Il saisit Communeau par le bras et lui pousse la tête vers le crâne de Baudru.*) Regardez . . . regardez bien! Si vous en trouvez, ils sont pour vous. Je vous les donne.

COMMUNEAU, *après avoir regardé*. En effet, il n'en 10 a pas beaucoup.

BAUDRU. Je n'en ai pas beaucoup, c'est vrai, mais j'en ai. Il est vrai que je n'ai pas une forêt comme vous. Je ne suis pas un lion, moi. En effet, je n'ai pas besoin [2] de cheveux. A quoi servent-ils, 15 les cheveux? [3] A quoi vous servent-ils? A rien, car vous venez les faire couper. Vous avez dit, vous-même, en entrant: « Je voudrais me débarrasser de ces sales [4] cheveux. »

COMMUNEAU. Je n'ai pas dit « sales cheveux ». 20

BAUDRU. Oui . . . enfin [5] . . . quelque chose comme ça. (*Montrant Becdoiseau.*) Je comprends pourquoi monsieur a besoin de cheveux. Monsieur est artiste. Ce monsieur, que vous voyez là, est premier violoncelle au Casino municipal. Mais, vous? êtes-vous 25 artiste?

---

[1] **ait** *pres. subj.* **avoir.** **J'attends . . . des cheveux,** I am waiting for him to have some hair. [2] **besoin,** need; **avoir besoin de,** to need. [3] **servir à,** to be of use; **A quoi servent-ils, les cheveux?** Of what use is hair? [4] **sale,** filthy, dirty; (*slang*) confounded, beastly. [5] (**enfin**), after all.

COMMUNEAU. Mais oui!... dans la cuisine.[1] Je suis chef [2] de cuisine.

BAUDRU. Et moi, je fabrique de la moutarde. Pour fabriquer de la moutarde, je n'ai pas besoin
5 d'avoir trois kilos [3] de cheveux sur le crâne ...

COMMUNEAU, *montrant Becdoiseau.* Et ce monsieur?

FIGARO. Ce monsieur? Il veut que je le rase.

COMMUNEAU. Eh bien! rasez-le.

10 FIGARO. Encore!! (*Il saisit Communeau par le bras et lui pousse la tête vers la figure de Becdoiseau.*) Allons, regardez! Si vous trouvez quelque chose à raser, je vous le donne. Cherchez. Prenez votre temps.

COMMUNEAU, *après avoir cherché.* Je n'en trouve
15 pas.

BECDOISEAU. Alors, vous n'avez pas bien cherché. Et puis, après tout, pour être premier violoncelle, je n'ai pas besoin d'avoir la barbe longue d'un mètre.[4] (*Montrant Baudru.*) Je comprends bien pourquoi
20 monsieur a besoin d'une barbe. Il fabrique de la moutarde. Il est dans l'industrie. Mais, vous?

COMMUNEAU. Moi, je suis chef ... de cuisine, vous savez.

BECDOISEAU. Ah! vous êtes chef? Alors, je me
25 demande à quoi votre barbe peut vous servir. Est-ce que vous vous en servez [5] pour filtrer [6] la soupe?

---

[1] **cuisine,** kitchen; *cf.* **cuire, cuit.**   [2] **chef,** chief, leader; **chef de cuisine,** head cook, chef.   [3] **kilo** (=**kilogramme**), a weight of 2.2 pounds.   [4] **mètre,** meter (1.09 yards); **longue d'un mètre,** a yard long.   [5] **se servir de,** to use; **Est-ce que vous vous en servez,** Do you use it?   [6] FILTRER, to filter.

(*Communeau fait signe que non.*[1]) Non? Eh bien,
alors? A quoi vous sert-elle, votre barbe? A rien,
car vous venez vous faire raser. Vous avez dit en
entrant: « Je voudrais me débarrasser de cette sale
barbe . . . »   5

COMMUNEAU.   Je n'ai pas dit « sale barbe ».

BECDOISEAU.   Oui . . . enfin . . . Si vous ne l'avez
pas dit, vous l'avez pensé. Vous n'avez pas le
courage de vos opinions. Vous êtes un lâche.[2]

COMMUNEAU, *s'approchant de Becdoiseau avec un* 10
geste plein de menace. Répétez un peu,[3] monsieur.

BECDOISEAU, *se levant.* Parfaitement![4] Vous êtes
un lâche! (*Baudru se lève en même temps et va se
mettre à côté de* [5] *Becdoiseau.*)

BAUDRU et BECDOISEAU.   Oui, vous êtes un lâche, 15
un grand lâche.

FIGARO.   En voilà assez! (*A Communeau.*)
Voulez-vous aller chercher un agent de police? Il y
en a un non loin [6] d'ici . . .

COMMUNEAU.   Oui, oui. Avec plaisir. (*Il sort à* 20
*gauche. Becdoiseau s'assied. Baudru retombe dans
son fauteuil.*)

SCÈNE V

FIGARO, *regardant d'un côté à l'autre de la scène.*
Messieurs, on va découvrir la cause de cette petite
comédie.   25

---

[1] **fait signe que non,** indicates that it isn't so.   [2] **lâche**
adj., cowardly; *n.m.*, coward.   [3] **Répétez un peu,** Say it again.
[4] **Parfaitement!** Certainly!   [5] **à côté de,** beside.   [6] **loin, far.**

Baudru. On va rire.

Becdoiseau, *montrant Figaro*. Ah, monsieur, que vous êtes fou![1] C'est colossal!

Figaro. Vous dites? Idiot! Si on vous tordait[2] le nez,[3] c'est du lait[4] qui en sortirait[5] . . . et vous pensez . . .

Becdoiseau. Venez le tordre, mon nez. Ce sont des coups de pied[6] qui pourraient en sortir.

Baudru, *montrant Figaro*. Enfin, il se sent perdu.

Figaro. Moi?

Baudru. Oui, vous. Ça, c'est certain, car maintenant vous insultez monsieur. (*Il indique Becdoiseau.*) Les insultes ne sont pas des arguments.

Figaro. On va vous donner des arguments. Vous pouvez vous préparer à partir tout de suite, vous (*indiquant Baudru*), avec votre boule de billard; et vous (*indiquant Becdoiseau*), avec votre figure d'oiseau.[7] Allez! Allez! Je ne veux plus vous revoir.

Becdoiseau. Eh! Pas si vite! Quand le moment sera venu, nous partirons. Pas avant!

Figaro, *d'une voix pleine d'émotion*. Ah! mes amis, quel malheur! On va vous jeter en prison. J'ai pitié de vous.

Baudru. Qui sait? Qui sait? Il est possible que c'est vous qui passerez la nuit à la boîte.[8] Il

---

[1] **que vous êtes fou!** how crazy you are! [2] **tordre,** to twist. [3] **nez,** nose. [4] **lait,** milk. [5] The implication is that milk, and not blood, would come out; the insult is usually applied to a youth who meddles in a matter too old for him. [6] **coup de pied,** kick. [7] **oiseau,** bird. [8] **à la boîte,** in the clink, in the jug (*military slang*).

y a des cachots, n'est-ce pas? Des cachots sales et humides?

BECDOISEAU. Et des rats gros comme des melons?

FIGARO. Oui, monsieur le premier violoncelle. Il y a une boîte à Épagneul-les-Bains, avec des rats 5 gros comme des éléphants. Vous verrez ça dans quelques instants.

BECDOISEAU. Je vous prie de ne pas me parler ainsi. Ayez pitié de moi. Vous me faites trembler ... regardez ... Brrr! ... Brrr! ...   10

SCÈNE VI

Les Mêmes, COMMUNEAU, UN AGENT DE POLICE. *Tous sont debout* [1] *au milieu de la scène et parlent à la fois.* [2]

L'AGENT. Eh bien! Qu'est-ce qui se passe? ...

TOUS, *moins Communeau.* Monsieur l'agent, l'affaire est ...

L'AGENT. Silence! Qu'est-ce qu'il y a? [3]

TOUS. Monsieur l'agent, il y a que [4] ...   15

L'AGENT. Silence! Vous me faites mal aux oreilles. Vous ne parlerez que quand je vous en donnerai l'ordre. Pas avant! Vous avez compris?

TOUS. Oui, monsieur l'agent.

L'AGENT. Qui est-ce qui veut parler le premier? 20

TOUS, *à la fois.* Moi, monsieur l'agent.

[1] debout, standing.   [2] à la fois, at the same time.
[3] Qu'est-ce qu'il y a? What's the trouble?   [4] il y a que ...,
the trouble is that ...

L'AGENT, *furieux.* Attention! Si c'est comme ça, personne ne parlera le premier. Vous parlerez tous les derniers. Je commence. (*A Figaro.*) C'est vous qui m'avez fait appeler? [1]

5 FIGARO. Oui, monsieur l'agent. Voici pourquoi.

L'AGENT. Assez! Je ne vous ai pas demandé pourquoi. Maintenant, je vous demande pourquoi. Pourquoi? (*Un temps.*) Répondez. Pourquoi avez-vous demandé mon intervention? Pourquoi?

10 FIGARO, *montrant Baudru.* Monsieur est entré, en me disant de lui couper les cheveux.

L'AGENT. Et vous avez refusé? Vous refusez?

FIGARO. Je ne refuse pas, mais je ne peux pas lui couper les cheveux.

15 L'AGENT. Pourquoi?

FIGARO. Il n'en a pas.

BAUDRU. Je n'en ai pas? Quelle impertinence!

L'AGENT, *à Figaro.* Vous dites que monsieur n'a pas de cheveux? Il faut faire une petite enquête [2] ...

20 FIGARO. Il faut plus qu'un Arsène Lupin [3] pour trouver un cheveu sur cette boule de billard-là!

L'AGENT. Bon! Mais ne recommencez pas. (*A Baudru.*) Et vous, que dites-vous? Vous êtes là comme une statue de bois!

25 BAUDRU. Monsieur l'agent, je dis que, sans avoir des cheveux extraordinaires, j'ai quelques cheveux modestes qui ne doivent [4] rien à personne.

---

[1] **C'est vous ... appeler?** You are the one who sent for me?
[2] ENQUÊTE, investigation, inquest.   [3] Arsène Lupin is a famous gentleman crook, like the Lone Wolf, in the adventure tales of Maurice Leblanc.   [4] (**devoir**), to owe.

L'AGENT.   Amenez [1] votre crâne ici.   Il faut voir !

BAUDRU, *baissant* [2] *la tête.*   Voilà, monsieur l'agent.

L'AGENT.   C'est ça, vos cheveux ?   C'est tout ce que vous avez ?   Vous n'en avez pas d'autres dans vos poches ? [3]   Allez, cherchez . . .

BAUDRU, *cherchant dans ses poches.*   Je vous assure que . . .

L'AGENT.   Vous ne les avez pas oubliés sur la table, chez vous ?

BAUDRU.   Non, monsieur l'agent.   Mais je ne comprends pas comment . . .

L'AGENT.   Silence !   Sans ça, je vous arrête tout de suite, vous et votre crâne, votre œuf d'oiseau, votre melon !   (*A Figaro.*)   Et c'est pour cette affaire stupide que vous m'avez fait appeler ?   Vous ne pouviez pas le faire sortir, ce client ?

FIGARO.   Il ne voulait pas sortir.   Il aurait fallu [4] se battre.[5]

L'AGENT, *à Baudru.*   Ah !   Ah !   Monsieur ne voulait pas sortir !   (*A Becdoiseau.*)   Et vous ?

FIGARO.   Monsieur est entré en me . . .

L'AGENT, *à Figaro.*   C'est à vous que je m'adresse ? Oui ou non ?   C'est à vous ?

FIGARO.   Non, monsieur l'agent.

L'AGENT.   Alors, pourquoi est-ce que vous ouvrez la bouche ?   Fermez !

FIGARO.   Je voulais simplement vous . . .

---

[1] (amener), to bring; *cf.* mener, ramener.   [2] baisser, to lower, bend down.   [3] poche, pocket.   [4] Il aurait fallu, It would have been necessary.   [5] (se battre), to fight, struggle.

L'AGENT. Qu'est-ce que vous dites?

FIGARO. Je dis que je ferme. Je dis que . . .

L'AGENT, *furieux.* Il ne veut pas fermer! Qu'est-
ce que vous dites? Qu'est-ce que vous avez à
5 dire?

FIGARO. Je dis que je ne dis rien.

L'AGENT. Enfin! C'est heureux!... (*A Becdoiseau.*) Alors, vous êtes entré et . . .

BECDOISEAU. Je suis entré et . . .

10 L'AGENT. Je vois bien que vous êtes entré!...
Après?

BECDOISEAU, *indiquant Figaro.* J'ai dit à ce monsieur de me raser, et monsieur n'a pas voulu.

L'AGENT, *à Figaro.* Pourquoi?

15 FIGARO. Il n'a pas de barbe . . . Il est sans
barbe . . .

L'AGENT, *à Becdoiseau.* Amenez votre figure, ici.
Il faut l'examiner de près. (*Becdoiseau baisse sa
tête que l'agent saisit et qu'il inspecte avec soin.*[1])
20 Pendant que[2] le reste de votre corps devenait[3]
homme, que faisait la figure? Elle s'est décidée[4] à
rester enfant, hein?[5] (*Pendant cette conversation,
Communeau, devant la glace de gauche, se sourit à lui-
même, arrange ses cheveux, caresse sa barbe, et se par-
25 fume à l'eau de Cologne.*) (*A Communeau.*) Et vous,
là-bas?[6] (*Communeau continue.*) Et vous? (*D'une
voix furieuse.*) Vous n'avez pas fini de faire l'im-

---

[1] **soin,** care, attention; **avec soin,** carefully, attentively.
[2] **Pendant que,** While. [3] (**devenir**), to become; *cf.* **venir,
revenir.** [4] (**se décider**), to make up one's mind (**à,** to).
[5] **hein?** eh? [6] **là-bas,** over there. yonder.

bécile?[1] (*Communeau s'occupe à se parfumer la barbe.*) Eh! là-bas? Vous n'avez pas fini de contempler votre bec?[2]

COMMUNEAU, *surpris, et avec innocence.* Moi?

L'AGENT. Naturellement! Oui, vous! Qu'est-ce 5 que vous faites ici?

COMMUNEAU, *s'approchant.* Je venais pour la barbe et les cheveux.

L'AGENT. Pour la barbe et les cheveux! Rien que ça?[3] (*A Figaro.*) Et vous n'avez pas voulu lui 10 couper les cheveux? (*Figaro garde le silence.[4]*) Ah! Vous n'avez pas voulu? (*Il saisit Communeau par le bras et le pousse sous le nez de Figaro.*) Vous ne direz pas qu'il n'a pas de barbe, ce client-là? Vous ne direz pas qu'il n'a pas de cheveux? (*Il pousse 15 Communeau un peu plus près de Figaro, qui n'ouvre pas la bouche.*) Comment? Vous dites qu'il n'a pas de barbe? Vous dites qu'il n'a pas de cheveux? Vous avez le courage de dire qu'il n'a pas de cheveux? (*Figaro garde le silence.*) Répétez un peu!... Ré- 20 pétez!... Ah! je vois maintenant que ce monsieur n'est pas un client à désirer.[5] (*Baudru et Becdoiseau sont remplis de joie.*) Et c'est vous qui vous permettez de venir me chercher pour une affaire aussi stupide que ça? Ah! mon ami! Je vais vous 25 mettre ... (*Baudru et Becdoiseau triomphent.*)

---

[1] faire l'imbécile, to play the fool; **Vous n'avez pas fini de faire l'imbécile?** You haven't finished playing the fool? [2] **bec,** beak. [3] **Rien que ça?** Nothing but that? [4] **garder le silence,** keep silent (still). [5] **un client à désirer,** a desirable customer.

FIGARO. Pardon, monsieur l'agent, je . . . je . . .

L'AGENT. Assez! Si vous avez quelque chose à dire, gardez le silence. (*A Communeau.*) Alors, c'est vrai qu'il n'a pas voulu vous raser?

5 COMMUNEAU. Il voulait, seulement il ne . . .

L'AGENT. Seulement, il ne voulait pas. C'est bien ce que vous voulez dire?[1]

COMMUNEAU. Seulement, je ne pouvais pas m'asseoir; les deux fauteuils étaient occupés par ces 10 messieurs (*Il indique Baudru et Becdoiseau.*) qui ne voulaient pas se lever.

L'AGENT, *à Baudru et Becdoiseau.* Vous ne vouliez pas vous lever! Ah! Ah! (*A Communeau.*) Allez vous asseoir. (*Communeau s'assied sur la chaise,* 15 *prend le journal abandonné par Figaro, et commence à le lire avec une gravité comique.*) (*A Baudru.*) Ah! vraiment! Vous ne vouliez pas vous lever!

BAUDRU, *montrant Figaro.* J'ai dit à monsieur: « Coupez-moi les cheveux. » Monsieur m'a ré-20 pondu: « J'attends que vos cheveux poussent » . . . et d'autres remarques idiotes.[2]

FIGARO. Des insolences, maintenant! C'est complet!

L'AGENT. « Idiot » veut dire « stupide ». Ce n'est 25 pas une insolence. (*A Becdoiseau.*) Et vous?

BECDOISEAU. Moi, j'ai dit à monsieur (*montrant Figaro*): « Rasez-moi de près. »

L'AGENT. Il voulait vous raser de loin?[3]

---

[1] **vouloir dire,** to mean.   [2] (idiot) *adj.*, idiotic.   [3] **de loin,** from afar, from a distance. (The pun is obvious, since **de près** also means "at close range, near-by.")

BECDOISEAU. Il m'a répondu: « J'attends que vous ayez de la barbe » . . . et d'autres remarques bêtes.[1]

FIGARO. Encore des insolences!

L'AGENT, *avec autorité.* « Bête » signifie « stupide ». 5 Ce n'est pas une insolence. (*Il tire de sa poche un petit carnet*[2] *noir et un crayon.*[3]) (*A Baudru.*) Vos noms? Prénoms?[4] et qualités?[5]

BAUDRU. Mes qualités?

L'AGENT, *la pointe du crayon sur le papier.* Oui, 10 vos qualités.

BAUDRU. Oh! j'en ai beaucoup. Je suis un bon garçon.[6] Je ne ferais pas de mal à un insecte. Vous pouvez mettre bon garçon. Vous pouvez le mettre. Allez, mettez-le. 15

L'AGENT, *après avoir fait des efforts pour se retenir.*[7] Sapristi! Vous désirez aller passer la nuit à la boîte? Vous riez de moi? (*Figaro ne peut plus retenir sa joie.*) Insultes à un agent de la force publique dans l'exercice de ses fonctions? (*Com-* 20 *muneau se lève sans bruit et s'approche de l'agent pour ne rien perdre de cette discussion qui l'amuse beaucoup. L'agent, le saisissant par le bras, le fait tourner rapidement.*) Allez! . . . allez! vite! Allez voir sur cette chaise si j'y suis. Si j'y suis, vous viendrez 25 me le dire. (*A Baudru.*) Alors, comme ça, vous in-

---

[1] (bête) *adj.*, stupid. [2] **carnet**, pocket notebook. [3] **crayon**, pencil. [4] (**prénom**), Christian name. [5] **qualité**, quality, *also* trade, profession. [6] **garçon**, boy; **bon garçon**, decent chap, nice lad. [7] (**retenir**), to hold back, restrain; *cf.* **tenir.**

sultez les agents de la force publique dans l'exercice de leurs fonctions?

BAUDRU. Ce n'était pas mon intention. Loin de là.[1]

5 L'AGENT. Bon garçon! Ce n'est pas un métier, ça, bon garçon! Je vous demande vos qualités: ça veut dire ce que vous faites, ce que vous fabriquez?

BAUDRU. Je suis fabricant[2] de moutarde . . . de 10 moutarde.

L'AGENT. Pourquoi?

BAUDRU. Parce que[3] je fabrique de la moutarde.

L'AGENT. Triple imbécile! Est-ce que je vous empêche de fabriquer de la moutarde!

15 BAUDRU. Non, monsieur l'agent.

L'AGENT. Répondez. Vous ai-je jamais empêché de fabriquer de la moutarde?

BAUDRU. Non, monsieur l'agent.

L'AGENT. Eh bien, alors? Pourquoi parler? Vos 20 papiers?

BAUDRU *présente une petite carte[4] qu'il tire de sa poche.* Voici, monsieur l'agent. Voici ma carte . . .

L'AGENT, *lisant et écrivant dans son carnet en même temps.* Pierre Baudru. Fabricant de moutarde. 25 Dijon.[5] Clients: le roi d'Angleterre,[6] le président

---

[1] **Loin de là,** Far from it.   [2] **(fabricant),** manufacturer; *cf.* **fabriquer.** [3] **Parce que,** Because. [4] **carte,** card. [5] Dijon is a large commercial and industrial city north of Lyon, in the northeastern part of France, in the province of Bourgogne. The manufacture of mustard is one of its major industries. [6] **Angleterre,** England.

92

de la République, et le ministre de la Justice.[1] (*A Baudru.*) De quelle Justice?

BAUDRU. De quelle Justice? Il n'y a qu'une Justice.

L'AGENT. De la Justice de quel pays? De quel pays? 5

BAUDRU. De la Justice de France.

L'AGENT. De la Justice de France. (*Il répète et écrit dans son carnet en même temps.*) Votre âge?

BAUDRU. Quarante-cinq. 10

L'AGENT. Quarante-cinq, quoi? Quarante-cinq bouteilles? Quarante-cinq casseroles?

BAUDRU. Quarante-cinq ans.

L'AGENT. Mais dites-le! Croyez-vous que je sois [2] magicien? (*A Becdoiseau.*) Et vous, quel est 15 votre métier?... Non, votre nom?

BECDOISEAU. Becdoiseau.

L'AGENT, *écrivant et répétant en même temps.* Bec-doi-seau. Vous ne pouvez pas vous appeler comme tout le monde? Vos prénoms? 20

BECDOISEAU. Isidore, Arthur, Georges, Armand, Lucien, Philippe.[3]

L'AGENT. Assez! N'en jetez plus. Votre âge?

BECDOISEAU. Dix-huit ans.

L'AGENT. Dix-huit ans. Votre qualité? **25**

BECDOISEAU. Premier violoncelle.

L'AGENT. Ce n'est pas un métier. C'est un ins-

---

[1] The French Cabinet includes a Minister of Justice.
[2] sois *pres. subj.* être.   [3] A quip at the not uncommon French habit of assigning several Christian names to a child.

trument de musique, ça. Je vous demande ce que vous faites, ce que vous fabriquez . . .

BECDOISEAU. Je fabrique . . . de la musique . . . sur le violoncelle.

5 L'AGENT. Mais vous avez dit « premier ».

BECDOISEAU. Je suis premier violoncelle, je . . .

L'AGENT. Je comprends, je comprends. C'est vous le premier violoncelle qui commencez le morceau, et c'est le dernier violoncelle qui le finit. On le
10 sait. Tout le monde sait ça. C'est bien connu . . .

BECDOISEAU. On appelle premier violoncelle, celui qui . . .

L'AGENT. Fermez! Assez sur ce sujet! Je comprends. (*Montrant son petit carnet noir.*) Ça, vous
15 voyez, ce sont mes notes. Voulez-vous que l'affaire aille [1] plus loin? Voulez-vous que je vous présente à la Justice, à cette Justice de France que ce monsieur connaît si bien? C'est une affaire où on pourrait perdre la liberté, ni plusss! . . . ni moinsss! [2] Et c'est
20 la prison, ni moinsss! . . . ni plusss! Voulez-vous aller en prison? (*Figaro tremble. Communeau se retient avec difficulté.*)

BECDOISEAU. Je n'insiste pas.

BAUDRU. Ni moi, non plus.

25 BECDOISEAU. Je n'ai pas le temps d'aller en prison, moi. (*Il va pour prendre son chapeau.*) Je suis obligé d'aller au Casino. J'entends mon violoncelle qui m'appelle.

---

[1] **aille** *pres. subj.* **aller.**   [2] **ni plus, ni moins,** neither more nor less (The *Agent* hisses the final letter, as in a true melodrama; the −*s* is normally silent.)

94

L'AGENT, *l'arrêtant.* Vous voulez lui répondre, hein? Eh bien, vous n'êtes pas le seul musicien ici! Voilà mon instrument! (*Il montre son revolver.*) Attention! Vous feriez bien de ne pas lui répondre, à votre violoncelle! (*Figaro et Communeau sont rem-* 5 *plis de joie.*)

BECDOISEAU. Je ne veux pas m'échapper. Je dis simplement que je suis obligé d'aller, tous les soirs, au Casino municipal . . .

L'AGENT. Vous avez de la chance [1] que je ne sois 10 pas un mauvais garçon . . . Ah! oui! Vous avez de la chance! Tenez, comme je n'aime pas les histoires,[2] nous allons arranger cette affaire d'une manière agréable, entre amis. Allez vous asseoir. (*Baudru et Becdoiseau vont s'asseoir.*) (*A Figaro, en indiquant* 15 *Baudru.*) Ce monsieur n'a pas de cheveux, vous allez lui couper la barbe.

FIGARO, *avec un sourire* [3] *satanique.* Le raser?

L'AGENT. Oui, le raser. De près ou de loin, comme vous voulez. (*Montrant Becdoiseau.*) Et ce 20 monsieur qui n'a pas de barbe, allez lui couper les cheveux. (*Figaro saisit son rasoir avec des airs ter-ribles. Baudru et Becdoiseau se lèvent vite et s'ap-prochent de l'agent.*)

BAUDRU. Voyons! monsieur l'agent, vous n'y 25 pensez pas!! Couper ma barbe!! ma barbe!!! Ce serait un crime! . . . Elle a vingt ans, ma barbe . . . Vingt ans de bons services. Elle représente vingt ans

---

[1] **chance,** luck; **avoir de la chance,** be lucky.   [2] **his-toire,** story; *pl.* fuss, trouble (*familiar*).   [3] (**sourire**) *n.m.*, smile.

95

d'efforts, ma barbe. Je l'ai vue naître.[1] Je l'ai vue toute petite.[2] Je l'ai regardée pousser de jour en jour.[3] J'ai aidé ses premiers pas ...

L'AGENT. Ses premiers pas?

5 BAUDRU. Oui, ses premiers pas ou, si vous préférez, ses premiers centimètres, ses premiers millimètres. J'en ai pris soin quand elle était malade,[4] je ...

L'AGENT. C'est vous qui êtes malade ...

BAUDRU. J'en ai toujours pris soin ... quand elle
10 était malade et quand elle ne l'était pas. Toujours ... et il m'a fallu payer des sommes considérables ...

L'AGENT. Vous avez consulté des spécialistes?

BAUDRU. Non, mais j'ai consulté des coiffeurs, des coiffeurs célèbres qui m'ont donné des lotions,
15 des cosmétiques, des crèmes,[5] des brosses, des poudres, de la brillantine [6] ... En effet, je perds trois mille francs quand je perds ma barbe. Voilà pourquoi j'insiste pour la garder! Maintenant, je veux bien partir comme je suis venu.

20 L'AGENT. C'est bien. Asseyez-vous. (*Baudru s'assied.*) (*A Becdoiseau.*) Et vous?

BECDOISEAU. Moi, je suis assassiné, tué, mort! Vous savez que je suis artiste, musicien, premier violoncelle ... Je vous l'ai dit, n'est-ce pas? Et si
25 je ne vous l'avais pas dit, vous l'auriez imaginé ...

L'AGENT. C'est tout?

BECDOISEAU. Et vous voulez que je sacrifie mes

---

[1] **naître,** to be born. [2] **toute petite,** when it was tiny.
[3] **de jour en jour,** from day to day. [4] **malade,** ill, sick;
cf. **maladie.** [5] **crème,** cream. [6] BRILLANTINE, brilliantine:
an oil to make the hair glossy.

96

cheveux? Un artiste sans cheveux, c'est une forêt sans arbres,[1] une rivière sans eau, un oiseau sans plumes,[2] un orchestre sans . . . En effet, je préférerais me voir mort que sans cheveux. Ainsi, vous voyez . . . 5

L'AGENT. Et après?

BECDOISEAU. Il y a encore des raisons d'ordre commercial. Savez-vous combien je gagne?[3] Je gagne vingt francs par jour. Pourquoi?

L'AGENT. Parce que vous avez les cheveux longs 10 comme des macaronis?

BECDOISEAU. Oui, parce que j'ai les cheveux longs, longs . . . pas comme des macaronis, mais longs, tout de même . . . et aussi parce que je suis artiste. Si vous insistez pour que [4] mes cheveux tom- 15 bent sous le fer de ce monstre (*Il indique Figaro qui le regarde d'un air qui semble dire, « Attends, j'arrive!* »), je tombe, moi-même, de vingt francs à quarante [5] sous.[6] Oui! à quarante sous! Vous m'enlevez le pain de la bouche! 20

L'AGENT. C'est bien. Asseyez-vous. (*Becdoiseau va s'asseoir.*) (*A Figaro.*) Vous avez compris? (*Montrant Baudru.*) Monsieur . . . la barbe. (*Montrant Becdoiseau.*) Monsieur . . . les cheveux. (*Figaro s'approche de Becdoiseau lentement, sur la pointe* 25 *des pieds, les ciseaux à la main.*)

BECDOISEAU, *debout.* Voyons! monsieur l'agent . . .

---

[1] **arbre,** tree.　　[2] **plume,** feather.　　[3] **gagner,** to earn.
[4] **pour que,** that.　　[5] (**quarante**), forty; *cf.* **quatre, quatorze.**
[6] **sou** *n.m.*, cent.　There are twenty sous in a franc, a sou being equivalent to five centimes.

Baudru, *debout.* Ce n'est pas possible?

L'agent, *furieux.* Pas possible! Pas possible!! (*Il fait des gestes avec son revolver.*) (*Baudru et Becdoiseau s'asseyent vite.*) Ah! voulez-vous que je vous
5 rase et que je vous coupe les cheveux avec ceci? (*A Figaro, qui est à droite de Baudru.*) Allez-y! Vite! (*Figaro lève ses ciseaux vers Baudru.*)

Baudru, *se levant, à Figaro.* Qu'est-ce que vous voulez, vous?

10 Figaro. Je veux vous raser.

Baudru. Ah! c'est ma barbe que vous voulez? Pourquoi ne le disiez-vous, mon ami? (*Il s'arrache*[1] *la barbe.*) Tenez, la voilà! (*Figaro, avec stupeur, accepte la barbe. Il regarde Becdoiseau.*)

15 Becdoiseau, *se levant, à Figaro.* Vous, je vous vois venir. Ce sont mes cheveux que vous voulez? Vrai? Eh bien!... (*Il s'arrache les cheveux.*) Tenez, les voilà! (*L'agent et Figaro se regardent avec stupeur. Baudru et Becdoiseau sortent à gauche, après*
20 *avoir mis leur chapeau. L'agent regarde un instant la porte par laquelle viennent de sortir les deux clients.*)

L'agent, *à Figaro.* C'est vous qui m'avez fait appeler? Vrai?

Figaro. Oui, monsieur l'agent.

25 L'agent. Bon! Vous allez me faire le plaisir de m'accompagner. Je vais vous présenter[2] à M. le Commissaire[3] de Police. M. le Commissaire sera

---

[1] **arracher,** to pull off (out), snatch off (out). [2] **présenter,** to present, *also* to introduce. [3] commissaire, commissioner. The *Commissaire de Police* is the magistrate in charge of the public police force.

enchanté [1] de faire votre connaissance. (*Il le prend par le bras.*) Allez, suivez-moi.

FIGARO. Mais, je ne savais pas . . .

L'AGENT. Comment? Vous n'avez pas vu [2] que ces messieurs avaient une fausse [3] barbe et de faux 5 cheveux?

FIGARO. Si je l'avais vu, je n'aurais pas . . .

L'AGENT. Tout de même, c'était très visible. Moi, je l'ai vu tout de suite, en entrant. Je n'ai rien dit, mais je l'ai vu. 10

FIGARO. Moi, je n'ai rien vu.

L'AGENT. Vous êtes vraiment trop bête. Allez! Suivez-moi!

RIDEAU

[1] ENCHANTÉ, delighted. This is the usual polite formula in acknowledging an introduction. [2] vu *p.p.* voir. [3] fausse (*m.* faux), false.

EXERCISES

I. WORDS USED ONCE ONLY. The italicized words in the following sentences were used but once in *Book II*; many of them are basic and will occur again in the *Series*. Do you know what they mean?

1. Nous sommes arrivés après le *lever* du *rideau*. 2. *Bonjour*, M. Trulard, avez-vous pris votre *apéritif?* 3. Connaissez-vous l'*histoire* des deux enfants dans la Tour? 4. Un *savon sent mieux* qu'un *poisson* mort, n'est-ce pas? 5. En *été*, on entend chanter des oiseaux dans les *arbres*. 6. Cette viande est trop *cuite;* apportez-moi un *pâté* de *foie*. 7. Becdoiseau avait de *faux* cheveux. 8. Allez dans la *cuisine* chercher du *lait* et des œufs. 9. Connaissez-vous « Au *clair* de la lune »? C'est très *joli!* 10. Figaro *devenait* de plus en plus furieux. 11. Il a une barbe superbe! Je l'ai vue *naître!*

II. SPECIFIC WORDS. The following non-cognate words were needed to tell this story. They are not of frequent occurrence. Justify their use by indicating their function in the development of the play:

coiffeur	savon	prénom	carnet
règlement	coiffure	ciseaux	fauteuil
raser	crâne	jumelle	boutique
arracher	rasoir	moutarde	enquête

III. IRREGULAR VERB FORMS. The following irregular verb forms occur for the first time in *Book II;* give their infinitive form and the English equivalent:

il suit	il s'assied	je suis	permis
vous voyez	disant	vous seriez	vous connaissez
vous faites	couvert	vous verrez	il veut

on paiera	il sera	j'aurai	bu
je tiendrai	je pourrai	vous croyez	je ferais
compris	je voudrais	il aurait	je reviendrai
saisissant	lisant	je sois	il aille
j'ai vu	asseyez-vous	il revient	ils s'asseyent

IV. Idiomatic Expressions. The more important idiomatic expressions introduced in *Book II* are listed below, following the vocabulary key word and in the order of their occurrence in the text. The number in parentheses refers to the page. Pronounce the complete sentence and give the English equivalent:

milieu: Il y a une chaise *au milieu de* la scène. (61)

droite: Becdoiseau s'assied *à droite* devant une glace. (61)

face: Les messieurs sont assis l'un *en face de* l'autre (61)

revoir: Ils sortent sans dire *au revoir* au coiffeur. (62)

main: Figaro tient une jumelle *à la main* gauche. (62)

près: Le coiffeur regarde *de près* le crâne de Baudru. (63)

bien: Il est lâche *ou bien* il est bête! (63)

même: Mais, monsieur, il faut les couper *tout de même!* (64)

mais: *Mais oui!* j'en suis certain! (64)

faire: *Faites attention,* mon ami! Il lève ses ciseaux. (65)

mal: Il souffre d'un *mal de tête.* (65)

encore: Je vous attendrai *encore une* minute. (65)

tranquille: *Soyez tranquille!* je ne vous toucherai pas. (66)

suite: Voulez-vous me raser? — *Tout de suite,* monsieur! (67)

faire: Est-ce que ça *vous fait mal* quand je tire? (68)

tranquille: *Laissez-moi tranquille;* je travaille. (70)

longtemps: Je vais y rester *le plus longtemps possible.* (70)

avoir: Il *a l'air* d'oublier qu'il n'est pas chez lui. (70)

faire: Si vous m'appelez Colomb, *ça ne me fait rien.* (75)

monde: *Tout le monde* a fait la même erreur. (76)

perdre: Vous allez *vous perdre le temps* ici. (77)

bien: On *est* toujours *bien* à l'Hôtel des Eaux. (77)

laisser: A l'autre hôtel le service *laisse à désirer.* (78)

débarrasser: Communeau veut *se débarrasser de* sa barbe. (79)

101

avoir: Si vous *avez besoin d'*écrire, prenez ce crayon. (81)
servir: Mais la barbe, *à quoi sert-elle?* A rien! (81)
faire: Son client *a fait signe que oui.* (83)
côté: Mettez-vous *à côté de* ces messieurs-là. (83)
coup: Il est furieux, il lui donne des *coups de pied.* (84)
fois: Les trois hommes parlent *à la fois.* (85)

avoir: Qu'est-ce qu'*il y a?* Qui m'a fait appeler? (85)
battre: Figaro ne voulait pas *se battre.* (87)
pendant: Il arrange ses cheveux *pendant qu'*ils parlent. (88)
décider: Communeau *se décide à* ne rien dire. (88)
garder: L'agent leur dit de *garder le silence.* (89)
vouloir: Il ne savait pas ce que *voulait dire* Communeau. (90)
loin: Figaro examinait son client *de loin.* (90)
avoir: Si j'*ai de la chance,* je vous paierai. (95)
jour: Sa barbe pousse *de jour en jour.* (96)
pour: Je vais attendre ici *pour qu'*il me rase. (97)

V. IDENTICAL COGNATES. Here are some of the identical (or partial) cognates used in *Book II;* note their endings and pronounce the words aloud (caution)!:

A. Adjectives: –**able:** confortable, considérable, formidable, raisonnable. –**al:** commercial, colossal, minéral, municipal, royal. –**ent:** impertinent, intelligent, excellent. –**e:** rare, docile, triple, délicate, bizarre, agile, superbe.

B. Nouns: –**ion,** –**tion:** action, attention, intention, proportion, précision, résignation, affirmation, opinion, fonction, discussion, lotion. –**ent:** compliment, argument, client, agent. –**ence:** innocence, insolence, impertinence. –**e:** note, menace, statue, imbécile, face, farce, scène, police.

VI. COGNATES DIFFERING IN SUFFIX. The following words differ only slightly from their English equivalents. Note the French ending, pronounce the word aloud, and give the English equivalent:

A. Adjectives: **–ique**: stratégique, satanique, publique, comique, scientifique.

B. Nouns: **–ien**: musicien, magicien. **–té**: curiosité, gravité. **–ie**: compagnie, industrie, comédie. **–e** (*drops*): artiste, acte, insecte, affaire, insulte, bombe, sorte. **–ique**: musique, république.

C. Verbs: **–er** (*drops*): présenter, adresser, transformer, toucher, regretter, détester, informer, insister, inspecter, résister, insulter, caresser, préférer, consulter, accepter. **–er** (*drops* **–r**): décider, adorer, amuser, observer, répéter, préparer. **–er** (= **–ate**): indiquer, assassiner.

VII. DERIVATIVES. Among the new words in *Book II,* find one that is connected through *form* (stem) and *meaning* with each of the following words; give the English equivalents for both words:

jour	cuisine	fabricant	personne	coiffure
remercier	voir	couvrir	se lever	raser
sourire	connaître	heureux	prendre	disparaître
raison	mener	venir	malade	quatre

VIII. EXTENSION OF MEANING. The following words have been used in more than one sense; give two meanings for each word and illustrate their use in a phrase or a short sentence, in French:

la scène	propre	perdre	sentir	fort
pousser	poli	cher	lever	droit

IX. QUALIFIERS. Use each of the adjectives or adverbs in *A* to qualify a noun or a verb in *B*, forming phrases or short sentences, in French:

A. chaud, court, vrai, heureux, gros, joli, frais, cuit, malade, poli, fatigué, vite, cher, déjà, debout.

B. la viande, un chapeau, une histoire, l'été, un voyage, les œufs, un garçon, un nez, un arbre, le fabricant, une figure, le coiffeur, une glace, un poisson, un cou, finir, pousser, s'asseoir, rester, payer, chanter.

103

X. CATEGORIES. From the following words, select: (a) twelve that deal with *food*, (b) five that relate to *housing*, (c) twelve that are concerned with *toilet*, (d) five that refer to *parts of the body*, (e) five that relate to *animals*, and (f) six that express *personal states and conditions:*

œuf	coiffure	fatigué	front	bec
étonné	légume	glace	malade	heureux
crâne	oiseau	viande	brosse	gras
pressé	cou	poudre	poisson	soin
figure	lâche	lait	rasoir	mal
nez	raser	tranquille	pâté	moutarde
plume	cheveux	cuit	barbe	chaud
salon	savon	chaise	frais	fauteuil
apéritif	sale	couper	cuisine	court
rat	rire	boutique	tour	ciseaux

XI. COMPLETIONS. Rewrite the following paragraph, supplying the proper word to complete the sense. The choice is limited to one of the three words in parentheses:

Quand je vais chez mon — (métier, geste, coiffeur), j'entre dans sa — (cuisine, boutique, bouteille), je lui dis — (au revoir, aïe!, bonjour), je — (surprends, montre, m'assieds) dans un — (effet, carnet, fauteuil) devant une — (enquête, glace, lune), et je — (ris, lis, mets) le journal en attendant que M. Figaro soit — (plein, droit, prêt) à me — (baisser, raser, gagner). S'il me fait — (empêcher, attendre, naître) trop longtemps, je me lève et lui dis, « M. Figaro, je suis très — (cuit, lâche, pressé); il me faut retourner — (devant, chez, à côté de) moi — (tout de même, tout le monde, tout de suite). Je reviendrai ce soir. » Puis je prends mon — (règlement, chapeau, besoin) et je — (pousse, quitte, arrache) le salon.

COSETTE ET MARIUS

Épisode des *Misérables* de

VICTOR HUGO

RETOLD AND EDITED BY

PAUL L. GRIGAUT

AND

JOHN A. FLOYD

BOOK THREE—ALTERNATE

DANS LE JARDIN

FOREWORD

AFTER reading the adventures of Dantès and laughing at the banter of *La Barbe ou les Cheveux*, what do you expect of *Book III?*

A love story? Right! *Cosette et Marius* is a typical love story with a heroine with blond hair and blue eyes. But it is something more: it is also the story of one of those rather frequent Parisian uprisings of the last century, in which you will have a glimpse of Victor Hugo's famous character, Jean Valjean, the escaped convict *au cœur d'or*, and of Éponine, a pathetic girl from the Paris slums.

Such a plot requires the use of many new words, but the large number of cognates (185) will lighten the learning burden. Furthermore, there is an overlap of one-half of the non-cognate stock of the preceding books. Note carefully the 197 *new*, non-cognate words, approximately 90 per cent basic, consequently very useful. On the other hand, you will find fewer idiomatic expressions than in *Book II* (54 compared to 72).

Of course, there are some innovations. In *Book III* the action shifts from the present to the past, with emphasis on the past absolute (the tense you see most often in French stories) and the past descriptive. That accounts partly for the increase in irregular verb forms (58). The exercises, by the way, drill nearly all the new non-cognate words, and will help you to get used to these new verb forms.

Another innovation is the introduction of questions on the text for those of you who wish oral practice. And so, *bon voyage!*

THE EDITORS

107

COSETTE ET MARIUS

I

UN ÉTUDIANT [1]

En 1832, Louis-Philippe était roi. Les étudiants de l'université de Paris ne l'aimaient pas, car ce gros roi était un despote et les étudiants, eux, appartenaient [2] tous au parti libéral.

Un groupe de jeunes hommes était plus violent que 5 les autres. Les étudiants qui y appartenaient allaient tous les soirs dans un restaurant du Quartier [3] Latin; là, ils discutaient [4] pendant des heures les questions politiques [5] du jour. Ces jeunes hommes étaient prêts à se battre immédiatement, mais le moment 10 n'était pas encore venu.

Le plus ardent du groupe était un jeune étudiant appelé Marius Pontmercy. Il ne pensait qu'à une seule chose: la politique.[6] Il n'avait qu'un idéal: se battre pour la liberté. Et cependant,[7] la vie 15 était difficile pour lui, car il était pauvre et presque

---

[1] (étudiant), student.   [2] appartenir, to belong.   [3] quartier, district. The district around and including the University of Paris is commonly known as the *Quartier Latin.*
[4] discuter, to argue, discuss.   [5] (politique), *adj.* political
[6] politique, *n.* politics.   [7] cependant, yet, however.

sans famille. Il avait longtemps habité chez son
grand-père,[1] M. Gillenormand, qui était riche et
noble. Mais M. Gillenormand admirait Louis-
Philippe et son gouvernement; un jour, en discutant
5 avec Marius la politique du roi, il se mit [2] en colère,[3]
eut [4] une dispute terrible avec le jeune homme, et
l'insulta. Marius, très fier,[5] quitta la maison [6] de
M. Gillenormand.

Il n'avait pas d'argent; il chercha du travail, mais
10 sans en trouver. Pour vivre, il fut obligé de vendre [7]
ses meilleurs vêtements, puis ses livres. Il connut [8]
tout ce qui fait la pauvreté,[9] les jours sans pain, les
soirs sans lumière, la porte fermée parce qu'on ne
paie pas sa chambre. Enfin, un de ses amis lui de-
15 manda de traduire [10] des livres anglais,[11] et Marius
eut ainsi un peu d'argent. Mais ce n'était pas assez.
La vie resta difficile pour lui. Son grand-père lui
offrit de l'argent. Mais Marius n'accepta jamais
rien.

20 Pour vingt francs par mois,[12] il occupa une petite
chambre dans le quartier le plus pauvre de Paris.
Il y eut un moment dans la vie du jeune homme où
il achetait [13] un morceau de pain: c'était son dîner.
Quelquefois,[14] il achetait un morceau de viande, le
25 payait cinq ou dix sous, le mettait sous son bras

---

[1] **grand-père,** grandfather. [2] **mit,** *p. abs.* **mettre.** [3] **colère,**
anger; **se mettre en colère,** to become angry. [4] **eut,** *p. abs.*
avoir. [5] **fier,** proud. [6] **maison,** house. [7] **vendre,** to
sell. [8] **connut,** *p. abs.* **connaître.** [9] **(pauvreté),** poverty.
[10] TRADUIRE, to translate. [11] **anglais,** English. [12] **par mois,**
a month. [13] **acheter,** to buy. [14] **(quelquefois),** sometimes.

entre deux livres, et partait. Avec ce morceau de viande, il vivait deux jours.

Chaque soir cependant, il allait voir ses amis à leur restaurant favori, et les discussions sur la politique continuèrent. Marius n'avait qu'un autre 5 plaisir: il allait dans le jardin [1] du Luxembourg, le jardin le plus beau et le plus tranquille de Paris.

Marius était alors un beau jeune homme. A cause de [2] ses cheveux très noirs, de son air calme et mélancolique, les jeunes filles [3] le regardaient 10 souvent.[4]

La pauvreté avait rendu Marius timide. Quand il observait les regards [5] de ces jeunes filles, il pensait qu'elles le regardaient à cause de ses vieux vête-ments et qu'elles le trouvaient ridicule: la vérité, 15 c'est qu'elles l'admiraient pour sa grâce et son air fier. Mais Marius ne savait pas cela, et il restait pendant des mois sans parler à une jeune fille.

II

AU JARDIN DU LUXEMBOURG

Un an passa ainsi.

Un jour d'été, l'air était chaud, le ciel [6] bleu.[7] 20

[1] **jardin,** garden. The garden and palace of the Luxem-bourg, built by Marie de Médicis, are located in the Latin Quarter, near the University; the palace now houses the *Sénat* and a famous collection of contemporary art. [2] **A cause de,** Because of, on account of. [3] **fille,** girl. [4] **souvent,** often. [5] **(regard),** look, glance. [6] **ciel,** sky. [7] **bleu,** blue.

111

Marius, qui n'était pas allé au jardin du Luxembourg depuis longtemps, y retourna ce jour-là. Il était content de vivre, il ne pensait à rien.

Dans un coin désert, il passa près d'un banc [1] où,
5 l'année précédente, il avait vu plus d'une fois [2] un vieillard [3] et une jeune fille assis [4] l'un près de [5] l'autre. L'homme semblait avoir soixante ans; il paraissait bon [6] et sérieux. L'année précédente, la jeune fille avait semblé avoir quinze ans; elle
10 avait été timide, insignifiante, presque laide.[7] Ils avaient l'air d'être père et fille.[8]

Ce jour-là, Marius revit, sur le même banc, ces deux personnes. Il approcha. C'était le même homme; mais il sembla à Marius que ce n'était plus
15 la même jeune fille. La jeune fille qu'il voyait maintenant était une grande et belle [9] créature qui avait d'admirables cheveux blonds, des yeux bleus comme le ciel, et un sourire [10] charmant.

Quand Marius arriva près d'elle, la jeune fille
20 leva les yeux. Marius s'en alla [11] lentement.

Le soir, en rentrant chez lui, Marius regarda son costume et découvrit qu'il avait la stupidité d'aller au Luxembourg avec ses vêtements de tous les jours, c'est-à-dire [12] avec un pantalon [13] noir qui était blanc

---

[1] **banc,** bench.   [2] **plus d'une fois,** more than once.
[3] **(vieillard),** old man.   [4] assis (*past p.* **asseoir**), *adj.* seated,
sitting.   [5] **près de,** near, beside; **l'un près de l'autre,** beside
each other.   [6] **(bon),** kind, good-natured.   [7] **laid,** ugly.
[8] **(fille),** daughter.   [9] **belle** (*m.* **beau, bel**), handsome, beautiful.   [10] **sourire,** smile.   [11] **(s'en aller),** to go away.   [12] **c'est-à-dire,** that is.   [13] PANTALON, trousers.

aux genoux [1] et une veste [2] noire qui était pâle aux coudes.[3]

Le jour suivant, Marius, qui avait gagné un peu d'argent en traduisant des livres anglais, alla s'acheter une veste neuve, un pantalon neuf [4] et 5 un chapeau neuf. Puis il partit pour le Luxembourg.

Dans le jardin, en s'approchant de l'homme et de la jeune fille, Marius marcha [5] de plus en plus [6] lentement. Quand il passa devant la jeune fille, il entendit sa voix. Elle parlait tranquillement à son 10 compagnon. Elle était très jolie; il le sentit sans la regarder. Il revint. Il n'essaya [7] pas de s'approcher du banc; il s'arrêta tout à coup [8] près d'une statue et là, chose qu'il ne faisait jamais, il s'assit.[9]

Ce jour-là, il oublia d'aller dîner. 15

Le jour suivant, il retourna au Luxembourg, mais il ne s'approcha pas de la jeune fille. Plus d'une fois, il la regarda de loin, et vit distinctement son chapeau blanc. Il ne bougea [10] pas de son banc, et ne s'en alla que quand on ferma les portes [11] du 20 Luxembourg.

Le troisième jour, Marius sortit encore avec ses vêtements neufs. Sa concierge,[12] la grosse madame Bourgon, fut très étonnée. Elle essaya de suivre Marius dans la rue.[13] Mais il marchait trop vite: 25 c'était une antilope courant [14] devant un hippo-

---

[1] **genou,** knee.   [2] VESTE, jacket.   [3] COUDE, elbow.
[4] NEUF (*f.* **neuve**), new.   [5] **marcher,** to walk.   [6] **de plus en plus,** more and more.   [7] **essayer,** to try.   [8] **tout à coup,** suddenly.   [9] **s'assit,** *p. abs.* **s'asseoir.**   [10] **bouger,** to move.
[11] (**porte**), gate.   [12] CONCIERGE doorkeeper.   [13] **rue,** street.
[14] **courir,** to run.

113

potame. Madame Bourgon perdit Marius en deux
minutes, et rentra chez elle en colère. « Ce n'est
pas raisonnable, se dit-elle, de mettre son beau
costume tous les jours[1] et de faire courir les per-
5 sonnes comme cela! »
Marius était retourné au Luxembourg.

III

LES FAUTES[2] DE MARIUS

Tout un long mois passa. Marius allait tous les
jours au Luxembourg, non pas pour s'y promener,[3]
mais pour s'y asseoir, toujours à la même place et
10 sans savoir pourquoi. Il est certain que la jeune
fille le regardait. Quelquefois, pendant des heures
entières, il restait sans bouger, tenant à la main un
livre qu'il ne lisait pas. La jeune fille, elle, tournait
quelquefois avec un vague sourire son charmant
15 profil vers lui.

Il est probable que le vieillard finit par remarquer[4]
quelque chose, car, quelquefois, quand Marius arrivait, il se levait, se mettait à[5] marcher. Il changea
de banc comme pour voir[6] si Marius les suivrait. Il
20 Marius ne comprit pas, et fit une faute: il les suivit.
Le « père » n'amena plus sa « fille » tous les jours.
Quelquefois, il venait seul. Alors Marius ne restait
pas. Autre faute.

---

[1] **tous les jours,** every day.　　[2] **faute,** mistake.　　[3] **se promener,** to walk, take a walk.　　[4] REMARQUER, to notice; **finit
par remarquer,** finally noticed.　　[5] **se mettre à,** to begin to.
[6] **comme pour voir,** as if to see.

114

Un jour, Marius voulut savoir où habitait la jeune fille. Il la suivit.

Elle habitait rue de l'Homme de Fer, dans une maison neuve d'apparence modeste. Marius y retourna tous les soirs.[1] Un soir, après avoir suivi 5 les deux inconnus [2] chez eux, il entra chez la concierge et dit courageusement:

— C'est le monsieur du deuxième étage [3] qui vient de rentrer?

— Non, répondit la concierge. C'est le monsieur 10 du troisième étage.

— Qu'est-ce qu'il fait? demanda Marius.

— Rien. C'est un homme très bon qui aide les pauvres.

— Quel est son nom? 15

La concierge regarda le jeune homme.

— Cela ne vous regarde pas,[4] dit-elle.

Marius ne répondit pas, et s'en alla.

Le lendemain,[5] personne ne vint au Luxembourg. Marius attendit jusqu'au [6] soir, puis alla rue de 20 l'Homme de Fer. Il se promena sous « ses » fenêtres, et ne partit que quand la lumière disparut.

Dix jours passèrent ainsi. Le dixième jour, quand Marius arriva sous les fenêtres, il n'y avait pas de lumière. — Sont-ils sortis? se demanda 25 Marius. Il attendit jusqu'à dix heures. Jusqu'à

---

[1] **tous les soirs,** every evening.   [2] (**inconnu**), stranger.
[3] **étage,** floor. The numbered floors of a French building begin with the second: *deuxième étage* = third floor.   [4] **Cela ne vous regarde pas,** That is none of your business. [5] **Le lendemain,** The next day.   [6] **jusqu'à,** until.

onze heures. Jusqu'à une heure du matin.[1] Inutilement.

Le lendemain, il retourna rue de l'Homme de Fer. Pas une lumière aux fenêtres. Marius frappa à la
5 porte, entra, et demanda à la concierge:

— Le monsieur du troisième étage?

— Il est parti, répondit la concierge.

— Où est-il maintenant?

— Je n'en sais rien.

10 — Il n'a donc pas laissé son adresse? demanda Marius timidement.

— Non, répondit la concierge en fermant la porte.

IV

ÉPONINE

L'été passa, puis l'automne. L'hiver[2] arriva. Ni[3] le vieillard ni la jeune fille n'étaient revenus au
15 Luxembourg. Marius n'avait qu'un désir: revoir la jeune inconnue. Il cherchait dans tous les quartiers de Paris, espérant[4] toujours un miracle. Rien. Personne.

Il tomba dans une mélancolie profonde. La
20 promenade[5] l'ennuyait.[6] La politique l'ennuyait. Il oublia son enthousiasme pour les idées de ses amis. Il lui semblait qu'avec « Elle », tout avait disparu.

---

[1] **une heure du matin,** one o'clock in the morning. [2] **hiver,** winter. [3] **ni ... ni ... ne,** neither ... nor ... [4] **(espérer),** to hope (for). [5] **(promenade),** walk, walking [6] **(ennuyer),** to bore.

Un matin, comme il venait de se lever et qu'il essayait de travailler, quelqu'un frappa à la porte.

— Entrez, dit-il.

Quand il regarda, une jeune fille se tenait debout dans la porte. Elle était pâle et maigre, presque 5 laide. Ses vêtements étaient vieux et réparés.[1]

Marius s'était levé et regardait avec pitié cette jeune fille dont la figure ne lui était pas tout à fait [2] inconnue.

— Que voulez-vous, mademoiselle? [3] dit-il.   10

La jeune fille répondit d'une voix timide:

— Oh! rien. Je passais. J'ai vu la porte ouverte, monsieur Marius. J'habite dans cette maison. Je m'appelle [4] Éponine.

Elle entra. Rien n'était si tragique que [5] de la 15 voir marcher dans la chambre avec des mouvements d'oiseau malade. On sentait qu'avec d'autres conditions d'éducation, l'apparence de cette jeune fille aurait pu être [6] quelque chose de doux [7] et de charmant.   20

— Vous ne faites pas attention [8] à moi, monsieur Marius, dit-elle, mais moi, je vous connais bien.

Elle continua:

— Je vous vois souvent dans la rue, monsieur Marius, je sais où vous allez ... Je vous ai souvent 25 suivi ...

[1] réparé, mended, patched.   [2] tout à fait, wholly, completely.   [3] (mademoiselle), Miss.   [4] s'appeler, to be named; je m'appelle Éponine, my name is Éponine.   [5] (que), as.   [6] aurait pu être, could have been.   [7] doux (f. douce), sweet.   [8] faire attention, pay attention to.

Sa voix essayait d'être douce, mais ne pouvait
pas l'être. Éponine marchait dans la chambre, se
regardant dans la glace, ouvrant les livres sur la
table.

5 — Mon Dieu! j'ai faim,[1] dit-elle tout à coup.[2]

Marius chercha dans ses poches. Il finit par
trouver cinq francs dix sous. C'était à ce moment
tout ce qu'il avait. Il prit les dix sous et donna les
cinq francs à la jeune fille.

10 Éponine saisit l'argent et dit à Marius:

— Vous savez, monsieur Marius, vous êtes un
brave [3] garçon ... Si je pouvais faire quelque chose
pour vous, je serais bien contente.[4]

Avant de sortir, la jeune fille regarda Marius.

15 — Monsieur Marius, vous avez l'air triste,[5] dit-elle.
Qu'est-ce que vous avez? [6]

— Moi? dit Marius. Je n'ai rien.[7]

— Si.[8] Eh bien, monsieur Marius, je vais faire
quelque chose pour vous. Je sais ce que vous
20 voulez ... Vous voulez son adresse, n'est-ce pas?

— Son adresse?

— Oui, l'adresse de la belle jeune fille du Luxembourg ... Oh, je vous ai vu ... Eh bien, vous
l'aurez ... Au revoir ...

25 Et Éponine disparut.

---

[1] **avoir faim,** to be hungry.   [2] **tout à coup,** unexpectedly.
[3] **brave,** good, nice, fine.   [4] **content,** glad, happy.   [5] **triste,**
sad.   [6] **Qu'est-ce que vous avez?** What is the matter with
you?   [7] **Je n'ai rien,** Nothing is the matter with me.   [8] **Si,**
Oh, yes (there is)! **Si** replaces **oui** in emphatic statements,
contradictions, etc.

V

UN SACRIFICE

Quelques semaines [1] après cette visite, Marius alla se promener au Luxembourg, espérant qu'en revenant, il pourrait travailler. Il marcha dans les rues. Elles étaient vides et silencieuses. Les portes et les fenêtres des maisons étaient fermées; quelquefois, 5 des groupes de soldats [2] armés passaient. La révolution que Marius avait désirée approchait. Mais il ne remarqua rien.

Arrivé au Luxembourg, il s'assit sur le banc où « Elle » s'était assise l'été précédent. Tout à coup, 10 il entendit une voix qui disait:

— Le voilà !

Il leva les yeux et reconnut [3] la jeune fille qui était venue chez lui. Il l'avait oubliée. Elle s'était arrêtée devant lui avec un peu de joie sur sa figure 15 pâle et quelque chose qui ressemblait à un sourire.

— Vous n'avez pas l'air content de me voir, dit-elle.

Elle sembla hésiter, comme si elle avait peur [4] de parler. Enfin, elle parut prendre une décision. 20

— Vous êtes si triste, monsieur Marius; je voudrais vous voir heureux . . . J'ai l'adresse.

Marius devint pâle.

— Quelle adresse?

---

[1] **semaine,** week.   [2] **soldat,** soldier.   [3] **reconnut** (*p. abs.* **reconnaître**), to recognize.   [4] **peur,** fear; **avoir peur,** to be afraid.

— L'adresse que je vous avais promise.[1]

Elle continua, comme si elle faisait un effort:

— L'adresse, vous savez bien . . .

— Oui, dit Marius à voix basse.[2]

5   — Venez avec moi, ajouta-t-elle. Je ne sais pas bien la rue et le numéro. C'est loin d'ici. Mais je connais bien la maison.

Éponine regarda Marius. D'un air mélancolique qui indiquait un amour [3] profond et sans espoir, 10 mais auquel [4] Marius transporté de joie ne fit pas attention, elle dit:

— Oh ! Comme vous êtes content !

Après avoir marché une heure au moins, ils arrivèrent dans une rue déserte. Au centre d'un mur 15 très haut, une porte antique mal fermée permettait de voir [5] un jardin charmant.

— C'est là, dit Éponine.

Marius chercha dans sa poche. Il n'avait que quelques francs ce jour-là, trois ou quatre francs au 20 plus.[6] Il les mit dans la main d'Éponine.

Elle laissa tomber l'argent et, regardant Marius d'un air sombre:

— Je ne veux pas de votre argent,[7] dit-elle. Et elle s'en alla lentement.

25   Marius s'approcha de la porte.

Dans un coin, seule, assise sur un banc de pierre, « Elle » lisait.

---

[1] **promis** (*p.p.* **promettre**, to promise).   [2] **à voix basse,** in a low voice.   [3] **amour,** love.   [4] **auquel,** to which.   [5] **permettait de voir,** allowed to see, revealed.   [6] **au plus,** at the most.
[7] **Je ne veux . . . argent,** I do not want any of your money.

VI

DANS LE JARDIN

Pourquoi le vieillard avait-il quitté la rue de l'Homme de Fer? Que s'était-il passé?[1]

Tout simplement ceci: le vieillard, dont le vrai nom était Jean Valjean, était jaloux[2] de Marius.

La jeune fille qui l'accompagnait était un enfant qu'il avait adopté, Cosette; depuis dix ans, elle était tout pour lui.[3] Aimé de Cosette, il était content. Il ne demandait rien de plus.[4] Cosette suffisait[5] au bonheur de Jean Valjean; l'idée que peut-être,[6] il ne suffisait pas au bonheur de Cosette, cette idée ne se présentait pas à son esprit.

Un jour, Cosette remarqua Marius, ce jeune homme inconnu, si longtemps indifférent, mais qui semblait maintenant faire attention à elle. A chaque moment, ses yeux se dirigèrent[7] vers lui. Jean Valjean s'en aperçut.[8] Il eut peur, sans savoir pourquoi. Les manières de ce jeune homme n'étaient pas naturelles; il s'asseyait loin et restait en admiration devant Cosette. Il avait un livre et semblait lire; pourquoi semblait-il lire? Puis il venait avec son costume neuf; pourquoi avait-il toujours son

---

[1] **Que s'était-il passé?** What had happened? [2] JALOUX, jealous. [3] **depuis . . . pour lui,** for ten years, she had been everything to him. [4] **rien de plus,** nothing more. [5] **suffisait** (*p. desc.* SUFFIRE, to be sufficient). [6] (**peut-être**), perhaps, maybe. [7] **diriger,** to direct; **se diriger vers,** to turn (go) toward. [8] **s'apercevoir de,** to notice.

121

costume neuf? Jean Valjean détestait ce jeune homme.

Cependant, il ne voulut pas discontinuer les promenades du Luxembourg. Mais pendant ces 5 heures si douces pour Cosette et Marius qui ne voyaient qu'eux-mêmes,[1] Jean Valjean fixait sur Marius des yeux pleins de colère.

Quoi! Il était là, ce garçon! Que venait-il faire? Jean Valjean était sûr[2] qu'il venait tourner autour 10 de son bonheur[3] pour le prendre et l'emporter.[4]

On sait le reste. Marius continua à faire des fautes. Un jour, il suivit Cosette rue de l'Homme de Fer. Un autre jour, il parla à la concierge. La concierge dit à Jean Valjean:

15 — Monsieur, qui est ce jeune homme qui vous a demandé?

Jean Valjean n'hésita pas. Le lendemain, il quitta son appartement de la rue de l'Homme de Fer et s'installa à l'autre extrémité de Paris, dans une 20 vieille maison entourée[5] d'un grand jardin. C'est là que Marius était allé.

Dans le jardin, Cosette lisait. Tout à coup, elle eut cette impression étrange que vous avez quand quelqu'un est debout derrière vous.

25 Cosette tourna la tête et se leva.

C'était lui.

---

[1] **eux-mêmes,** each other. [2] sûr, *adj.* sure. [3] **tourner autour de son bonheur,** to circle around his happiness. [4] (emporter), to take away, carry off. [5] (entouré), surrounded.

Elle ne dit pas un mot. Son cœur s'arrêta de battre. Puis elle entendit cette voix qu'elle n'avait jamais entendue.

Il parla. Elle répondit. Ils se dirent tout, leurs espoirs, leurs désappointements.   5

Enfin, elle lui demanda:

— Comment vous appelez-vous?

— Je m'appelle Marius, dit-il, et vous?

— Je m'appelle Cosette.

Tous les soirs, à l'heure où[1] Jean Valjean avait 10 l'habitude de faire une promenade, Marius retourna au jardin. Pour cela, il lui fallait traverser[2] tout Paris. C'était dangereux. De jour en jour, l'agitation devenait plus grave.[3] L'insurrection du peuple se préparait. Dans les rues, on voyait déjà des 15 barricades. Tout annonçait une révolte, ou même une révolution. Marius savait ce qui se passait: ses amis, révolutionnaires fanatiques, essayaient en vain de réveiller[4] son enthousiasme et d'avoir son aide. Mais, pour Marius, rien ne comptait plus au 20 monde, sauf[5] Cosette.

Un soir, Marius remarqua que Cosette avait l'air triste. Elle avait pleuré.[6] Elle avait les yeux rouges.[7]

Quand ils furent assis, elle parla:

— Mon père m'a dit ce matin de me tenir prête,[8] 25 qu'il avait des affaires,[9] que nous allions partir.

---

[1] à l'heure où, at the hour when.   [2] traverser, to cross.
[3] GRAVE, serious.   [4] (réveiller), to awaken.   [5] sauf, except.   [6] pleurer, to cry.   [7] rouge, red.   [8] de me tenir prête, to be in readiness.   [9] (affaires), pl. business matters.

Marius trembla de la tête aux pieds.

— Où?

— En Angleterre.[1]

— Oh! Cosette! Et quand partirez-vous?

5 — Mon père n'a pas dit quand.

— Et quand reviendrez-vous?

— Il n'a pas dit quand, Marius.

Cosette pleurait. Marius lui prit la main et resta longtemps sans parler. Tout à coup, la jeune fille 10 sourit.

— Que nous sommes bêtes! Partez, si nous partons!

— Cosette! Partir avec vous? Mais c'est impossible! Il faut de l'argent,[2] et je n'en ai pas. Je 15 ne vous l'ai pas dit, mais je suis pauvre. Vous ne me voyez que le soir quand tout est sombre, et vous me donnez votre amour; si vous me voyiez quand il fait jour,[3] vous me donneriez un sou. Oh! Cosette! Je n'ai même pas assez d'argent pour payer mon 20 passeport.

Marius resta longtemps silencieux; puis il se leva.

— Écoutez, dit-il à Cosette, attendez jusqu'à demain.[4] J'ai une idée. Je vais essayer de faire quelque chose.

25 Cosette le regardait dans les yeux.

— Qu'est-ce que vous ferez demain?

— J'essaierai une chose.

— Alors je prierai Dieu et je penserai à vous. Demain soir, à neuf heures, je serai ici.

---

[1] **Angleterre,** England. [2] **Il faut de l'argent,** Money is necessary. [3] **il fait jour,** it is daylight. [4] **demain,** tomorrow.

124

— Moi aussi. J'y pense, continua-t-il, je vais vous donner mon adresse. Des choses peuvent arriver, on ne sait jamais.

Il chercha dans ses poches, en tira un petit couteau, et écrivit sur le mur: 9, rue de la Verrerie.[1] 5

Dans l'obscurité,[2] quelqu'un était caché et écoutait. Ce quelqu'un, c'était Éponine.

VII

ABANDONNÉ

Une seule ressource restait à Marius, il le savait bien. Seul, son grand-père, ce vieillard si riche, pouvait lui donner l'argent nécessaire au voyage[3] 10 en Angleterre. Revoir M. Gillenormand maintenant, le prier, c'était pour Marius une humiliation profonde. Mais il alla cependant chez le vieillard. Il entra chez lui avec un peu d'espoir; il en sortit avec un désespoir[4] immense. Le vieillard n'était 15 pas chez lui; la concierge dit à Marius qu'il ne reviendrait que le lendemain.

Marius se mit à marcher dans les rues, ressource de ceux qui souffrent. Tout l'après-midi,[5] il se promena, sans savoir où il allait. La pluie[6] tombait, 20

---

[1] A narrow street parallel to the *rue de Rivoli*, between the *boulevard de Sébastopol* and the *place Baudoyer*, in the neighborhood of *Saint-Merry*. It was the scene of bloody fighting between Republican sympathizers and the troops of Louis-Philippe during the popular uprising of June 5–6, 1832.
[2] (**obscurité**), darkness.   [3] **voyage**, trip.   [4] (**désespoir**), despair.   [5] (**après-midi**), afternoon.   [6] **pluie**, rain.

125

il ne s'en apercevait pas; les rues étaient désertées,
cela ne l'étonnait pas. On entendait des bruits
étranges. Cela ressemblait à des coups de fusil [1]
et à des cris.[2]

5   Il demanda à quelqu'un qui passait:

— Qu'est-ce qui se passe?

— Il y a une révolte.

— Comment, une révolte?

— Oui, on se bat. Près des Halles.[3]

10   Mais Marius écoutait à peine [4] ce que l'homme
disait. Tout lui était indifférent. Il n'avait peur
de rien. Il n'espérait plus rien. Il n'avait plus
qu'une idée claire: c'est qu'à neuf heures, il reverrait
Cosette.

15   A neuf heures, il approcha de la porte du jardin.
Il n'avait pas vu Cosette depuis vingt-quatre heures,
il allait la revoir.

Il poussa la porte et entra dans le jardin. Cosette
n'était pas à la place où elle l'attendait habituelle-
20 ment. Il alla plus loin. — Elle m'attend là, se
dit-il. Cosette n'y était pas. Il leva les yeux, et vit
qu'il n'y avait pas de lumière dans la maison. Il
chercha dans le jardin. Le jardin était désert.
Alors il revint à la maison, il frappa à la porte. Il
25 frappa, frappa encore, au risque de voir la fenêtre
s'ouvrir, et la figure sombre du père apparaître et
lui demander: — Que voulez-vous?

— Cosette! cria-t-il. Cosette!

---

[1] **fusil**, gun, rifle; **coup de fusil**, shot.   [2] **cri**, shout.
[3] **les Halles**, the great covered market in the heart of
Paris.   [4] **à peine**, hardly.

On ne répondit pas. C'était fini. Personne dans le jardin, personne dans la maison.

C'était horrible. Marius se crut[1] trahi,[2] abandonné. Il était clair qu'elle ne l'aimait plus, puisqu'elle était partie ainsi, sans rien dire, sans un mot d'adieu, sans une lettre, et elle avait son adresse! Pourquoi vivre à présent? Pourquoi?

Tout à coup, il entendit une voix qui paraissait venir de la rue, et qui criait:

— Monsieur Marius!

— Je suis ici, dit Marius.

— Monsieur Marius, continua la voix, vos amis vous attendent à la barricade de la rue de la Chanvrerie.[3]

Cette voix n'était pas inconnue. Marius courut à la porte du jardin, et vit quelqu'un qui disparaissait dans l'obscurité.

Cette voix lui fit l'effet[4] de la Destinée. Il voulait mourir. L'occasion s'offrait. Marius sortit du jardin, et dit:

— Allons!

VIII

LA RÉVOLTE

En effet,[5] ce jour-là, l'insurrection si désirée par les étudiants de Paris avait éclaté.[6]

---

[1] crut (*p. abs.* croire, to believe).   [2] TRAHIR, to betray.
[3] rue de la Chanvrerie, a street in the *Halles* district northeast of the Louvre.   [4] lui fit l'effet, had the effect upon him.
[5] En effet, Indeed.   [6] éclater, to burst out.

Il se fit au centre de Paris une sorte de forteresse colossale; en moins d'une heure,[1] plus de vingt-quatre barricades s'élevèrent[2] dans le quartier des Halles. La plus grande et la plus dangereuse s'éleva à l'entrée d'une impasse,[3] près de la Porte Saint-Denis.[4] La place était facile à défendre, les révolutionnaires le savaient bien; les soldats du gouvernement de Louis-Philippe aussi. C'était là que tout se déciderait.[5]

Fou de désespoir, incapable d'oublier Cosette après deux mois de bonheur, Marius n'avait qu'un désir: mourir vite. Il se dirigea donc vers le centre de Paris, là où l'on allait se battre.

Arrivé au coin d'une rue, il fut obligé de s'arrêter. Des troupes étaient massées là. Marius hésita; mais, connaissant bien Paris, il trouva le moyen de traverser les troupes. Il fit un détour, se dirigea par des rues sombres vers la rue de la Chanvrerie, où ses amis avaient élevé la barricade.

Dans les rues qu'il traversa, l'obscurité était profonde; des nuages[6] qui couraient[7] cachaient la lune. La pluie avait cessé de tomber.

Enfin, Marius arriva rue de la Chanvrerie. La barricade était devant lui, faite de tables, de portes, de chaises, de grosses pierres, d'arbres morts. Le

---

[1] **en moins d'une heure,** in less than an hour. [2] **(s'élever),** to rise. [3] IMPASSE, dead-end street. [4] The *Porte Saint-Denis* is a triumphal arch erected in 1672 to commemorate the victories of Louis XIV in Flanders; it stands at the junction of the *rue* and the *boulevard Saint-Denis.* [5] **se déciderait,** would be decided. [6] **nuage,** cloud. [7] **(courir),** hurry, race.

combat n'était pas encore commencé. Le gouvernement de Louis-Philippe prenait son temps.

Quand les amis de Marius le virent,[1] ils l'entou-
rèrent. Enfin ! Le plus ardent de leur groupe était
venu les rejoindre. Tout allait bien. Marius de- 5
manda:

— Où est le chef ?

— Le chef, c'est toi, répondirent-ils.

Marius regarda le groupe des insurgés.[2] Quelques-
uns étaient jeunes, étudiants ou artistes; d'autres, 10
plus vieux, étaient des ouvriers[3] ou des bourgeois[4]
courageux. Les uns avaient des fusils, les autres
n'avaient que des sabres ou des pierres. Ils savaient
tous ce qui leur arriverait s'ils étaient pris vivants[5] :
ils seraient condamnés à mort. Ils étaient tous 15
prêts à être victorieux ou à mourir. Ces soixante
hommes attendaient six mille soldats.

Tout à coup, quelqu'un cria:

— Les voici !

Chaque homme prit son poste de combat.   **20**

Quarante-trois insurgés étaient à genoux[6] derrière
la grande barricade, attentifs, silencieux, prêts à
faire feu.[7] D'autres s'étaient installés aux fenêtres
d'une maison au coin de l'impasse.

Quelques minutes passèrent; puis on entendit un **25**
bruit de pas. Ce bruit, d'abord faible, puis lourd[8]
et sonore,[9] s'approchait lentement, sans interruption,

---

[1] **virent,** *p. abs.* **voir.**   [2] **insurgé,** insurgent.   [3] OUVRIER,
workman.   [4] (**bourgeois**), citizen.   [5] (**vivant**), *adj.* alive.
[6] **à genoux,** kneeling.   [7] **feu,** fire; **faire feu,** to fire, shoot.
[8] **lourd,** heavy.   [9] (**sonore**), resounding, sonorous.

avec une continuité tranquille et terrible. On n'entendait rien que cela. Ces pas approchèrent, ils approchèrent encore et s'arrêtèrent. La troupe était arrivée. On pouvait voir vaguement les 5 baïonnettes et les fusils, on pouvait entendre les ordres donnés à voix basse.

Il y eut encore une pause, comme si les deux côtés attendaient. Puis, dans l'obscurité, une voix sinistre cria:

10 — Feu !

Un bruit formidable éclata. Plusieurs [1] hommes furent blessés.[2] Et, aussitôt,[3] des soldats montèrent [4] sur la barricade. Quelques-uns pénétrèrent même dans l'impasse.

15 La bataille [5] commença.

IX

LA BATAILLE

L'un des étudiants se jeta sur le premier soldat qui entra dans la barricade et le tua d'un coup de fusil. Le second soldat tua l'étudiant d'un coup [6] de baïonnette. Un troisième avait déjà jeté à terre 20 le meilleur ami de Marius, Courfeyrac, qui cria: — Aidez-moi ! Aussitôt une balle [7] frappa le soldat qui avait frappé Courfeyrac. Marius avait entendu son ami et lui avait sauvé la vie. Mais, voulant

---

[1] **Plusieurs,** Several.   [2] **blesser,** to wound.   [3] **(aussitôt),** at once, immediately.   [4] **(monter),** to climb.   [5] **bataille,** battle.   [6] **(coup),** thrust.   [7] **balle,** bullet.

venger [1] son camarade, un autre soldat coucha [2] en joue [3] Marius. Au moment où ce soldat allait tirer,[4] une main se plaça sur le bout du fusil et le boucha.[5] Le coup partit [6]: la balle traversa la main, mais elle ne toucha pas Marius. Tout ceci se passa en une seconde. Marius s'en aperçut à peine.

Le bruit était terrible, l'obscurité profonde. Les soldats continuaient à monter sur la barricade; cependant, ils ne pénétraient pas dans l'impasse, car ils avaient peur d'une ruse.[7] Mais ils avaient tout, armes, munitions, hommes. Quelques minutes plus tard, ils seraient victorieux. Il fallait faire quelque chose.

Tout à coup, on entendit une voix forte qui criait:

— Allez-vous-en, ou je fais sauter [8] la barricade!

Tous regardèrent du côté [9] d'où venait la voix.

Marius était allé chercher un baril de poudre, puis il avait profité de l'obscurité pour aller jusqu'à la barricade. Et maintenant, fier et résolu,[10] on le voyait, approchant la flamme d'une torche du baril de poudre et répétant, faisant face aux [11] soldats:

— Allez-vous-en, ou je fais sauter la barricade!

— Faire sauter la barricade! dit un sergent. Et toi aussi!

---

[1] VENGER, to avenge.   [2] **coucher,** to lay.   [3] JOUE, cheek; **coucher en joue,** to aim (a gun).   [4] (**tirer**), to fire.   [5] **boucher,** to stop (up).   [6] **Le coup partit,** The gun went off.   [7] (**ruse**), trick.   [8] (**sauter**), to blow up.   [9] **du côté** (**de**), in the direction.   [10] (**résolu**), *adj.* determined.   [11] **faire face à,** to face.

— Et moi aussi, répondit Marius.   Obéissez.[1]
Partez !

Et il approcha la torche plus près encore du baril
de poudre.

5   En moins d'une minute, il n'y eut plus personne
sur la barricade.   Les soldats, laissant leurs morts [2]
et leurs blessés, s'étaient dispersés et disparaissaient
dans la nuit.

Mais la bataille n'était pas gagnée.[3]   Les insurgés
10 savaient bien que le lendemain, les soldats revien-
draient plus nombreux,[4] plus forts, mieux préparés.

X

L'AUTRE SACRIFICE

Marius décida de rester près de la barricade.
Assis sur une pierre, il se mit à penser à Cosette.
Tout à coup, il entendit son nom prononcé faible-
15 ment dans l'obscurité:

— Monsieur Marius, disait quelqu'un.

Il reconnut la voix qui l'avait appelé trois heures
avant dans le jardin.   Il regarda autour de lui et ne
vit personne.

20   — A vos pieds, dit la voix.

Marius vit dans l'ombre [5] une forme qui essayait
de venir à lui.   Il distingua une veste, un pantalon,
et quelque chose qui ressemblait à du sang.[6]   Une
tête pâle le regardait.

---

[1] obéir, to obey.   [2] (mort), n. dead.   [3] gagner, to win.
[4] (nombreux), numerous.   [5] ombre, shadow, darkness.
[6] sang, blood.

— Vous ne me reconnaissez pas? Je suis Éponine.

Marius se baissa. En effet, c'était Éponine. Elle était habillée en homme.[1]

— Vous êtes blessée! dit-il. Attendez, je vais vous porter dans une maison. Comment faut-il 5 vous prendre pour ne pas vous faire mal?[2] Mon Dieu! Mais qu'êtes-vous venue faire ici?

Et il essaya de passer son bras sous elle pour l'emporter. En l'aidant, il toucha sa main. Elle poussa[3] un cri faible. 10

— Vous ai-je fait mal? demanda Marius.

— Un peu.

— Mais je n'ai touché que votre main.

Elle leva sa main, et Marius vit au milieu de cette main un trou noir. 15

— Comment cela est-il arrivé? demanda-t-il.

— Avez-vous vu un fusil qui vous couchait en joue?

— Oui, et une main qui l'a bouché.

— C'était ma main. 20

— Pauvre enfant! Mais puisque[4] ce n'est que cela, ce n'est rien.

Elle dit avec difficulté:

— La balle a traversé la main, mais elle est sortie par le dos.[5] C'est inutile de me porter. Je vais vous 25 dire ce que vous pouvez faire pour moi. Asseyez-vous[6] près de moi sur cette pierre.

---

[1] **habillée en homme,** dressed as a man.   [2] (**mal**), *n.* hurt, pain, injury; **faire mal à,** to hurt, cause pain.   [3] (**pousser**), to utter; **pousser un cri,** to cry out.   [4] (**puisque**), since.
[5] **dos,** shoulder, back.   [6] **Asseyez-vous,** Sit down.

Il obéit. Elle mit sa tête sur les genoux de Marius, et, sans le regarder, elle dit:

— Savez-vous, monsieur Marius? Je n'aimais pas vous voir entrer dans ce jardin: c'est bête, puisque 5 c'était moi qui vous avais montré la maison, et puis, je savais bien qu'un jeune homme comme vous . . .

Elle s'arrêta, puis elle dit avec un sourire triste:

— Vous me trouviez laide, n'est-ce pas?

Elle continua:

10 — Voyez-vous, vous êtes perdu. Maintenant, personne ne sortira vivant de la barricade. C'est moi qui vous ai amené ici. Vous allez mourir à cause de moi. Mais quand j'ai vu que le soldat allait vous tuer, j'ai mis aussitôt ma main sur le 15 bout du fusil pour vous protéger.[1] Comme c'est étrange!

Sa voix restait basse et hésitante. Elle ajouta, pleine de tristesse [2]:

— Écoutez, j'ai une lettre pour vous . . . Depuis 20 hier.[3] J'étais près du jardin. « Elle » m'a aperçue. Elle m'a appelée, m'a donné cinq francs et la lettre, en disant: — Portez-la tout de suite à son adresse. Mais je l'ai gardée. Je ne voulais pas que vous la lisiez.

25 Elle fut obligée de s'arrêter. Puis elle continua à voix plus basse encore:

— C'est moi qui vous ai dit que vos amis vous attendaient ici. Ce n'était pas vrai. Ils ne vous attendaient pas. Mais vous étiez trop heureux

---

[1] **protéger,** to protect. [2] **(tristesse),** sadness. [3] **hier,** yesterday.

avec votre Cosette . . . Je ne voulais pas . . . Mais maintenant, qu'est-ce que cela fait?

Elle saisit la main de Marius et donna un papier au jeune homme.

— Prenez, dit-elle.

Elle laissa tomber sa tête sur les genoux de Marius; ses yeux se fermèrent. Marius crut que la pauvre fille était morte. Éponine restait immobile[1]; tout à coup, elle ouvrit lentement ses yeux où apparaissait déjà la sombre profondeur[2] de la mort, et dit doucement:

— Et puis, savez-vous? Je crois que j'étais un peu amoureuse[3] de vous, monsieur Marius.

Elle essaya encore de sourire, et expira.

XI

LA LETTRE

La pauvre fille avait à peine fermé les yeux que Marius désira lire la lettre de Cosette: le cœur de l'homme est ainsi fait. Il plaça doucement Éponine sur la terre et s'en alla. Quelque chose lui disait qu'il ne pouvait pas lire cette lettre devant cette morte.[4]

Marius entra dans une maison de l'impasse où se trouvaient les blessés. Il ouvrit la lettre et lut:

[1] IMMOBILE, motionless. [2] (profondeur), profundity, depth.
[3] (amoureux, amoureuse), in love; être amoureux de, to be in love with. [4] (morte), n. dead woman.

135

« Mon bien aimé[1]: Hélas ! Mon père veut que nous partions tout de suite. Nous serons ce soir 6 rue des Gobelins.[2] Dans huit jours, nous serons en Angleterre. — Cosette. »

5 Ainsi, Éponine avait tout fait. Elle avait compté sur le désespoir de Marius quand il ne trouverait pas Cosette; elle avait eu raison.[3] Éponine était morte en pensant: — Puisque Marius va mourir, personne ne l'aura !

10 Marius regarda la lettre de Cosette. Cosette l'aimait ! Il eut un moment l'idée qu'il n'avait plus besoin de mourir. Puis il se dit: — Elle part. Elle part pour l'Angleterre. Rien n'est changé . . . Et puis, je suis ici avec mes amis. Les quitter mainte-
15 nant serait indigne[4] de moi.

Prenant un morceau de papier, il écrivit au crayon ces mots:

« Ma bien aimée: Notre mariage est impossible. Je suis sans fortune et vous aussi. Vivre sans vous
20 est inutile. Je meurs. Je vous aime. Quand vous lirez ceci, mon âme[5] sera près de vous et vous sourira. — Marius. »

Comme il n'avait pas d'enveloppe, il plia[6] le papier en quatre, et y mit l'adresse. Puis il appela un jeune

---

[1] (**bien aimé**), beloved.   [2] The *rue des Gobelins* is in the Latin Quarter near the factories where, under State control for more than three centuries, the world-famous Gobelins tapestries have been made.   [3] **avoir raison,** to be right; **elle avait eu raison,** she had been right.   [4] (**indigne**), unworthy.   [5] **âme,** soul.   [6] **plier,** to fold.

garçon qui courut à lui, fier d'être appelé par le héros de la barricade.

— Veux-tu faire quelque chose pour moi? Prends cette lettre, sors de la barricade, et porte-la à son adresse. Pars tout de suite. Demain matin, il 5 serait peut-être trop tard.[1]

— C'est bon, dit l'enfant.

Et il partit aussitôt. On ne l'arrêterait pas: un enfant pouvait passer partout.[2]

Une heure plus tard, il arriva rue des Gobelins. 10 Un homme était assis devant la porte du numéro 6. Il semblait écouter. Quand l'enfant s'arrêta devant lui, l'inconnu leva la tête.

— Petit, dit l'inconnu, qu'est-ce que tu veux?

— J'apporte une lettre pour mademoiselle Cosette. 15

— Qui l'envoie?[3]

— Monsieur Marius. Il m'a dit de donner cette lettre à mademoiselle Cosette. Vous la connaissez?

— Oui. Où est la lettre? Je la lui donnerai.

Il ajouta: 20

— Où est monsieur Marius?

— A la barricade de la rue de la Chanvrerie. On s'y bat, j'y retourne . . . Au revoir . . .

L'inconnu était Jean Valjean. Une fois seul, il trembla. 25

Ainsi, « Il » avait écrit. Ainsi, même rue des Gobelins, ce jeune homme l'avait suivi.

Jean Valjean rentra avec la lettre de Marius. Il ouvrit et referma doucement la porte, écouta et

---

[1] tard, late. [2] (partout), everywhere. [3] envoyer, to send.

137

s'assura que Cosette dormait.[1] Il alluma[2] la lampe, sans y réussir[3] la première fois, car sa main tremblait: il se croyait un criminel. Enfin, la lampe fut allumée. Jean Valjean s'assit, déplia[4] le morceau de
5 papier plié en quatre, et lut.

Ainsi, il était victorieux. La fin[5] arrivait plus vite qu'il n'osait[6] l'espérer. L'homme qu'il détestait disparaissait. Jean allait se retrouver[7] seul avec Cosette. La vie recommençait. Il n'avait qu'à
10 garder cette lettre dans sa poche. Cosette ne saurait[8] jamais ce que Marius était devenu.[9] Il se dit: — Il n'y a qu'à laisser la Destinée s'accomplir.[10] Cet homme ne peut s'échapper de la barricade. Il est certain qu'il va mourir. J'ai gagné.
15 Il se dit tout cela. Puis il tomba dans une méditation profonde.

Une heure plus tard, il se dirigeait vers la barricade.

XII

LA BARRICADE

Le soleil[11] commençait à paraître. Près de la rue de la Chanvrerie, il se faisait[12] un mouvement
20 mystérieux. Il était évident que le moment critique arrivait.

---

[1] **dormir,** to sleep. [2] **(allumer),** to light. [3] **réussir, to** succeed. [4] **(déplier),** to unfold. [5] **fin,** end. [6] **oser,** to dare. The negative **n'** has no value here. [7] **(se retrouver),** to be again. [8] **saurait,** *p. fut.* savoir. [9] **ce que ... devenu,** what had become of Marius. [10] s'ACCOMPLIR, to be fulfilled. [11] **soleil,** sun. [12] **il se faisait,** there was beginning.

En effet, les insurgés n'eurent pas longtemps à attendre. Un canon apparut au bout de la rue.

Tous les insurgés étaient prêts. Courfeyrac cria:
— Feu!

Les coups de fusil se suivirent avec une sorte de 5 rage et de joie; la rue se remplit de fumée[1] et, au bout de quelques minutes, on put distinguer le canon entouré de morts.

— Tout va bien, dit Marius. Succès! Feu!

Les attaques continuèrent. Les soldats étaient 10 nombreux; les insurgés avaient la position la meilleure. L'horreur devint plus grande encore.

Alors il y eut dans cette rue pauvre un combat épique.

Ces hommes qui avaient faim, qui n'avaient pas 15 dormi depuis vingt-quatre heures, qui n'avaient presque plus de munitions, tous blessés à la tête ou les bras couverts de sang, ces hommes devinrent des héros. La barricade fut attaquée dix fois, et jamais prise. 20

Vers sept heures du matin, un homme entra dans la barricade. C'était Jean Valjean, qui avait pu entrer dans l'impasse par une petite allée[2] située près de la barricade, et qui était si bien cachée entre deux maisons qu'on la voyait à peine et qu'on avait 25 cru inutile de la défendre.

Marius, qui se battait encore, était blessé à la tête; sa figure était couverte de sang. Tout à coup, il aperçut le vieillard. Comment était-il là? Pourquoi était-il là? Que venait-il faire? Marius ne 30

---

[1] (fumée), smoke.   [2] (allée), n. walk, path, alley.

se posa[1] pas toutes ces questions. Seulement, il pensa à Cosette avec désespoir.

Jean Valjean ne lui parla pas, ne sembla même pas le regarder. Il avait un sourire triste et triomphant. On aurait dit qu'il avait sa vengeance. Il resta sous une porte, indifférent au bruit, à tout, sauf à la tête noire qu'on apercevait à travers la fumée.

Bientôt, l'agonie de la barricade commença. On se battit corps à corps, pied à pied, à[2] coups de pistolet, à coups de sabre, de loin, de près,[3] de partout.

La dernière bataille fut la plus terrible. Marius était encore debout, entouré de morts. Des soixante hommes qui étaient venus se battre, dix à peine restaient.

Cette fois, c'était la fin. Le groupe d'insurgés qui défendait la barricade était perdu.

Alors, l'amour de la vie se réveilla dans l'esprit de plusieurs de ces hommes. Ils étaient devant une haute maison qui faisait le fond de l'impasse. Cette maison pouvait être le salut.[4] A travers[5] une porte fermée, à moitié cassée,[6] on pouvait voir une cour[7] intérieure pleine de coins sombres. Derrière cette maison, il y avait des rues. Sortir était possible: c'était la liberté, le salut peut-être. Ils se mirent à frapper contre cette porte, appelant, espérant. Per-

---

[1] **poser,** to put, place; **poser une question,** to ask a question.
[2] **à** = avec.   [3] **de près,** nearby.   [4] SALUT, salvation, safety.   [5] **travers: à travers,** through.   [6] **casser,** to break.
[7] **cour,** court, courtyard.

140

sonne n'ouvrit. D'une fenêtre du troisième étage,
une tête morte regardait.

Marius, enfin, réussit à ouvrir la porte; déjà, de
nombreux soldats montaient sur la barricade.
Calme, protégeant ses amis de son corps, Marius, 5
seul, fit face à toute une armée. Dans la cour, il y
avait une petite porte. Les insurgés l'ouvrirent,
disparurent. Ils étaient sauvés.

XIII

JEAN VALJEAN

Mais Marius ne put pas les suivre. Une balle
venait de lui casser la jambe.[1] Il sentit qu'il 10
s'évanouissait[2] et qu'il tombait. En ce moment,
les yeux déjà fermés, il eut l'impression qu'une main
vigoureuse le saisissait et le poussait dans la cour.
Il pensa: — Je suis fait prisonnier, donc[3] je serai
condamné à mort.   15

Marius était prisonnier en effet. Prisonnier de
Jean Valjean.

Celui-ci ne l'avait pas quitté des yeux[4] un instant.
Quand le jeune homme était tombé, le vieillard
s'était jeté sur lui.[5] Il fit cela instinctivement, 20
presque sans savoir ce qu'il faisait: la pitié était
plus forte que tout le reste.

---

[1] **jambe,** leg.   [2] s'ÉVANOUIR, to faint.   [3] **donc,** consequently.   [4] **Celui-ci ... des yeux,** The latter had not taken
his eyes off him.   [5] **s'était jeté sur lui,** had rushed toward
him.

Maintenant, ils étaient dans la petite cour, cachés derrière une voiture [1] cassée. Pour l'instant, pour deux ou trois minutes au plus,[2] cette voiture les protégeait. Pour l'instant, Marius et Jean étaient
5 saufs.[3] Mais comment sortir de la cour? Devant Jean, il y avait les murs de cette cour-prison et la petite porte par laquelle les insurgés étaient sortis. Aller vers cette porte? Impossible maintenant, il était trop tard [4]: on les verrait immédiatement.
10 Derrière Jean, il y avait la porte par laquelle ils étaient entrés. Mais derrière cette porte, on voyait déjà les baïonnettes des soldats. Un oiseau seul aurait pu sortir de là.

Et il fallait se décider immédiatement.

15 Jean Valjean regarda le mur en face de lui, regarda la porte cassée, puis, avec désespoir, il regarda à terre, comme s'il avait voulu faire un trou avec ses yeux.

Alors il aperçut, à quelques pas de lui, sous des
20 pierres qui la cachaient ou presque, une grille [5] de fer placée sur la terre. A travers cette grille, on voyait une ouverture [6] obscure.[7] Jean Valjean s'y jeta. Déplacer les pierres, lever la grille, placer sur son dos Marius évanoui [8] qui ressemblait à un corps
25 mort, descendre dans cette espèce de tombe, replacer au-dessus de sa tête la lourde grille de fer, tout cela fut accompli en un instant.

---

[1] **voiture,** wagon, cart.   [2] **au plus,** at the most.   [3] **(sauf),** safe.   [4] **tard,** late.   [5] GRILLE, grating.   [6] **(ouverture)** opening.   [7] **obscur,** dark.   [8] **(évanoui),** *adj.* unconscious.

Jean Valjean se trouvait avec Marius dans les égouts[1] de Paris.

Là, paix[2] profonde, silence absolu, nuit. Là, ils étaient saufs.

C'est à peine si Jean Valjean entendait au-dessus 5 de lui, comme un vague murmure, les coups de fusil et le formidable bruit des maisons attaquées par les soldats.

XIV

LE GRAND-PÈRE

Après avoir marché longtemps dans l'obscurité, Jean Valjean s'arrêta près d'une ouverture qui 10 donnait une lumière assez forte. La figure couverte de sang de Marius apparut sous la lumière blanche. Le jeune homme avait encore les yeux fermés, les mains froides,[3] mais son cœur battait encore. Jean Valjean lava[4] le sang qui coulait[5] du front de 15 Marius.

Dans une des poches de Marius, Jean Valjean trouva quatre lignes écrites par Marius: « Je m'appelle Marius Pontmercy. Portez mon cadavre[6] chez mon grand-père, M. Gillenormand, 10 rue 20 Saint-Jacques. »[7]

Jean Valjean lut ces lignes et replaça le morceau

---

[1] ÉGOUT, sewer. [2] **paix,** peace. [3] **froid,** cold. [4] **laver,** to wash (off), bathe. [5] **couler,** to flow, drip. [6] CADAVRE, corpse. [7] The *rue Saint-Jacques* traverses the *Quartier Latin* from the *Observatoire* past the *Sorbonne* to the Seine and the *Parvis Notre-Dame.*

de papier dans la poche. Il reprit Marius et se remit à marcher.

Il marcha plusieurs heures, sans s'arrêter, vite. Plus d'une fois, il crut qu'il allait disparaître dans 5 l'eau de l'égout; plus d'une fois, il entendit des bruits de voix, des pas dans l'obscurité; les soldats cherchaient dans l'égout.

Enfin, Jean Valjean aperçut une grille. Il se trouvait près de la Seine. Non loin de là, un homme 10 assis dans sa voiture¹ attendait. Jean Valjean l'appela, porta Marius jusqu'à la voiture, le plaça près de lui, s'assit et donna à l'homme l'adresse de M. Gillenormand.

Quand la voiture arriva rue Saint-Jacques, tout 15 dormait dans la maison de M. Gillenormand. Jean frappa à la porte. Le concierge arriva bientôt, et alluma une lampe.

— Y a-t-il ici quelqu'un qui s'appelle Gillenormand? demanda Jean Valjean.

20 — Oui. Pourquoi?

— M. Marius est ici, blessé. Aidez-moi à le porter dans sa chambre.

Marius était encore évanoui. Jean Valjean le transporta au deuxième étage, mit le jeune homme 25 sur son lit, et dit au concierge d'aller chercher un docteur. Il avait fait tout ce qu'il devait faire; il avait sauvé la vie de Marius. Mais il ne voulait pas de sa gratitude. Il disparut dans la nuit.

Le docteur examina Marius. Il vit que le jeune 30 homme n'avait pas sur le corps de blessure² pro-

¹ (voiture), carriage.   ² (blessure), wound.

144

fonde, sauf celle qu'il avait à la jambe. Mais les blessures à la tête? Étaient-elles dangereuses? On ne pouvait pas le dire encore. Un symptôme grave, c'est que Marius était encore évanoui.

Le docteur lava la figure et les cheveux de Marius 5 avec de l'eau froide. L'eau fut rouge en un instant. Le concierge, sa lampe à la main, regardait avec désespoir.

Le docteur semblait penser. De temps en temps, il faisait un signe de tête négatif, comme s'il se 10 répondait à une question qu'il se posait à lui-même.

Comme il lavait la figure de Marius et touchait de ses doigts[1] les yeux encore fermés du jeune homme, M. Gillenormand parut.

Deux ans avant, on s'en souvient,[2] Marius avait 15 quitté sa maison. Après le départ[3] du jeune homme, M. Gillenormand avait voulu le rappeler,[4] faire ses excuses. Mais il était trop tard. Plus d'une fois, M. Gillenormand, qui aimait Marius autant que[5] Marius aimait Cosette, lui avait envoyé de l'argent, 20 mais Marius l'avait toujours refusé. Depuis son départ, le vieillard n'avait pensé qu'au jeune homme. A chaque heure du jour, il se posait les mêmes questions: Que fait-il? Que devient-il? Et maintenant, le jeune homme était là, sur son lit, 25 tout blanc, les yeux fermés; du sang continuait à couler sur son front. Mon Dieu! qu'avait-il fait?

---

[1] **doigt,** finger.   [2] (**se souvenir de**), to remember; **on s'en souvient,** one remembers.   [3] (**départ**), departure. [4] (**rappeler**), to recall, call back.   [5] (**autant que**), as much as.

Le docteur ne disait rien, regardait toujours Marius. Enfin, il leva la tête.

— Le danger est sérieux, dit-il. très sérieux. Cette blessure à la tête me fait peur. Je ne promets rien.
5 Mais M. Marius est jeune. S'il n'a pas d'émotions violentes, il vivra peut-être.

Longtemps, Marius ne fut ni mort ni vivant. Pendant plusieurs semaines, il eut une forte fièvre.[1] Il ne parlait pas, sauf pour répéter le nom de Cosette.
10   Tous les jours, et quelquefois deux fois par jour, un monsieur très bien habillé,[2] venait demander des nouvelles [3] du blessé et offrir quelques fleurs.[4]

Enfin, quatre mois après la nuit où on l'avait apporté mourant chez son grand-père, le docteur dé-
15 clara que Marius était sauvé.

Marius n'avait qu'une idée fixe [5]: Cosette.

L'affaire de la barricade était comme un nuage dans sa mémoire: il se souvenait vaguement d'Éponine, d'un vieillard qui l'avait transporté dans
20 un égout. Mais il ne savait pas qui était ce vieillard. Il est vrai que tout cela lui était indifférent. Il ne voulait qu'une chose: revoir Cosette et se marier avec [6] elle.

Un jour, M. Gillenormand parlait à Marius.
25 Marius l'arrêta.

— Grand-père, j'ai une chose à vous dire.

— Laquelle?

---

[1] FIÈVRE, fever.   [2] (habillé), dressed.   [3] (nouvelle), *n.* news; demander des nouvelles de, to inquire about.   [4] fleur, flower.   [5] fixe, fixed.   [6] se marier (avec), to marry.

— C'est que je veux me marier.

M. Gillenormand se mit à rire:

— Eh bien, oui, tu l'auras, ta bien aimée! Elle vient tous les jours sous la forme[1] d'un vieux monsieur demander de tes nouvelles. Depuis que 5 tu es blessé, elle passe son temps à pleurer et à t'envoyer des fleurs. Tu as raison: elle t'aime, j'en suis sûr. Tu la veux, tu l'auras. J'avais bien l'idée de la faire venir ici, mais qu'est-ce que le docteur aurait dit? Ce n'est pas bon quand on a 10 la fièvre, une jolie fille. Tu veux te marier? eh bien, marie-toi, Marius! Sois[2] heureux, mon enfant bien aimé.

Et le vieillard prit la tête de Marius dans ses bras.

[1] **sous la forme de,** in the shape of. [2] **sois,** *imperative of* **être.**

FIN

147

EXERCISES

I. INITIAL WORD STOCK. No reading is possible without a knowledge of the following words; are you sure that you know their English equivalents? Illustrate their use in short, simple sentences:

Le, la, les; au, aux, du, des; leur, lui; me, se, je, il, elle, nous, vous, ils, elles; mon, ma, mes; son, sa, ses; votre, vos; ce, cet, cette, ces; ceci, cela; un, une; et, ou; ici, là; dans; qu' = que; oui.

II. QUESTIONS. Answer briefly each of the following questions after pronouncing the sentences aloud. The Roman numerals refer to the chapters in the text:

I. 1. Pourquoi les étudiants n'aimaient-ils pas le roi Louis-Philippe? 2. Qui M. Gillenormand admirait-il? 3. Pourquoi Marius a-t-il quitté son grand-père? 4. Pourquoi les jeunes filles admiraient-elles Marius?

II. 1. Que savez-vous de l'apparence de la jeune fille? 2. Comment Marius a-t-il gagné un peu d'argent? 3. Pourquoi madame Bourgon était-elle étonnée?

III. 1. Pourquoi le « père » a-t-il changé de banc? 2. Pourquoi Marius a-t-il suivi la jeune fille?

IV. 1. Où habitait Éponine? 2. Pourquoi Marius a-t-il donné cinq francs à Éponine? 3. Qu'est-ce qu'Éponine a dit?

V. 1. Pourquoi les rues étaient-elles vides? 2. Qu'est-ce qu'Éponine a dit à Marius? 3. Qui était dans le jardin?

VI. 1. Pourquoi Jean Valjean détestait-il Marius? 2. Quand Jean Valjean a-t-il quitté la maison de la rue de l'Homme de Fer? 3. Pourquoi était-il dangereux de traverser Paris? 4. Pourquoi Marius ne voulait-il pas aider ses amis? 5. Pourquoi Cosette avait-elle pleuré? 6. Pourquoi Marius ne pouvait-il pas aller en Angleterre? 7. Où Marius habitait-il?

VII. 1. Pourquoi Marius est-il allé chez son grand-père? 2. Qu'est-ce que le concierge a dit à Marius? 3. Pourquoi Marius a-t-il pensé que Cosette ne l'aimait plus?

VIII. 1. Qu'est-ce que c'est qu'une impasse? 2. Où Marius est-il allé? 3. De quoi la barricade était-elle faite? 4. Qu'est-ce qui arriverait aux insurgés, s'ils étaient pris vivants?

IX. 1. Qui a sauvé Courfeyrac? 2. Pourquoi Marius n'a-t-il pas été tué? 3. Qu'est-ce que Marius a fait quand les soldats allaient être victorieux? 4. Quel a été le résultat de l'action de Marius?

X. 1. Comment Éponine a-t-elle été blessée? 2. Qu'est-ce que Cosette avait donné à Éponine? 3. Est-ce que les amis de Marius l'attendaient? 4. Quels ont été les derniers mots d'Éponine?

XI. 1. Qu'est-ce que disait Cosette dans sa lettre? 2. Qu'est-ce que Marius a répondu? 3. A qui l'enfant a-t-il donné la lettre de Marius? 4. Qu'est-ce que Jean Valjean s'est dit? 5. Qu'est-ce qu'il a fait?

XII. 1. Comment Jean Valjean a-t-il pu entrer dans l'impasse? 2. Quand Marius a vu Jean Valjean, à qui a-t-il pensé? 3. Savez-vous combien d'insurgés ont été tués? 4. Qu'est-ce que les insurgés pouvaient voir à travers la porte? 5. Qu'est-ce que Marius a fait?

XIII. 1. Où Jean Valjean a-t-il porté Marius? 2. Qu'y avait-il devant Jean Valjean? 3. Qu'y avait-il derrière Jean Valjean? 4. Qu'est-ce que Jean Valjean a vu quand il a regardé à terre? 5. Où Jean Valjean se trouvait-il?

XIV. 1. Chez qui Jean Valjean a-t-il porté Marius?
2. Faisait-il encore jour? 3. Où Marius était-il blessé?
4. Qu'est-ce que le docteur a dit? 5. Qu'est-ce que
Marius a dit à son grand-père? 6. Comment l'histoire
finit-elle?

III. OPPOSITES. Match each word in column A with
the word in column B that is contrary or unlike it in
meaning; check the matched pair of opposites and pronounce them aloud:

A	B	A	B
acheter	laid	obscurité	triste
assis	hier	oser	quelquefois
beau	vendre	content	avoir peur
bataille	debout	être immobile	bouger
ciel	paix	souvent	lumière
demain	terre	plusieurs	nombreux

IV. RELATED WORDS. In each line there are two words
more or less closely related or associated in thought;
select the related pairs and pronounce them aloud:

	A	B	C	D
1.	mademoiselle	pauvreté	fille	ouvrier
2.	inconnu	voyage	départ	habitude
3.	cadavre	doigt	mort	profondeur
4.	évanoui	aider	discuter	blessé
5.	essayer	feu	trahir	allumer
6.	se promener	ajouter	suffire	marcher
7.	se marier	lourd	amoureux	croire
8.	reconnaître	dormir	envoyer	réveiller
9.	coup	froid	hiver	huit
10.	maison	idée	étage	promenade
11.	nuage	bourgeois	sourire	pluie
12.	étudiant	jardin	fleur	regard
13.	obéir	poudre	sauter	habiller
14.	rue	affaires	allée	ruse
15.	grille	voiture	ouverture	soleil

V. SPECIFIC WORDS. These words are comparatively rare; do you remember why they were important for the development of the story or when they were used?

fièvre	s'évanouir	égout	insurgé
salut	quartier	coude	concierge

VI. CATEGORIES. From the following words select (a) nine that relate to *time;* (b) five that concern *war;* (c) eleven that pertain to *feelings* and *emotions;* (d) nine that relate to the *body* and *clothes:*

aussitôt	ennuyer	demain	veste	tirer
blessure	tard	amour	coude	venger
colère	genou	balle	soldat	pantalon
lendemain	fin	semaine	jambe	sang
dos	espérer	désespoir	bataille	jouc
hier	tristesse	fier	âme	fusil
midi	grave	jaloux	après-midi	

VII. IDIOMATIC EXPRESSIONS. The following is a check list of the important idiomatic expressions met in reading *Book III;* they are arranged after the key word and in the order of occurrence in the text (the number of the page is indicated in parentheses). Pronounce the complete sentence and give the English equivalent:

mettre: S'il *se met en colère,* je partirai. (110)

cause: Je l'aime *à cause de* ses beaux yeux bleus. (111)

fois: Elle l'avait remarqué *plus d'une fois* dans le jardin. (112)

aller: Je *m'en vais,* mais je vous donnerai mon adresse. (112)

plus: Elle devenait *de plus en plus* jolie. (113)

mettre: Elle *se mit à* le suivre, mais il marchait trop vite. (114)

jusque: Je resterai ici *jusqu'à* deux heures. (115)

ni: *Ni* Jean Valjean *ni* Éponine *n'*étaient heureux. (116)

tout: Il ne l'avait pas *tout à fait* oubliée. (117)

appeler: Il ne savait pas comment elle *s'appelait.* (117)

faire: Marius ne *faisait attention* qu'à Cosette. (117)

151

avoir: Elle *avait faim,* mais elle n'osait pas le dire. (118)

avoir: Il ne savait pas ce qu'*il avait,* tout l'ennuyait. (118)

peur: Elle *avait peur de* répondre à sa question. (119)

voix: Elle parlait *à voix basse,* et il ne l'entendait pas. (120)

faire: Il ne venait jamais quand *il faisait jour.* (124)

peine: Jean Valjean pouvait *à peine* voir Marius. (126)

moins: *En moins d'*une heure, Marius a retrouvé ses amis. (128)

côté: Éponine regardait *du côté* de Marius. (131)

faire: « Vous me *faites mal,* » dit Éponine. (133)

pousser: Elle *poussa un cri* quand elle vit le soldat. (133)

amoureux: Marius *était amoureux de* Cosette. (135)

avoir: Jean Valjean *avait raison:* Cosette aimait Marius. (136)

poser: Le vieillard *posa* beaucoup de questions à l'enfant. (140)

marier: Marius voulait *se marier* immédiatement. (146)

VIII. IRREGULAR VERB FORMS. The following verb forms occur for the first time in *Book III;* give their infinitive form, the English equivalent, and the tense used:

Elle disait; il était; il était assis; il verrait; il connaissait; il saurait; vous ferez; elle s'asseyait; elle a pu; il a compris; ils disparaissaient; je paie; il lisait; elle aurait; tu aurais; elles seraient; il voyait; il reverrait; il croyait; ils avaient disparu; elle suffisait; elle a promis; il reviendrait; sois; il paraissait.

IX. PAST ABSOLUTE. As the usual past tense in formal and literary narrative, the past absolute (past definite) is second only to the present indicative in importance. Complete the sentences below by selecting the proper verb form in parentheses, give the infinitive of the verb, and pronounce the sentence aloud:

1. Aussitôt qu'il (vit, vint) Cosette, Marius l'aima. 2. Mais Jean Valjean (eut, fut) peur; il (lut, crut) que Marius voulait prendre sa place près de Cosette. 3. Un

152

jour, Marius (revit, revint) au Luxembourg; il (remit, aperçut) Jean Valjean qui était venu seul. 4. Le vieillard (s'assit, courut) sur un banc; il (reconnut, disparut) Marius et (prit, put) voir que le jeune homme partait tout de suite. 5. Le lendemain, ni Jean Valjean ni Cosette ne (virent, devinrent) Marius quand il les suivit. 6. Marius (crut, parut) qu'il allait mourir; il (écrivit, mit) une lettre qu'il envoya à Cosette. 7. Le vieillard prit la lettre de Marius; il la (connut, relut) plusieurs fois. 8. Quand Jean Valjean (comprit, reprit) que Marius était amoureux de Cosette, il (fit, devint) ce qu'il devait faire. 9. Il (voulut, parut) montrer à Cosette qu'il l'aimait, et décida de sauver Marius. 10. Quand les soldats entrèrent dans la cour, Marius et Jean Valjean (disparurent, dirent) dans l'obscurité.

X. COMPLETION. Select the word in parentheses that correctly completes the sense of the sentence; pronounce the completed sentence and give the English equivalent:

1. (Aussitôt, cependant, donc) qu'il a vu une ouverture, Jean Valjean s'est approché. 2. La rue était pleine de (fumée, fautes, nouvelles). 3. Il n'avait pas d'enveloppe; il fut donc obligé de (promettre, plier, rappeler) la lettre. 4. Le sang (éclatait, coulait, gagnait) de la blessure. 5. Jean Valjean ne voulait pas (traduire, traverser, poser) la capitale. 6. (A travers, puisque, peut-être) Marius était blessé, Jean fut obligé de le porter. 7. La grille était (emportée, obscure, cassée). 8. Chez M. Gillenormand, Marius était (sûr, résolu, sauf). 9. Le docteur a (lavé, bouché, vengé) la tête de Marius. 10. Cosette (courait, pleurait, réussissait) parce que Marius était blessé. 11. Marius aimait Cosette parce que sa voix était (neuve, sonore, douce), parce que ses yeux étaient (bleus, fixes, braves) et parce que ses joues étaient (rouges, indignes, ridicules).

LA TULIPE NOIRE

PAR

ALEXANDRE DUMAS

ABRIDGED AND EDITED BY

LIVINGSTONE DE LANCEY

AND

OTTO F. BOND

BOOK FOUR—ALTERNATE

« Cornélius, mon ami, venez vite! regardez! »

FOREWORD

La Tulipe noire is one of the best of Dumas' novels, and no doubt the shortest. Plot and counterplot, assassinations and true love, imprisonment in dank dungeons and the conquest of fame and wealth — all these are involved in the fate of three prized tulip bulbs. The time is the seventeenth century, in the reign of Louis XIV; the place is Holland.

The tale has been condensed into 570 different words, fifty-four per cent cognate, leaving a non-cognate learning burden of 260 words, eighty-three per cent basic and essential to further reading. Many of these new words do not get a second repetition, due to the requirements of condensing a complete novel. You should pay particular attention to the *new* words as you encounter them, page by page.

The verb occurs in *all tenses*, present, past, and future, and so affords a summary of tense usage, progressively introduced in the preceding books of the *Series*. Only a few new irregular forms occur (17); you will find them listed in the vocabulary and drilled in the exercises.

The *Series* vocabulary takes a new turn with *Book IV*. The proportion of nouns and verbs increases sharply, with many derived or compounded forms, and words with two or more meanings (such as *maître*, master, teacher). Most of the common structural words, the words that serve to bind together the more meaningful words, are now behind you in *Books I–III*. You are off to new word adventures. But enough! . . . *Le 20 août 1672* . . , and the tale of three tulip bulbs!

THE EDITORS

LA TULIPE NOIRE

I. LES DEUX FRÈRES

Le 20 août[1] 1672, partout dans les rues de la Haye,[2] une foule[3] de citoyens,[4] pressés, inquiets,[5] armés de couteaux ou de bâtons,[6] couraient vers la formidable prison du Buytenhoff.[7] Enfermé[8] dans cette prison était Corneille de Witt,[9] frère[10] de Jean **5** de Witt, ex-grand pensionnaire[11] de Hollande, et en ce moment même celui-ci passait à cent pas de la place[12] pour arriver à la prison où se trouvait son frère.

On avait accusé les deux frères d'avoir trahi leur **10** pays. On avait même accusé Corneille de vouloir

---

[1] **août,** August.   [2] **la Haye,** the Hague, capital of Holland. [3] **foule,** crowd, mob.   [4] CITOYEN, citizen.   [5] INQUIET, uneasy, restless.   [6] (**bâton**), stick, club.   [7] The *Buytenhoff*, or *Binnenhof*, is a group of mediaeval buildings occupied today by the Dutch Parliament. The De Witts were imprisoned in the old tower of the *Gevangenpoort*, in the square outside. [8] (**enfermer**), to shut up, confine, inclose.   [9] Corneille de Witt (1623–1672) and his brother Jean (1625–1672) were illustrious statesmen, adversaries of the House of Orange. [10] **frère,** brother.   [11] PENSIONNAIRE, the Grand Pensionary, an officer of the Dutch Republic, was charged with introducing bills, collecting votes, and establishing diplomatic relations with other nations.   [12] **place,** square, place.

159

faire assassiner le prince Guillaume d'Orange,[1] qui était en ce moment-là l'idole du peuple. Mais malgré [2] la torture et ses jours en prison, il avait refusé d'admettre ce crime dont il était innocent.

5 Pourtant,[3] ses juges le condamnèrent à l'exil. C'était pour l'emmener [4] hors du [5] pays que son frère venait de descendre de sa voiture avec un serviteur [6] et traversait la place du Buytenhoff.

C'était l'intention de la foule qui se pressait [7] 10 vers la prison d'empêcher ce départ. Le peuple ne comprenait pas l'innocence des frères; il se croyait trahi.

Arrivé devant la porte de la prison, Jean de Witt s'adressa au geôlier [8] qui le connaissait:

15 — Bonjour, Gryphus, je viens chercher mon frère pour l'emmener. Comme tu le sais, il a été condamné à l'exil.

Le geôlier le salua [9] et le laissa entrer dans la prison. A dix pas de la porte, M. de Witt aperçut 20 une belle jeune fille de dix-sept à dix-huit ans.

— Bonjour, Rosa, dit-il, comment va mon frère? [10]

— Oh! monsieur Jean, ce n'est pas le mal qu'on lui a fait que je crains [11] pour lui; c'est le mal qu'on veut lui faire . . .

25 — Ah! oui, ce peuple, n'est-ce pas?

[1] William of Orange became Stadtholder of Holland in 1672, and later King of England (1689–1702). [2] MALGRÉ, in spite of. [3] **Pourtant,** However. [4] **(emmener),** to take (lead) away. [5] HORS DE, out of. [6] **(serviteur),** servant. [7] **(se presser),** to hurry. [8] GEÔLIER, jailer. [9] **saluer, to greet, bow, salute.** [10] **comment va mon frère?** how is my brother getting along? [11] CRAINDRE, to fear, be afraid.

— L'entendez-vous?

— Il est, en effet, très ému [1]; mais peut-être qu'il se calmera quand il nous verra, comme nous ne lui avons jamais fait que du bien.[2]

— Ce n'est malheureusement [3] pas une raison. 5

— Non, mon enfant, non; c'est vrai ce que tu dis là.

Puis continuant son chemin[4]:

— Voilà, murmura-t-il, une petite fille qui ne sait pas lire et qui vient de résumer [5] l'histoire du monde dans un seul mot. 10

Étendu [6] sur son lit, les bras et les doigts brisés par la torture, Corneille pensait à son frère presque au moment même où Jean parlait de lui. En voyant entrer son frère dans sa chambre, il lui tendit [7] ses bras enveloppés [8] de linge.[9] Jean alla au lit du 15 prisonnier et baisa [10] tendrement son frère sur le front, en disant:

— Corneille, mon pauvre frère, vous souffrez beaucoup, n'est-ce pas?

— Je ne souffre plus, mon frère, puisque je vous 20 vois. Pendant la torture je pensais à vous, en me disant: Pauvre frère! Mais te voilà, oublions tout. Tu viens me chercher, n'est-ce pas?

— Oui.

— Alors, aidez-moi à me lever, mon frère; vous 25 allez voir comme je marche bien . . .

---

[1] (ému), stirred, excited.   [2] (bien) *n.*, good.   [3] (malheureusement), unfortunately.   [4] chemin, way, road.   [5] RÉSUMER, to sum up.   [6] (étendre), to stretch.   [7] tendre, to hold out, extend.   [8] (envelopper), to wrap.   [9] LINGE, linen, cloth.   [10] baiser *v.*, to kiss.

— Vous n'aurez pas longtemps à marcher, car j'ai ma voiture derrière les troupes de Tilly.

— Les troupes de Tilly? . . . pourquoi sont-elles ici?

— Ah! c'est que l'on suppose que les citoyens de 5 la Haye voudront vous voir partir, et l'on craint un peu de tumulte.

— Du tumulte? . . . Alors c'est cela que j'entendais . . . il y a une foule sur la place du Buytenhoff, n'est-ce pas?

10 — Oui, mon frère . . . On ne m'aurait pas laissé passer, sans doute . . . Heureusement,[1] j'ai suivi des rues peu fréquentées. Vous savez bien que nous ne sommes pas aimés, Corneille . . .

En ce moment, le bruit monta plus furieux de la 15 place à la prison.

— Oh! dit Corneille, vous êtes un bien grand pilote, Jean; mais je ne sais pas si vous pourrez tirer votre frère du Buytenhoff . . .

— Avec l'aide de Dieu, nous y essayerons . . . 20 mais d'abord,[2] un mot. Le peuple se fâche[3] contre nous deux, contre vous et contre moi. On nous reproche d'avoir conspiré[4] avec la France contre notre patrie[5] . . .

— Ah! comme ils ont tort[6] de le penser!

25 — Oui, mais il ne faut pas qu'ils trouvent notre correspondance avec monsieur de Louvois,[7] ou bien

---

[1] (**Heureusement**), Fortunately.   [2] **abord: d'abord,** (at) first.   [3] **se fâcher,** to be angry (**contre,** with, at).   [4] **conspirer,** to plot, conspire.   [5] PATRIE, country, fatherland.   [6] TORT, wrong; **avoir tort,** to be wrong.   [7] Louvois was minister of war under Louis XIV.

je ne sauverais pas le bateau [1] qui va porter les de
Witt et leur fortune hors du pays. Cette correspondance prouverait à des gens [2] honnêtes [3] combien j'aime ma patrie, mais aux yeux de nos ennemis,
les orangistes,[4] cette correspondance nous perdrait.[5] 5
Aussi, cher Corneille, j'espère que vous l'avez brûlée [6]
avant de quitter Dordrecht [7] ...

— Mon frère, j'aime la gloire de mon pays. J'aime
votre gloire surtout,[8] et je n'ai pas brûlé cette
correspondance.   10

— Alors nous sommes perdus !

— Non, au contraire, Jean.

— Qu'avez-vous donc fait de ces lettres ?

— Je les ai confiées [9] à mon filleul,[10] Cornélius van
Baerle, que vous connaissez et qui demeure [11] à 15
Dordrecht.

— Ce savant [12] qui sait tant [13] de choses et ne pense
qu'aux fleurs et qu'à Dieu qui fait naître les fleurs ?
... mais il est perdu, ce pauvre garçon ! Ainsi,
fuyons [14] vite ! ...   20

— Jean, je connais bien mon filleul ... Cornélius
van Baerle gardera le secret, j'en suis sûr, puisqu'il
ne le connaît pas ... il ne sait pas la nature et la
valeur des papiers que je lui ai confiés.

— Alors, il en est temps encore ! ... nous pouvons 25

[1] **bateau,** boat.   [2] **gens,** people.   [3] **honnête,** honest.   [4] The
Orangistes were the partisans of Guillaume d'Orange.
[5] **(perdre),** to ruin, undo.   [6] **brûler,** to burn.   [7] Dordrecht is
on the Meuse, southeast of the Hague.   [8] **(surtout),** above
all, especially.   [9] **(confier),** to intrust, confide.   [10] FILLEUL,
godson.   [11] DEMEURER, to live.   [12] **(savant)** *n.*, scholar, scientist.
[13] **tant,** so much, so many.   [14] **fuir,** to flee.

163

lui faire brûler la correspondance. Mon serviteur, Craeke, peut bien lui porter cet ordre. Il faut que les frères de Witt sauvent leur vie pour sauver leur réputation . . . Nous morts, qui nous défendra ? . . .

5 — Vous croyez qu'ils nous tueraient, s'ils trouvaient ces papiers ?

Jean ne répondit pas. Il alla ouvrir la fenêtre. Des cris furieux montèrent de la place : « Mort aux traîtres ! Mort aux traîtres ! »

10 — Et les traîtres, c'est nous ! dit Corneille. Eh bien ! faites entrer votre serviteur . . .

Jean ouvrit la porte, et Craeke entra.

— Venez, Craeke, dit Jean, et écoutez bien ce que mon frère va vous dire.

15 — Non, Jean, dit son frère, il faut que j'écrive . . . mon filleul ne donnera ces papiers à personne, ni les brûlera, sans un ordre écrit de moi . . . Votre crayon ? . . . et la première feuille [1] de ma Bible ? . . . merci, mon frère . . .

20 Sous le linge blanc qui enveloppait les pauvres mains toutes brisées de Corneille, des gouttes de sang apparaissaient, comme il écrivait :

« Cher filleul,

« Brûle les lettres que je t'ai confiées ; brûle-
25 les sans les regarder. Les secrets qu'elles contiennent [2] sont dangereux à ceux qui les possèdent. Brûle, et tu auras sauvé Jean et moi.

« Adieu et aime-moi,

« 20 août 1672.   CORNEILLE DE WITT. »

---

[1] **feuille**, leaf, page.   [2] **(contenir)**, to contain.

164

Jean, les larmes [1] aux yeux, donna cette feuille à Craeke, avec une dernière recommandation.

— Maintenant, dit-il, en revenant à Corneille, quand ce brave Craeke donnera un coup de sifflet,[2] c'est qu'il sera hors de danger . . . Alors, nous **5** partirons.

Cinq minutes plus tard, on entendit un long et vigoureux coup de sifflet qui dominait les cris du peuple. Jean leva ses bras au ciel pour le remercier.

— Et maintenant, dit-il, partons, Corneille.   **10**

II. ROSA

Les troupes commandées par Tilly défendaient la prison contre la furie du peuple. Mais le gouvernement ne refusa pas la demande d'une délégation de citoyens, et envoya à Tilly l'ordre de quitter le Buytenhoff avec ses troupes. Il comprit les consé- **15** quences d'un tel [3] ordre, mais il fallut y obéir. Il partit avec ses hommes.

La foule poussa des cris de joie.

Jean de Witt aida son frère à descendre l'escalier qui conduisait [4] dans la cour de la prison. Au bas [5] **20** de l'escalier, il trouva la belle Rosa toute tremblante.[6]

— Oh ! monsieur Jean, dit-elle, quel malheur ! Les troupes de Tilly ont reçu [7] l'ordre de partir . . . il

---

[1] LARME, tear.   [2] (sifflet), whistle; **coup de sifflet,** blowing of a whistle.   [3] TEL, such; **un tel,** such a.   [4] **conduire,** to lead, conduct.   [5] (bas) *n.,* bottom.   [6] (tremblant) *adj.,* trembling.   [7] **recevoir** (*p.p.* **reçu**), to receive.

ne reste personne pour vous protéger contre la furie du peuple.

— Ah! si les troupes s'en vont, la position est mauvaise . . .

5 — Aussi, monsieur Jean, je ne sortirais pas par la grande [1] rue . . . Je sortirais par la porte de derrière [2] . . . elle donne sur une rue déserte.

— Mais mon frère ne pourra pas marcher.

— Mais n'avez-vous pas votre voiture?

10 — La voiture est à la grande porte.

— Non. J'ai dit à votre cocher [3] d'aller vous attendre à la porte de derrière.

Les deux frères se regardèrent avec émotion.

— Maintenant, dit Jean, voyons si Gryphus vou-
15 dra bien nous ouvrir cette porte.

— Oh! non, dit Rosa, mon père ne voudra pas . . . Je me suis attendue à [4] son refus,[5] alors j'ai pris la clef [6] pendant qu'il causait [7] par la fenêtre avec un ami . . . La voici, monsieur Jean.

20 — Mon enfant, dit Corneille, je n'ai rien à te donner en échange [8] du service que tu me rends, excepté la Bible que tu trouveras dans ma chambre . . . J'espère qu'elle te portera bonheur.

— Merci, monsieur Corneille, répondit la jeune
25 fille, la Bible ne me quittera jamais.

Guidés par Rosa, les deux frères descendirent un

---

[1] (grand), main. [2] derrière, *n.*, back, rear; **porte de derrière**, back (rear) door. [3] COCHER, coachman, driver.
[4] (s'attendre à), to expect, await. [5] (refus), refusal.
[6] clef, key. [7] causer, to chat, talk. [8] (échange), exchange (de, for).

escalier, traversèrent une petite cour, et se trouvèrent de l'autre côté de la prison, dans une rue
déserte, en face de la voiture qui les attendait.

— Eh! vite! vite! mes maîtres,[1] cria le cocher.

Jean aida son frère à monter; puis il se retourna 5
vers la jeune fille:

— Adieu, mon enfant, dit-il. Nous te recom-
mandons à Dieu, qui se souviendra, je l'espère, que
tu viens de sauver la vie de deux hommes.

Jean de Witt monta dans la voiture, prit place 10
près de son frère, et cria:

— A la porte [2] du Tol-Hek!

III. A LA PORTE DU TOL–HEK

Rosa rentra dans la prison et ferma la porte
derrière elle. On pouvait entendre le bruit du
peuple qui attaquait la grande porte; elle était très 15
solide, mais elle ne résisterait pas longtemps.

Soudain,[3] un cri furieux s'éleva:

— Mort aux traîtres! A mort! A mort!

On avait brisé la porte et pénétré dans la prison.

Cinq minutes plus tard, un autre cri s'éleva par- 20
tout dans la prison et dans la place, cette fois, un
cri de colère:

— Sauvés! sauvés! Ils n'y sont plus!

En effet, les deux frères avaient gagné [4] la porte du
Tol-Hek. Tout à coup la voiture s'arrêta. 25

— Qu'y a-t-il? demanda Jean.

---

[1] **maître,** master. [2] **(porte),** city gate. [3] **Soudain,**
Suddenly. [4] **(gagner),** to reach.

— Oh! mes maîtres, s'écria le cocher, pâle de terreur, la grille est fermée!

— Comment!... fermée? dit Jean. Ce n'est pas l'habitude de fermer la grille pendant le jour ... Je
5 suis certain que le portier [1] nous ouvrira.

Mais le portier leur expliqua [2] qu'il ne pouvait pas l'ouvrir ... qu'un jeune homme de vingt-deux ans, pâle et maigre,[3] lui avait pris la clef, ce matin même ... que cet homme avait un ordre signé ...

10 — Eh bien, dit tranquillement Corneille, il paraît que nous sommes vraiment perdus!

— Vite! dit Jean au cocher, nous devons gagner une autre porte. Vite! Vite!

Le portier regarda le cocher, qui conduisait [4] la
15 voiture vers l'autre extrémité de la rue. Mais des gens avaient reconnu les de Witt, et leur fermèrent le chemin, en criant:

— Arrête! arrête!

Le cocher s'arrêta. En un instant la voiture se
20 trouva prise.

De la fenêtre d'une maison en face, un jeune homme, pâle et maigre, regardait le spectacle qui se préparait. Derrière lui apparaissait le visage d'un officier.

25 — Oh! mon Dieu! monseigneur,[5] que va-t-il se passer? murmura l'officier.

— Quelque chose de terrible,[6] j'en suis sûr, répondit le jeune homme.

---

[1] (portier), gatekeeper. [2] expliquer, to explain.
[3] maigre, thin. [4] (conduire), to drive. [5] (monseigneur), my lord. [6] Quelque chose de terrible, Something terrible.

— Oh! voyez-vous, monseigneur, ils tirent le grand pensionnaire de la voiture . . . ils le battent . . . ils le déchirent![1] Et voici qu'ils en tirent Corneille . . . on lui donne un coup de barre de fer sur la tête . . . il se relève[2] . . . il retombe . . . sa tête est brisée 5 . . . Monseigneur, ne pourrait-on pas sauver ces pauvres hommes?

— Colonel van Deken, allez, je vous prie, trouver mes troupes.

L'officier le salua et partit. Guillaume d'Orange 10 quitta la fenêtre. Sans attendre la fin de toute cette horreur, il traversa la foule et gagna la porte du Tol-Hek. Personne ne sait s'il voyait les gens qui traînaient[3] les deux cadavres jusqu'à la place du Buytenhoff, où ils les suspendirent par les pieds à 15 un gibet[4] improvisé.

A la vue[5] du jeune homme, le portier du Tol-Hek s'écria:

— Ah! monsieur, me rapportez-vous[6] la clef?

— Oui, mon ami, la voilà, répondit le jeune homme. 20

— C'est un bien grand malheur que vous ne m'ayez pas rapporté cette clef une demi-heure[7] plus tôt![8] Vous auriez pu sauver[9] la vie des messieurs de Witt. Ils ont été obligés de retourner . . .

En ce moment, le colonel van Deken arriva à la 25 porte.

---

[1] déchirer, to tear to pieces. [2] (se relever), to get up again.
[3] (traîner), to drag. [4] GIBET, gallows. [5] (vue), sight, view. [6] (rapporter), to bring back. [7] demi, half; une demi-heure, half an hour. [8] tôt, soon, early. [9] Vous auriez pu sauver, You could have saved.

— Monseigneur, dit-il, je n'ai pu sortir de la ville pour aller trouver vos troupes; j'ai trouvé toutes les portes fermées.

— Eh bien! cet homme va nous ouvrir celle-ci, 5 dit le prince.

— Monseigneur veut-il mon cheval?

— Merci, colonel, il y a un cheval [1] qui m'attend à quelques pas d'ici.

Le prince prit un sifflet dans sa poche et siffla [2] 10 deux fois. Un soldat parut, conduisant un cheval. Guillaume sauta [3] sur le cheval, en disant au colonel étonné:

— Suivez-moi. Ce qui est fait, est fait... Je n'en suis pas la cause.

IV. L'AMATEUR [4] DE TULIPES ET SON VOISIN

15 Pendant tout ce tumulte qui finit avec la mort des frères de Witt, Craeke continuait son voyage vers Dordrecht. Une fois arrivé dans cette ville, [5] il alla trouver la maison du docteur Cornélius van Baerle, filleul de Corneille de Witt, et gardien de la corres-20 pondance fatale.

Van Baerle avait vingt-huit ans et possédait une fortune que lui avait laissée son père. Il était très savant, [6] et on lui avait offert une position au gouvernement, mais il avait préféré la vie d'un simple

[1] **cheval,** horse. [2] **siffler,** to whistle. [3] **sauter,** to jump, leap. [4] (**amateur**), lover, amateur. [5] **ville,** city. [6] (**savant**) *adj.*, learned.

170

cultivateur [1] de tulipes, occupation qui était à ce temps très à la mode [2] en Hollande. Il y avait obtenu [3] de grand succès, ayant réussi à créer quelques nouvelles espèces.[4]

Depuis longtemps Cornélius essayait de découvrir 5 une tulipe noire pour gagner le prix [5] de cent mille florins [6] offert par la Société horticole [7] de Harlem.[8] En août 1672, il crut avoir trouvé le secret. Il possédait trois caïeux [9] qui, à son avis,[10] donneraient des tulipes noires. 10

Cornélius avait pour voisin un bourgeois nommé [11] Boxtel qui, lui aussi, était amateur de tulipes. Ce Boxtel n'était pas riche, mais il avait gagné une certaine réputation dans sa profession. Cependant, van Baerle le surpassait dans la culture [12] de tulipes, 15 et Boxtel était devenu extrêmement jaloux, sans que Cornélius le sût. Il se mit à détester son voisin et voulait même lui faire du mal. Sachant que Cornélius cherchait le secret de la tulipe noire, il acheta un télescope, se cachait au fond de son jardin, et chaque 20 jour suivait tous les mouvements de son voisin.

Un jour au mois de janvier,[13] au moyen de ce télescope, Boxtel avait découvert Corneille, qui visitait son filleul dans son séchoir.[14] Il avait vu les

[1] (cultivateur), grower.   [2] mode, fashion; à la mode, fashionable.   [3] (obtenir), to obtain, achieve.   [4] espèce, species, kind.   [5] prix, prize.   [6] FLORIN, a Dutch coin worth about forty cents.   [7] HORTICOLE, horticultural.   [8] Harlem is north of the Hague, near the North Sea.   [9] CAÏEU, part of a bulb, a young bulb.   [10] AVIS, opinion.   [11] nommer, to name.   [12] (culture), growing, cultivation.   [13] janvier, January.   [14] (séchoir), drying room.

papiers confiés à Cornélius; il avait vu que Cornélius mit ces papiers dans un certain tiroir [1] derrière ses caïeux; et il avait cru que c'était un secret politique. Alors il devint impatient et attendit un moment
5 opportun pour découvrir le secret et dénoncer son rival.

L'après-midi du 20 août 1672, Cornélius était dans son séchoir, où il venait de détacher trois caïeux parfaits, intacts.

10 — Ce sont les caïeux de la grande tulipe noire, se disait-il. S'il est vrai, comme je l'espère, je gagnerai le prix de la Société. Quel bonheur! Quelle joie, après tout mon travail! Comment nommera-t-on cette fleur incomparable? *Tulipa nigra Barlaensis?*
15 Oui, *Barlaensis* . . . beau nom! . . . les charmants [2] caïeux!

En ce moment, son serviteur entra et annonça un messager [3] de la Haye, un monsieur Craeke.

— Craeke? . . . Bon! un moment! répondit Cor-
20 nélius.

Mais Craeke n'attendit pas. Il se précipita [4] dans le séchoir. Cornélius, troublé [5] par cette apparition violente, laissa tomber deux des caïeux, qui roulèrent [6] sous la table.

25 — Au diable! [7] dit-il, se baissant pour les ramasser.[8] Qu'y a-t-il donc, Craeke?

— Vous êtes invité à lire ce papier sans perdre un

---

[1] (**tiroir**), drawer. [2] (**charmant**), charming. [3] (**messager**), messenger. [4] SE PRÉCIPITER, to rush. [5] (**troublé**), disturbed, distracted. [6] **rouler,** to roll. [7] diable, devil; au diable! confound it! [8] (**ramasser**), to pick (gather) up.

seul instant, répondit Craeke, en le mettant sur la table où restait le troisième caïeu.

Mais Cornélius examinait les deux caïeux, l'un après l'autre, en murmurant:

— Ce diable de Craeke!... entrer ainsi dans mon séchoir! Heureusement, les caïeux sont toujours intacts...

Au même instant, son serviteur se précipita dans le séchoir, en s'écriant:

— Monsieur, monsieur, fuyez vite!... La maison est pleine de gardes qui vous cherchent...

— Pourquoi faire?

— Pour vous arrêter...

— Que veut dire cela? demanda van Baerle, saisissant ses caïeux.

— Ils montent... ils montent! cria le serviteur. Vite, monsieur, sautez par la fenêtre.

— Vingt-cinq pieds... et je tomberai sur mes tulipes... Jamais!

On entendit des pas dans l'escalier. Cornélius chercha des yeux un papier où envelopper ses caïeux. Il aperçut la feuille de la Bible que Craeke avait mise sur la table, la prit sans y penser, y enveloppa les caïeux, les cacha dans sa poitrine,[1] et attendit.

Un magistrat entra, suivi de soldats.

— Vous êtes le docteur Cornélius van Baerle? demanda-t-il. Bon! nous voulons les papiers que le traître Corneille de Witt vous a confiés au mois de janvier. Voulez-vous me les donner?

[1] poitrine, breast.

173

— Mais je ne peux pas . . . Ces papiers ne sont pas à moi . . .

Avant que[1] Cornélius pût finir ce qu'il voulait dire, le magistrat s'approcha de la table, ouvrit le troisième tiroir, prit les papiers, et s'écria d'une voix terrible:

— Au nom des États,[2] je vous arrête.[3] La justice n'a donc pas reçu un faux avis[4] . . . Suivez-nous!

— Où cela?

— A la Haye.

Stupéfait,[5] le jeune homme suivit le magistrat, qui l'enferma dans une voiture et le fit conduire à la Haye.

Cette nuit-là, vers minuit,[6] un homme plaça une petite échelle[7] contre le mur du jardin de Cornélius, monta et écouta. Pas un bruit ne troublait le silence de la nuit. Boxtel avait accompli son but.[8] Il passa l'échelle dans le jardin de Cornélius et descendit. Puis il courut à l'endroit[9] où il savait que Cornélius avait mis les caïeux de la tulipe noire, et plongea ses mains dans la terre molle.[10] Il n'y trouva rien . . . rien . . . Il devint presque fou, car il s'aperçut que ce matin même la terre avait été remuée.[11]

Tout à coup l'idée lui vint que les caïeux étaient dans le séchoir. Là, il les trouverait. Ce ne serait

[1] **Avant que,** Before.   [2] **état,** state.   In the United Provinces, there were seven States, of which the province of Holland was one.   [3] (**arrêter**), to arrest.   [4] (**avis**), advice, notice.   [5] STUPÉFAIT, stupefied.   [6] (**minuit**), midnight.   [7] **échelle,** ladder.   [8] BUT, aim, object.   [9] **endroit,** place, spot.   [10] molle (*masc.* **mou, mol**), soft.   [11] **remuer,** to stir, move, disturb.

174

pas difficile. Cornélius avait ouvert les fenêtres le matin, et personne ne les avait fermées.   Boxtel alla prendre l'échelle, la mit contre la muraille [1] de la maison, monta, et pénétra dans le séchoir.   Il ouvrit et ferma tous les tiroirs, mais de la tulipe noire il **5** n'y en avait pas de traces . . . pas un seul caïeu . . . Puis, tout à coup, il s'écria:

— Oh! misérable [2] que je suis! est-ce qu'on abandonne à Dordrecht les caïeux de la grande tulipe noire, quand on part pour la Haye!   Il les a sur **10** lui!   Il les a emportés à la Haye!   Eh bien! s'il les a, il ne peut les garder que tant [3] qu'il sera vivant, et . . .

Le reste de sa pensée [4] se perdit [5] dans un sourire hideux.   **15**

— Alors, à la Haye!

V. LA CHAMBRE DE FAMILLE

Il était minuit, aussi, quand le pauvre van Baerle arriva au Buytenhoff.   Gryphus le reçut, en disant avec un sourire:

— Filleul de Corneille de Witt, nous avons ici la **20** chambre de famille; nous allons vous la donner.

Le geôlier prit ses clefs et sa lanterne, et le conduisit vers la chambre que Corneille de Witt venait de quitter le matin.

En montant l'escalier, Cornélius avait vu le visage **25**

---

[1] (**muraille**), wall.   [2] MISÉRABLE, wretch.   [3] **tant que,** as long as.   [4] (**pensée**), thought.   [5] (**se perdre**), to become lost.

175

rose et les cheveux blonds d'une jeune fille qui, une lampe à la main, avait ouvert le guichet[1] d'une chambre dans la muraille. Ce n'était qu'une vision d'un moment.

5 Une fois entré dans sa chambre, Cornélius se jeta sur le lit que le geôlier lui avait montré avant de sortir. Mais il ne put pas dormir, malgré sa fatigue. Au premier rayon[2] de lumière dans le ciel, il se leva et regarda par la fenêtre. A l'extrémité de la place, 10 une masse noire s'éleva . . . c'était le gibet. Deux cadavres y pendaient par les pieds. A leur vue, Cornélius poussa un cri d'horreur et frappa des pieds et des mains à sa porte. Le bruit fit monter Gryphus qui, furieux, s'écria:

15 — Ah! êtes-vous fou comme les autres de Witt!

— Monsieur, monsieur, dit Cornélius, ces deux morts là-bas . . . pourquoi les a-t-on tués? . . . pourquoi? . . .

— Ah! ah! . . . mon cher monsieur, voilà ce qui 20 arrive quand on a des relations avec les ennemis de monsieur le prince d'Orange.

— Assassinés! . . . les messieurs de Witt ont été assassinés! . . .

Et les bras pendants, les yeux fermés, Cornélius 25 tomba évanoui sur son lit.

Quand il revint à lui,[3] il se trouva seul . . . seul dans cette prison . . . sans un atome de terre . . . sans un rayon de soleil.

---

[1] GUICHET, a small window or grating in a door. [2] rayon, ray, beam. [3] Quand il revint à lui, When he came to his senses.

VI. LA FILLE DU GEÔLIER

Le même soir, en entrant dans la chambre du
prisonnier pour lui apporter le souper[1] Gryphus
glissa[2] sur les pierres humides, tomba et se cassa le
bras. Quand il voulut se relever, il sentit la douleur[3]
et jeta un cri. Puis il retomba[4] évanoui.   5

La porte restait ouverte, et Cornélius se trouvait
libre.

Mais il ne pensa pas à profiter par cet accident . . .
il ne pensa qu'à aider le blessé.

Au cri de son père, Rosa se précipita dans la 10
chambre. En voyant Cornélius qui examinait la
fracture, elle lui dit:

— Merci, monsieur, merci de ce que vous
faites.

— Je ne fais que mon devoir[5] de chrétien,[6] ré- 15
pondit Cornélius.

En ce moment, Gryphus, revenant à lui, ouvrit
les yeux, et sa brutalité lui revenant avec la
vie:

— Ah! dit-il, je viens vous apporter le souper, je 20
me presse, je tombe, je me casse le bras . . . et vous
me laissez là sur les pierres!

— Silence, mon père, dit Rosa, vous êtes injuste.
J'ai trouvé ce jeune homme occupé à vous aider.

— Lui? dit Gryphus, est-il médecin?[7]   25

— C'est ma première profession, répondit Corné-

---

[1] **souper,** supper.   [2] **glisser,** to slip.   [3] **douleur,** pain.
[4] **(retomber),** to fall back (again).   [5] **(devoir)** *n.,* duty.
[6] CHRÉTIEN, Christian.   [7] **médecin,** doctor.

lius. Maintenant, monsieur, on va vous remettre le bras.[1]

Mais avant que Cornélius pût compléter cette opération, le geôlier s'évanouit une seconde fois.

5 Pendant ces moments précieux, Rosa s'approcha de Cornélius:

— Monsieur, service pour service, lui dit-elle. Je sais que le juge va vous interroger demain . . . et je crois que rien de bon ne vous attend.

10 — Mais je ne suis pas coupable![2]

— Les frères de Witt, étaient-ils coupables? . . . L'opinion publique veut que vous soyez coupable . . . on vous condamnera après-demain [3]: les choses vont vite . . .

15 — Eh bien, mademoiselle? . . .

— Je suis seule, je suis faible, mon père est évanoui. Rien ne vous empêche de vous sauver [4] . . . Je n'ai pu sauver les de Witt, hélas! . . . et je voudrais bien vous sauver, vous. Faites vite![5] si vous 20 hésitez, il sera trop tard!

— Je ne puis accepter . . . on vous accuserait. Merci . . . je reste.

— Vous refusez! Mon Dieu! Ne comprenez-vous pas que vous serez condamné à mort . . . exécuté . . . 25 assassiné, peut-être? Au nom du ciel, fuyez! . . .

Mais il était trop tard; Gryphus venait de se réveiller. Il se leva, prit sa fille par le bras et la

---

[1] **on va vous remettre le bras,** we are going to set your arm. [2] COUPABLE, guilty. [3] (**après-demain**), day after tomorrow. [4] (**se sauver**), to escape. [5] **Faites vite!** Act quickly!

poussa devant lui dans l'escalier, en lui disant de ne plus venir voir des prisonniers.

Elle n'eut que le temps de jeter un dernier regard à Cornélius qui semblait dire:

— Vous voyez bien!... Je ne pourrai jamais 5 revenir...

VII. LE TESTAMENT DE CORNÉLIUS VAN BAERLE

Rosa avait raison. Le lendemain, les juges vinrent au Buytenhoff et interrogèrent [1] le prisonnier. L'interrogatoire [2] ne fut pas long; Cornélius entendit la sentence avec un visage plus étonné que triste. On 10 allait l'exécuter ce jour même, à midi... et il était déjà dix heures vingt! Alors, il n'y avait pas de temps à perdre...

Le greffier [3] finit la lecture [4] de la sentence et quitta la chambre. Cornélius resta seul avec ses pensées... 15

Tout à coup, il entendit un sanglot [5] derrière la porte que le greffier avait oublié de fermer à clef. Puis la porte s'ouvrit lentement, et Rosa entra dans la chambre. Elle pleurait:

— Oh! monsieur! monsieur! dit-elle, essayant 20 d'étouffer [6] ses sanglots, je viens vous demander une grâce [7]... Pardonnez à mon père... il a été si

---

[1] INTERROGER, to question, interrogate. [2] (interrogatoire), questioning, examination. [3] GREFFIER, clerk of the court.
[4] (lecture), reading. [5] sanglot, sobbing, sob. [6] ÉTOUFFER, to stifle, suppress. [7] GRÂCE, favor.

179

dur[1] pour vous! Mais il est ainsi pour tous; il est
ainsi de sa nature . . .

. — Je lui pardonne, chère Rosa; il est déjà assez
puni.[2]

5 — Merci! . . . et maintenant, moi, qu'est-ce que je
puis faire . . .?

— Je n'ai qu'un seul désir, Rosa, dit Cornélius,
tirant de sa poitrine le papier qui enveloppait les
trois caïeux. J'ai beaucoup aimé les fleurs . . . je ne
10 savais pas que l'on pût aimer autre chose. Je crois
que j'ai trouvé le secret de la tulipe noire que l'on
croit impossible, et qui est l'objet d'un prix de cent
mille florins proposé par la Société horticole de
Harlem. Ces cent mille florins sont dans ce papier;
15 ils sont gagnés avec les trois caïeux qu'il renferme.[3]
Je vous les donne.

— Monsieur Cornélius! . . .

— Oh! vous pouvez les prendre, Rosa . . . Je suis
seul au monde. Prenez-les, je vous prie . . . cent
20 mille florins feront une belle dot[4] à votre beauté.[5]
Je ne vous demande en échange que la promesse
d'épouser[6] un brave garçon, jeune, que vous ai-
merez, et qui vous aimera autant que moi, j'aimais
les fleurs. . . . Écoutez-moi, Rosa, je n'ai plus que
25 quelques minutes . . .

Puis il lui expliqua comment procéder. Elle devrait aller prendre de la terre dans son jardin de
Dordrecht et planter les caïeux dans une boîte pro-

---

[1] (dur), harsh, stern.   [2] punir, to punish.   [3] (renfermer),
to contain, inclose.   [4] DOT, dowry.   [5] (beauté), beauty.
[6] ÉPOUSER, to marry.

fonde; ils fleuriraient [1] dans sept mois. La fleur serait noire . . . il en était sûr . . .

— Et maintenant, continua-t-il, je ne désire plus rien, excepté que la tulipe s'appelle *Rosa Barlaensis*, votre nom et le mien. Voulez-vous que j'écrive ce nom ? . . . vous pourriez l'oublier.

Rosa lui tendit la Bible et un crayon que Corneille de Witt lui avait donnés en quittant la prison. Elle dit à Cornélius qu'elle ne savait pas lire, mais que, ce qu'il écrirait, serait accompli. Il prit la Bible et écrivit sur la seconde page:

« Ce 23 août 1672, je lègue [2] à Rosa Gryphus le seul bien [3] qui me reste dans ce monde: trois caïeux qui, dans ma conviction profonde, donneront au mois de mai prochain [4] la grande tulipe noire, objet du prix de cent mille florins proposé par la Société de Harlem, désirant qu'elle touche ces cent mille florins à ma place, à la seule condition d'épouser un jeune homme de mon âge, qui l'aimera et qu'elle aimera, et de donner le nom de *Rosa Barlaensis* à la tulipe noire.

« Dieu me trouve en grâce ! [5]

CORNÉLIUS VAN BAERLE. »

Puis, il lut à Rosa ce qu'il venait d'écrire, et lui donna la Bible, en disant:

— Acceptez-vous mes conditions ?

---

[1] **(fleurir)**, to bloom, blossom. [2] LÉGUER, to bequeath.
[3] **(bien)** *n.*, property. [4] **(prochain)**, next. [5] **Dieu me trouve en grâce !** May God be merciful unto me!

— Oh! monsieur, il y en a une que je ne saurais pas tenir [1] . . . je n'aimerai jamais personne . . . je ne me marierai pas . . .

Un bruit de pas dans l'escalier se fit entendre au
5 moment où Rosa mettait les caïeux dans son corsage [2] . . . Le greffier, suivi de soldats, parut à la porte. Cornélius ne résista pas. Avant de descendre, il se retourna pour jeter un dernier regard sur Rosa. Il ne vit qu'un corps inanimé, étendu
10 sur le lit.

VIII. LE GUICHET

On conduisit le prisonnier dans la place de la prison, déjà remplie de spectateurs. Près du gibet, où pendaient les cadavres des deux frères, on avait dressé [3] un échafaud.[4] Cornélius y monta, se mit
15 à genoux, et tendit le cou pour l'épée [5] de l'exécuteur.[6]

Trois fois il sentit le vent [7] froid de l'épée passer sur son cou. Mais il ne sentit aucune douleur. Puis il entendit une voix qui lisait sur une grande
20 feuille de papier . . .

Le prince d'Orange lui avait fait grâce [8] . . . Il avait commuté la sentence de mort à une condamnation d'emprisonnement à vie dans la forteresse de Loewestein, près de Dordrecht.

---

[1] **que je ne saurais pas tenir,** that I could not keep.
[2] CORSAGE, bodice. [3] DRESSER, to erect, build. [4] ÉCHAFAUD, scaffold. [5] **épée,** sword. [6] (**exécuteur**), executioner. [7] **vent,** wind. [8] **lui avait fait grâce,** had pardoned him.

Van Baerle fut donc emprisonné à Loewestein.

Un jour, il vit des pigeons se percher sur le bord [1] de la fenêtre de son cachot. Ils venaient de Dordrecht, dont il pouvait voir les toits,[2] au loin.[3]

L'idée lui vint d'essayer de prendre un de ces [5] pigeons, d'attacher [4] à son aile [5] une lettre adressée à son serviteur à Dordrecht avec un message pour Rosa . . . En février 1673, il y réussit. Son serviteur à Dordrecht reçut la lettre et transmit le message à Rosa. [10]

Un soir, Cornélius entendit dans l'escalier une voix qui le fit trembler de joie. Il écouta . . . C'était la voix douce de Rosa! Et sa belle figure parut au guichet.

— Rosa! Rosa! cria-t-il. [15]

— Silence! parlons bas. Mon père est dans la cour au bas de l'escalier . . . il va monter. Écoutez . . . je vais tout vous dire en deux mots. Votre serviteur m'a lu votre lettre . . . depuis longtemps je voulais vous rapporter les caïeux . . . alors, j'ai [20] couru chez ma tante, à Leyde, où elle a la direction d'une laiterie [6] du prince d'Orange. J'y suis restée jusqu'à l'arrivée de Son Altesse,[7] puis je l'ai prié de faire remplacer [8] le geôlier de cette forteresse par mon père . . . et me voici! [25]

— Oh! Rosa! vous m'aimez . . .

Mais elle avait quitté le guichet, car le vieux Gryphus apparaissait au haut [9] de l'escalier pour

[1] **bord,** edge, sill.　[2] **toit,** roof.　[3] **au loin,** in the distance.
[4] **attacher,** to tie, fasten.　[5] **aile,** wing.　[6] **(laiterie),** dairy.
[7] **Altesse,** Highness.　[8] **(remplacer),** replace.　[9] **(haut)** *n.,* top.

faire sa ronde.[1] Arrivé devant la porte de Cornélius et sans savoir que c'était lui, il annonça qu'il était le nouveau geôlier.

— Bonjour, mon cher Gryphus, dit Cornélius, je
5 vous connais bien.

— Tiens![2] tiens! c'est vous, monsieur van Baerle, répondit le geôlier, levant sa lanterne au guichet pour mieux voir. Ah! c'est vous! Son Altesse vous a laissé la vie; je ne l'aurais pas fait, moi...
10 C'était une grande faute! Vous êtes homme à conspirer de nouveau.[3] Je ne vous cache pas que je vais vous rendre la vie très dure.

— Merci de la promesse, maître Gryphus.

Le geôlier ouvrit la porte, entra et alla vers la
15 fenêtre.

— Quelle vue a-t-on d'ici?... ah! ah! trop de vue, trop de vue! dit-il, examinant l'horizon immense qui se perdait dans la nuit.

Il n'entendit pas la voix de Rosa qui disait tout
20 bas, au guichet:

— A neuf heures ce soir; attendez-moi.

Il ferma la fenêtre, sortit, et alla continuer sa ronde.

A neuf heures précises,[4] Rosa apparut au guichet, selon[5] sa promesse. Elle expliqua à Cornélius que
25 son père aimait dormir après son souper, et qu'elle pourrait venir chaque soir causer une heure avec lui.

— Je vous ai rapporté vos caïeux de tulipe, dit-elle.

---

[1] (ronde), rounds. [2] Tiens! Well! [3] de nouveau, again.
[4] précis, exact, precise; à neuf heures précises, at exactly nine o'clock. [5] SELON, according to.

— Ah! vous les avez toujours!

— Mais oui!... et votre lettre m'a rendue plus déterminée que jamais de vous les rapporter. Oh! cette lettre que je n'ai pu lire! Comme j'ai bien souvent regretté de ne pas savoir lire! 5

— Pourquoi?

— Mais pour lire les lettres que l'on m'écrivait`.. Voyez-vous, tous les étudiants et les officiers qui passaient sur le Buytenhoff et me voyaient à ma fenêtre... 10

— Ah! et qu'en faisiez-vous, Rosa, de ces lettres?

— Une amie me les lisait... cela m'amusait. Mais depuis un certain temps, je les brûle.

— Depuis un certain temps...?

Mais Rosa avait disparu, en oubliant de rendre à 15 Cornélius les trois caïeux de la tulipe noire.

IX. MAÎTRE [1] ET ÉCOLIÈRE [2]

Le lendemain, à neuf heures, Rosa apparut au guichet. Elle tendit à Cornélius les trois caïeux toujours enveloppés dans le même papier. Mais il les repoussa,[3] en disant: 20

— Non, Rosa, nous risquerions trop de mettre toute notre fortune dans le même sac. Il nous faut prendre des précautions... Y a-t-il un jardin ou une terrasse dans cette forteresse?

— Nous avons un très beau jardin. 25

---

[1] (maître), teacher. [2] (écolière, *m.* écolier), pupil. [3] (repousser), to push back (away).

— Pouvez-vous m'apporter un peu de la terre de ce jardin pour que [1] je l'examine ?

— Demain, si vous voulez . . .

— Alors, vous planterez un de ces caïeux selon
5 mes indications; il fleurira, si vous le soignez [2]
bien . . . le deuxième caïeu, vous le tiendrez en réserve . . . le troisième, je le planterai ici dans mon
cachot pour m'aider à passer les longues heures
pendant lesquelles je ne vous vois pas.

10 — J'ai compris. Je vous apporterai demain de la
terre, vous choisirez [3] la mienne et la vôtre . . .

Puis Cornélius lui dit de garder son caïeu contre
le mauvais temps, contre trop de soleil, contre les
rats, et surtout contre l'homme. Elle le lui promit.
15 C'était l'heure de partir; elle descendit.

Chaque soir elle lui apportait de la terre du jardin,
et causait avec lui. Pour le tulipier, [4] la vie de prison devenait douce et remplie.

Vers le commencement d'avril, [5] Cornélius planta
20 son caïeu dans une cruche cassée, qu'il cacha aux
yeux de Gryphus. Et Rosa avait préparé le jardin
pour y planter son caïeu, à elle, [6] au premier beau
jour.

Un soir, Rosa lui dit:

25 — Vous m'avez promis de m'apprendre [7] à lire et
à écrire . . . quand commencerons-nous ?

— Tout de suite . . . non, demain, parce que notre

---

[1] **pour que**, in order that.   [2] **(soigner)**, to care for, take
care of.   [3] **choisir**, to choose.   [4] **(tulipier)**, tulip grower.
[5] **avril**, April.   [6] **son caïeu, à elle**, her bulb. *A elle* empha-
sizes the ownership.   [7] **apprendre**, to teach.

heure est déjà passée.   Mais dans quoi lirons-
nous?

— Oh! j'ai un livre, un livre qui, je l'espère, nous
portera bonheur.

— A demain [1] donc?   5

— A demain.

X. LE PREMIER CAÏEU

Le lendemain Rosa revint avec la Bible de Corneille de Witt.

A la lumière de la lampe qu'elle tenait à la main,
elle reçut sa première leçon.[2]   Descendue chez elle, 10
Rosa repassait [3] seule dans son esprit les leçons de
lecture, et en même temps dans son âme, les leçons
d'amour.

Un soir, elle arriva une demi-heure plus tard que
d'ordinaire.[4]   Son père venait de recevoir la visite 15
d'un homme qui fréquentait la prison à la Haye . . .
un homme qui aimait la bouteille et qui racontait [5]
de joyeuses [6] histoires . . . Au Buytenhoff, il prenait
pour prétexte qu'il venait voir Cornélius . . .

— Me voir, moi? demanda Cornélius.   20

— Oh! prétexte, bien sûr . . . car aujourd'hui [7] il
n'a pas pris ce prétexte.   Il dit même qu'il ne vous
connaît pas.   Je pense que ce monsieur, ce monsieur
Gisels, Jacob Gisels, s'intéresse à moi.   Hier, comme

---

[1] **A demain,** Good-bye until tomorrow.   [2] leçon, lesson.
[3] **(repasser)**, to review, go over again.   [4] **d'ordinaire**, usually.
[5] **(raconter)**, to tell, relate.   [6] joyeuse (*m.* joyeux), merry,
joyful.   [7] **aujourd'hui**, today.

je préparais le jardin où je dois planter votre caïeu,
j'ai vu quelqu'un qui se glissait derrière un arbre . . .
il m'épiait[1] . . . c'était notre homme. Il ne savait
pas que je l'avais reconnu.

5 — C'est un amoureux . . . est-il jeune ? . . . est-il
beau ? . . .

— Jeune, beau ? . . . Il est hideux de visage et il
approche de cinquante ans !

— En tout cas,[2] s'il vous aime, ce qui est bien
10 probable, car vous voir c'est vous aimer, vous ne
l'aimez pas, vous ?

— Oh ! non ! . . . mais parlons de votre tulipe,
monsieur . . .

— Ah ! Rosa, jugez de ma joie ! ce matin, je re-
15 gardais la tulipe au soleil . . . elle pousse hors de la
terre !

— Quelle belle nouvelle ! . . . et quand planterai-je
mon caïeu ?

— Au premier beau jour, je vous le dirai . . . mais
20 ne dites votre secret à personne, et gardez bien le
troisième caïeu qui vous reste.

— Il est encore dans le même papier où vous
l'avez mis ; je l'ai placé dans un endroit loin de tout
danger.

25 Tout à coup, elle écouta, inquiète. Elle avait
entendu quelque chose comme un pas dans l'escalier.
Elle sut que ce n'était pas son père . . .

— Ce pourrait être monsieur Jacob, dit-elle, en se
précipitant dans l'escalier.

---

[1] ÉPIER, to spy (upon). [2] CAS, case; **en tout cas,** anyway,
at any rate.

En effet, on entendit une porte qui se fermait rapidement en bas.

Pendant huit jours,[1] Cornélius continuait à soigner sa tulipe. Il avait suspendu la cruche hors de sa fenêtre pour la cacher à Gryphus. Mais, un matin, la porte s'ouvrit tout à coup, et Cornélius fut surpris, sa cruche entre ses genoux. 5

— Ah! ah! je vous y prends![2] s'écria le geôlier. Qu'avez-vous là? Une cruche ... de la terre! Il y a quelque secret caché là! 10

Et il saisit la cruche et commença à creuser la terre avec ses doigts.

— Monsieur! monsieur! prenez garde![3] cria Cornélius, tout pâle. Vous allez la détruire![4]

Il arracha la cruche aux mains du geôlier, mais 15 celui-ci, croyant qu'il venait de découvrir une conspiration[5] contre le prince d'Orange, courut sur[6] son prisonnier, le bâton levé, et saisit la cruche, en hurlant[7]:

— Lâchez![8] lâchez! ou j'appelle la garde! 20

— Non! appelez la garde si vous voulez, mais vous n'aurez cette pauvre fleur qu'avec ma vie!

Gryphus, exaspéré, plongea ses doigts pour la seconde fois dans la terre molle, et cette fois il en tira le caïeu tout noir, qu'il jeta avec violence sur les 25 pierres. Le caïeu disparut presque aussitôt sous le gros pied du geôlier.

---

[1] **huit jours,** a week. [2] **je vous y prends!** now I've caught you at it! [3] **prenez garde!** take care! [4] **détruire,** to destroy. [5] **(conspiration),** plot. [6] **courir sur,** to rush upon, attack. [7] HURLER, to howl, yell. [8] **lâcher,** to release, let go.

Cornélius poussa un cri de désespoir, et leva de ses deux mains la cruche lourde pour la laisser tomber sur la tête de Gryphus, mais un cri l'arrêta. Ce cri, plein de larmes, fut poussé par Rosa, qui vint
5 se mettre entre son père et son ami. Le prisonnier abandonna la cruche qui se brisa en mille morceaux. Alors Gryphus comprit le danger qu'il venait de courir.

— Oh! il faut que vous soyez un homme bien
10 lâche pour arracher à un pauvre prisonnier sa seule consolation . . . un caïeu de tulipe! cria la jeune fille. C'est un crime que vous venez de commettre là, mon père . . .

— Ah! c'est vous! s'écria le geôlier, enragé.
15 Mêlez-vous de vos affaires![1] . . . Descendez . . . et au plus vite![2] Après tout, ce n'est qu'une tulipe; il y en a d'autres . . . j'en ai trois cents.

— Au diable vos tulipes! s'écria Cornélius. Vous ne pourriez jamais remplacer cette tulipe que vous
20 avez détruite là!

— Ah! ah! alors ce n'est pas à la tulipe que vous pensez! C'était un moyen de correspondance peut-être avec les ennemis de Son Altesse. On a bien commis une faute à ne pas vous couper le cou . . .
25 Eh bien! . . . tant mieux![3] je l'ai détruite, et si vous recommencez, il en sera de même![4]

---

[1] MÊLER, to mix, mingle; **mêlez-vous de vos affaires!** mind your own business!   [2] **au plus vite!** as fast as you can'
[3] **tant mieux!** so much the better!   [4] **il en sera de même** the same thing will happen again!

190

— Maudit![1] maudit! hurla Cornélius, en ramassant les morceaux du caïeu.

— Je planterai l'autre demain, cher monsieur Cornélius, murmura Rosa. On va recommencer demain . . . 5

XI. L'AMOUREUX DE ROSA

On entendit une voix dans l'escalier; c'était M. Jacob qui appelait le geôlier. Gryphus, poussant sa fille devant lui, descendit.

Le soir, la jeune fille revint.

Elle annonça à Cornélius que son père ne s'op- 10
posait plus à ce qu'il cultivât des fleurs. Monsieur Jacob avait été furieux quand Gryphus lui raconta l'histoire du caïeu; il avait accusé Gryphus d'un crime brutal.

— Mon père regrette ce qu'il a fait, dit Rosa. 15
Monsieur Jacob lui a dit que d'ordinaire il y a trois caïeux, et maintenant mon père va faire de son mieux[2] pour trouver les deux autres. M. Jacob a même voulu chercher votre chambre . . .

— Mais c'est un scélérat[3] que[4] ce monsieur Jacob! 20
Ah! Rosa, ce n'était pas vous qu'il épiait l'autre jour, c'était mon caïeu; c'est de ma tulipe qu'il est amoureux. Eh bien! demain, allez au jardin et faites semblant de[5] planter votre caïeu, mais gardez le troisième caïeu dans votre chambre, car quelque 25

---

[1] (maudire), to curse; maudit! curses on you!   [2] de son mieux, his best.   [3] SCÉLÉRAT, scoundrel, rascal.   [4] Ignore que.   [5] faire semblant de, to pretend to.

chose me dit que c'est là notre espoir et notre richesse.[1] Sacrifiez-moi, Rosa, ne venez plus me
voir, si vous apercevez que vous êtes suivie ou que
vos mouvements sont épiés.

5 — Hélas! dit la jeune fille, éclatant en sanglots,
je vois que vous aimez tant les tulipes, qu'il n'y a
plus de place dans votre cœur pour une autre affection.

Et elle s'enfuit.[2]

10 Cornélius passa ce soir-là une des plus mauvaises
nuits qu'il eût jamais passées. Rosa était fâchée
contre lui, et elle avait raison. Elle ne reviendrait
plus le voir peut-être . . . il n'aurait plus de nouvelles,
ni de Rosa, ni de ses tulipes . . .

15 Vers trois heures du matin, il s'endormit,[3] mais les
yeux bleus de Rosa remplaçaient la tulipe noire dans
ses rêves.[4]

La pauvre Rosa, enfermée dans sa chambre, ne
pouvait savoir à quoi rêvait [5] Cornélius. Elle prit
20 une résolution: de ne plus revenir au guichet. Elle
était sûre qu'il aimait la tulipe noire mieux qu'elle.

Le lendemain, pendant toute la journée,[6] Cornélius attendait la visite de Rosa. Elle ne vint pas.
Alors il comprit qu'il l'avait blessée . . . qu'elle était
25 jalouse de la tulipe noire.

Après trois jours, son désespoir tourna en mélancolie. Il cessa de manger. Il ne s'intéressa à rien.

— Je crois que nous allons être débarrassés du

---

[1] (richesse), wealth.   [2] (s'enfuir), to flee.   [3] (s'endormir), to go to sleep.   [4] rêve, dream.   [5] rêver, to dream.
[6] (journée), day.

savant, dit Gryphus un soir à monsieur Jacob, car il ne mange ni ne boit rien depuis longtemps.

Rosa devint pâle comme la mort.

— Oh! pensa-t-elle, je comprends; il est inquiet de sa tulipe. 5

Elle rentra dans sa chambre, prit une plume [1] et du papier, et pendant une heure elle travaillait à tracer des lettres.

Le lendemain matin, Cornélius trouva un papier qu'on avait glissé sous la porte. Il l'ouvrit et lut: 10 « Soyez tranquille,[2] votre tulipe se porte bien. »

Il ne perdit pas un instant; prenant son crayon et du papier, il écrivit: « Ce n'est pas l'inquiétude [3] que me cause ma tulipe, qui me rend malade; c'est la douleur [4] que je sens de ne pas vous voir. » Puis 15 il mit le papier sous la porte et écouta.

Il n'entendit que ces deux mots, prononcés d'une voix douce [5] comme une caresse:

— A demain.

XII. CE QUI S'ÉTAIT PASSÉ PENDANT CES HUIT JOURS

Le lendemain, à l'heure habituelle, van Baerle en- 20 tendit un petit bruit au guichet. C'était Rosa! Elle poussa un petit cri de surprise quand elle le vit si triste et si pâle:

— Vous êtes souffrant,[6] monsieur Cornélius?

---

[1] (plume), pen.   [2] **Soyez tranquille,** Don't worry.   [3] (**inquiétude**), uneasiness, worry.   [4] (**douleur**), grief.   [5] **douce** (*m.* **doux**), gentle, soft.   [6] (**souffrant**) *adj.*, ill, ailing.

— Oui, mademoiselle, souffrant d'esprit et de corps.

— J'ai vu que vous ne mangiez plus . . . c'est pour cela que je suis venue vous voir . . . et pour vous
5 parler de votre tulipe, qui est, je le sais, votre plus grande préoccupation.

— Ah! encore, encore! Rosa, ne vous ai-je pas dit que je ne pensais qu'à vous, que c'était vous seule que je regrettais?

10 Rosa sourit tristement.

— Ah! votre tulipe a couru un si grand danger!

— Un si grand danger? . . . mon Dieu! et lequel?

Rosa le regarda avec compassion. Puis elle lui dit ce qui s'était passé.

15 Un matin, elle était entrée dans le jardin pour faire semblant de planter le caïeu, comme Cornélius lui avait recommandé. M. Jacob l'avait suivie et s'était caché derrière un arbre. Aussitôt qu'elle était sortie du jardin, il avait couru à l'endroit où
20 il croyait trouver le caïeu; il avait plongé ses deux mains dans la terre molle pour le saisir, mais le caïeu n'était pas là. Alors il avait compris que c'était une ruse, et il était devenu furieux. Il avait mis la terre dans le même état où il l'avait trouvée,
25 et il était rentré dans la forteresse.

— Oh! le scélérat! s'écria Cornélius . . . mais le caïeu?

— Le caïeu est depuis six jours en terre . . . il ne risque pas de nous être volé,[1] car il est dans un pot
30 dans ma chambre.

[1] **voler,** to steal.

— C'est cela,[1] c'est cela!... il y a déjà six jours que le caïeu est en terre?[2] Alors, il paraîtra bientôt, peut-être demain... et vous me donnerez de ses nouvelles, n'est-ce pas?...

— Demain?... Demain, je ne sais si je pourrai 5 ... j'ai mille choses à faire.

— Moi, je n'en ai qu'une...

— Oui... à aimer votre tulipe!

— A vous aimer, Rosa!

Rosa avait approché sa joue fraîche si près du 10 guichet que Cornélius put la toucher de ses lèvres.[3]

La jeune fille poussa un petit cri et disparut.

XIII. LE DEUXIÈME CAÏEU

Chaque soir Rosa revenait au guichet. Ils ne discutaient pas la tulipe noire. Le troisième jour, Rosa annonça joyeusement que la tulipe avait poussé 15 hors de la terre. Quelle joie pour le pauvre prisonnier! Il put donc parler de la tulipe!

— Oh! chère Rosa! s'écria-t-il. Et la tulipe va bien?

— Oui, très bien... elle est déjà haut de deux doigts.[4] Je ne la perds pas de vue. Le jour,[5] je 20 m'assieds et je travaille près d'elle, car depuis qu'elle est dans ma chambre, je ne quitte pas ma chambre.

Ce soir-là, Cornélius fut le plus heureux des hommes.

Chaque jour amena du progrès dans la tulipe et 25

[1] **C'est cela!** That's it! [2] **il y a... en terre?** the bulb has already been in the ground for six days? [3] LÈVRE, lip. [4] **haut de deux doigts,** two fingers high. [5] **Le jour,** During the day.

dans l'amour des deux gens. Enfin, Rosa annonça
que la tulipe s'ouvrait.

— Elle s'ouvre! s'écria Cornélius. Et la couleur?[1]

— Bien foncée![2]

5 — Bien foncée!... merci!... Foncée comme...

— Foncée comme l'encre[3] avec laquelle je vous ai
écrit.

— Rosa, vous avez tant travaillé, tant fait pour
moi... Rosa, ma tulipe va fleurir noire... Rosa,
10 Rosa, vous êtes ce que Dieu a créé[4] de plus parfait
sur la terre! Mais dites-moi, dans deux ou trois
jours, au plus tard,[5] la tulipe va fleurir?

— Demain, ou après-demain, oui.

— A l'instant même qu'elle sera ouverte, vous en-
15 verrez chercher[6] le président de la Société horticole,
monsieur van Systens, à Harlem. Le président, lui-
même, viendra à Loewestein chercher la tulipe.
Mais Rosa, si elle n'allait pas être noire?... Oh!
je mourrai d'impatience!... Venez me le dire le
20 plus vite que possible.[7]

— Si c'est la nuit qu'elle s'ouvre, je viendrai vous
le dire moi-même; si c'est le jour, je glisserai un
papier sous la porte de votre chambre. Voilà dix
heures, il faut que je vous quitte.

25 — Oui! oui!... allez, Rosa, allez!

Le lendemain passa sans nouvelles. Avec la nuit
vint Rosa, joyeuse, légère[8] comme un oiseau.

---

[1] **couleur,** color. [2] **(foncé),** dark (*color*). [3] **encre,** ink.
[4] CRÉER, to create. [5] **au plus tard,** at the very latest. [6] **envoyer chercher,** to send for. [7] **le plus vite que possible,** as
quickly as possible. [8] **légère** (*m.* **léger**), light.

— Eh bien? demanda Cornélius.

— Eh bien! cette nuit,[1] sans faute, votre tulipe fleurira . . . et noire . . . sans une seule tache![2]

— Alors il vous faut trouver un messager . . .

— J'ai un messager tout trouvé . . . un garçon 5 sur lequel je peux compter comme sur moi-même.

— Ah! Rosa, du moment où la fleur sera ouverte, ne perdez pas un moment à envoyer le messager à monsieur van Systens. 10

— Oui, je comprends . . . Aussitôt que la fleur sera ouverte, le messager partira pour Harlem.

— Rosa, je ne sais plus à quelle merveille[3] du ciel ou de la terre vous comparer!

— Comparez-moi à la tulipe noire, monsieur Cor- 15 nélius . . . je serai bien flattée. Disons-nous donc au revoir, monsieur Cornélius.

— Au revoir, mon amie.

Cornélius étouffait de joie et de bonheur. Il ouvrit sa fenêtre et regarda longtemps le ciel et 20 l'horizon. Soudain il entendit des pas légers dans l'escalier et une voix au guichet qui lui disait:

— Cornélius, mon ami, venez vite! Regardez! . . .

D'une main, elle leva une petite lanterne, et de l'autre, elle leva la miraculeuse tulipe. Elle était 25 belle, splendide, magnifique, et sa fleur tout entière était noire et brillante,[4] sans tache.

— Oh! murmura Cornélius, mon Dieu! vous me récompensez de mon innocence et de ma captivité,

---

[1] **cette nuit,** tonight. [2] **tache,** spot. [3] **merveille,** miracle, wonder. [4] (**brillant**) *adj.*, shining, glistening.

puisque vous avez fait pousser ces deux fleurs incomparables au guichet de ma prison!

— Et voici la lettre que j'ai écrite selon vos préscriptions, mon ami; lisez-la.

5 Cornélius prit la lettre et la lut.

— C'est cela, Rosa, dit-il. Cette lettre est excellente; elle annonce la tulipe noire et prie monsieur le président van Systens de venir la prendre lui-même, puisque vous ne pouvez pas sortir. Vite, ma 10 chère, le messager! Et maintenant, mettons-nous sous la garde [1] de Dieu, qui jusqu'ici nous a si bien gardés.

XIV. OÙ LA TULIPE NOIRE CHANGE DE MAÎTRE [2]

Une demi-heure plus tard, Cornélius entendit des cris dans l'escalier, et le visage pâle de Rosa parut 15 au guichet.

— Cornélius! Cornélius! s'écria-t-elle. La tulipe!... on nous l'a prise! on nous l'a volée!

— Prise!... volée!... mais comment cela?... Dites-moi... L'avez-vous laissée seule?

20 — Un seul instant pour aller chercher notre messager qui demeure tout près de la prison... Je vous assure que j'ai fermé la porte à clef.

— Et vous avez laissé la clef à la porte!...

— Non, non, non... je l'ai tenue toujours dans 25 ma main... Je suis sûre que quelqu'un a pris

---

[1] (garde), protection.   [2] change de maître, changes owners.

une clef dans ma chambre, ou en a fait faire une fausse . . .

Ses larmes lui coupaient la parole.[1] Cornélius écoutait presque sans comprendre. Soudain, il saisit les grilles du guichet et les secoua [2] de toutes ses forces, en criant:

— Volée! volée! Ah! c'est cet infâme [3] Jacob! Il faut le poursuivre,[4] il faut l'arrêter avant qu'il porte à Harlem le fruit de nos travaux . . . de tous nos rêves. Rosa, ouvrez-moi cette porte! Le scé- lérat! . . . C'est votre infâme père qui est complice [5] de Jacob. Je vous dis que je tuerai votre père de mes deux mains . . . Ouvrez-moi cette porte!

— Plus bas, plus bas, au nom du ciel! cria Rosa. Puis-je vous ouvrir? Ai-je les clefs sur moi? Si je les avais, ne seriez-vous pas libre depuis longtemps? Mais calmez-vous, mon Cornélius, je lui prendrai ses clefs . . . je vous ouvrirai . . .

Un hurlement [6] lui coupa la parole. Le vieux Gryphus, au milieu de tout ce bruit, était monté sans qu'on pût l'entendre.

— Ah! vous me prendrez mes clefs? . . . Et ce conspirateur, ce monstre, est votre Cornélius? . . . Ah! monsieur le tulipier, vous me tuerez, hein! Très bien! très bien! Son Altesse saura tout de- main. On va vous donner une seconde édition du Buytenhoff! Et je vous assure, mes petits, que vous n'aurez plus ce bonheur de conspirer ensemble.

---

[1] PAROLE, speech. [2] **secouer,** to shake. [3] INFÂME, in-famous. [4] **(poursuivre),** to pursue, follow. [5] **(complice),** accomplice. [6] **(hurlement),** howling, yell.

Maintenant, la belle,[1] descends! et vite! Au revoir, monsieur le savant!

Rosa, folle de terreur, envoya un baiser [2] à son ami et descendit l'escalier, suivi de son père.

XV. LE PRÉSIDENT DE LA SOCIÉTÉ HORTICOLE

5 Rosa, en quittant Cornélius, s'était décidée ... C'était à lui rendre la tulipe noire, ou à ne jamais le revoir.

Elle rentra chez elle, prit toute sa fortune de trois cents florins, cacha le troisième caïeu dans sa poi-
10 trine, ferma sa porte à clef, et sortit de la prison. Elle loua [3] un cheval, le mit au trot, et gagna Harlem le soir même. Le président van Systens la fit entrer dans son bureau [4] sans la faire attendre, car elle avait fait annoncer qu'elle venait lui parler de la
15 tulipe noire.

— Mademoiselle, dit-il, vous venez, dites-vous, me parler de la tulipe noire?

— Oui, monsieur. Un bien grand malheur m'est arrivé ... on me l'a volée!
20 — On vous a volé la tulipe noire?

— Oui, monsieur.

— En ce cas, le voleur ne pourrait être loin, parce que j'ai vu la tulipe noire il n'y a pas deux heures.[5] Votre maître me l'a montrée.

---

[1] la belle, my beauty (*sarcasm*). [2] (baiser) *n.*, kiss. [3] louer, to rent, hire. [4] bureau, office. [5] il n'y a pas deux heures, not two hours ago.

— Mon maître ? . . .

— Oui. N'êtes-vous pas au service de M. Isaac Boxtel ?

— M. Isaac Boxtel ? Je ne connais pas ce monsieur. Je viens vous dire que l'on m'a volé ma tulipe. 5

— Vous aviez aussi une tulipe noire . . . une tulipe noire, sans tache ?

— Oui, monsieur . . . ma tulipe est noire, sans une seule tache.

Soudain l'idée vint à Rosa que ce M. Boxtel était 10 peut-être M. Jacob, et elle fit une description de M. Jacob au président.

— En vérité, dit M. van Systens, vous faites le portrait exact de M. Boxtel.

— Oh ! monsieur, c'est ma tulipe, c'est celle qu'on 15 m'a volée; c'est mon bien ! Je viens la réclamer [1] ici devant vous.

— Oh ! oh ! vous venez réclamer ici la tulipe de M. Boxtel ?

— Oui, monsieur . . . celle que j'ai plantée, élevée 20 moi-même.

— Eh bien ! allez trouver M. Boxtel à l'hôtel du Cygne-Blanc.[2] Vous vous arrangerez [3] avec lui. Adieu, mon enfant. Je dois faire mon rapport [4] et dire que la tulipe noire existe. Allez, mon enfant, 25 allez. Et je vous conseille [5] d'être prudente dans cette affaire [6] . . . nous avons une prison à Harlem.

---

[1] **réclamer,** to claim.   [2] **Cygne-Blanc,** White Swan.
[3] (**s'arranger**), to make arrangements, settle.   [4] (**rapport**), report.   [5] (**conseiller**), to counsel, advise.   [6] (**affaire**), affair, matter.

Et M. van Systens continua à faire son rapport interrompu.[1]

XVI. UN MEMBRE DE LA SOCIÉTÉ HORTICOLE

Rosa prit le chemin de l'hôtel du Cygne-Blanc.

Dans la rue, elle n'entendait parler que de la
5 tulipe noire et du grand prix. On savait déjà la
nouvelle. L'idée lui vint que peut-être celui qui
avait volé la tulipe n'était pas celui qu'elle soup-
çonnait.[2] Dans ce cas, elle ne pourrait prouver que
la tulipe était à elle. Et si ce Boxtel était le faux
10 Jacob, la tulipe mourrait pendant qu'ils contes-
teraient ensemble.[3] Elle se décida à retourner chez
le président.

En voyant M. van Systens pour la seconde fois,
elle le pria de faire venir chez lui ce Boxtel qu'elle
15 accusa d'être monsieur Jacob. Au moment où
M. van Systens allait lui répondre, un grand bruit se
fit entendre dans la rue. Il se précipita dans son
antichambre pour en voir la cause. Il vit une foule
de gens qui suivaient un jeune homme. Ce jeune
20 homme venait d'entrer dans l'antichambre avec deux
officiers.

— Monseigneur! cria le président, Votre Altesse
chez moi?

— Cher monsieur van Systens, dit Guillaume
25 d'Orange, j'ai entendu dire que la ville de Harlem

---

[1] (interrompre), to interrupt.   [2] SOUPÇONNER, to suspect.
[3] ensemble, together.

possédait enfin la tulipe noire. On m'a assuré que la chose était vraie. Vous avez la fleur ici?

— Hélas! non, monseigneur, je ne l'ai pas ici; elle est chez un tulipier de Dordrecht qui se trouve pour le moment au Cygne-Blanc. Je vais envoyer 5 le chercher. Une difficulté s'est élevée; il y a une jeune fille qui réclame cette tulipe.

— C'est un crime, cela, monsieur van Systens. Avez-vous les preuves [1] de ce crime?

— Non, monseigneur, mais celle qui réclame la 10 tulipe est là, dans mon bureau. J'allais l'interroger quand Votre Altesse est entrée.

— Écoutons-la, monsieur van Systens; j'entendrai la cause [2] et ferai justice.[3] Passez devant,[4] et appelez-moi *monsieur*.   15

Ils entrèrent dans la chambre. L'étranger [5] prit un livre et fit signe à M. van Systens de commencer.

— Ma fille, dit le président, parlez devant ce monsieur qui est un des membres de la Société horticole.   20

— Monsieur, dit Rosa, je vous prie de faire venir ici monsieur Boxtel avec sa tulipe; si je ne la reconnais pas pour la mienne, je vous le dirai, mais si je la reconnais, je la réclamerai, mes preuves à la main.   25

Un officier partit pour aller chercher M. Boxtel.

M. van Systens continua l'interrogatoire. Rosa lui raconta comment elle avait planté et cultivé la

---

[1] (**preuve**), proof. [2] (**cause**), case (*legal*). [3] **faire justice,** to render justice, render a verdict. [4] **Passez devant,** Lead the way. [5] (**étranger**), stranger.

tulipe dans sa propre chambre à Loewestein, où elle demeurait avec son père, le geôlier. Puis elle raconta toute l'histoire de la tulipe et de sa connaissance avec le prisonnier, van Baerle, disant que c'était lui 5 qui avait trouvé la fameuse tulipe noire.

— Ma fille, dit le président, vous avez communiqué avec un prisonnier d'État pour cultiver des fleurs?

— Oui, monsieur, je le voyais tous les jours.

10 — Malheureuse![1]

— Continuez, jeune fille, continuez, dit le prince. Cela ne regarde[2] pas les membres de la Société; ils n'ont qu'à juger la tulipe noire.

Rosa, rassurée,[3] leur dit tout ce qui s'était passé 15 depuis trois mois . . . tout ce qu'elle avait souffert . . . toute la douleur de Cornélius. Elle dit même qu'elle avait connu le prisonnier à la Haye avant sa transportation à Loewestein.

— Heureux prisonnier! dit le prince.

20 En ce moment, un officier annonça que Boxtel attendait dans l'antichambre avec sa tulipe.

XVII. LE TROISIÈME CAÏEU

Boxtel, suivi d'un homme qui portait la précieuse tulipe, restait debout quand le prince entra. Celui-ci alla regarder la tulipe, puis, sans rien dire, revint 25 prendre sa place dans la chambre.

Rosa, entendant la voix de Boxtel, s'écria:

[1] (**malheureuse**) *n.*, wretched girl.   [2] (**regarder**), to concern.   [3] (**rassurer**), to reassure, comfort.

— C'est lui! C'est lui!

Le prince lui fit signe d'aller regarder la tulipe par la porte entr'ouverte.[1]

— C'est ma tulipe! C'est elle, je la reconnais, dit-elle. 5

— Monsieur Boxtel, dit le prince en allant à la porte, entrez ici.

— Son Altesse! s'écria Boxtel, en se trouvant face à face avec le prince.

— Son Altesse! répéta Rosa, étonnée. 10

A cette exclamation, Boxtel se retourna et aperçut Rosa; il trembla.

— Monsieur Boxtel, dit le prince, vous avez trouvé le secret de la tulipe noire?

— Oui, monseigneur. 15

— Mais, voici une jeune fille qui prétend[2] l'avoir trouvé aussi. Connaissez-vous cette jeune fille?

— Non, monseigneur.

— Et vous, jeune fille, connaissez-vous monsieur Boxtel? 20

— Non, je ne connais pas monsieur Boxtel, mais je connais monsieur Jacob. Ce monsieur se faisait appeler Jacob à Loewestein.

— Et que dites-vous à cela, monsieur Boxtel?

— Voici ce que je ne voulais pas dire, Votre Al- 25 tesse, pour ne pas faire rougir[3] cette fille de son ingratitude. Je cultive des tulipes depuis vingt ans; j'ai même une certaine réputation. De temps en temps[4] je venais à Loewestein pour des affaires, et

---

[1] (entr'ouvert), half open.   [2] prétendre, to claim.   [3] (rougir), to blush.   [4] De temps en temps, From time to time.

j'ai fait la connaissance de monsieur Gryphus, père
de cette jeune fille. Je suis devenu amoureux d'elle,
et je l'ai demandée en mariage. Comme je n'étais
pas riche, je lui ai confié mon secret, mon espérance[1]
5 de gagner le grand prix. Cette jeune fille et son
amoureux, monsieur Cornélius van Baerle, le filleul
de ce scélérat de Corneille de Witt et un criminel
d'État, ont fait le projet[2] de me voler la tulipe noire.
Heureusement, ils n'ont pas réussi !

10 — Oh ! mon Dieu ! le menteur ![3] l'infâme ! s'écria
Rosa.

— Vous avez mal agi,[4] jeune fille, dit le prince.
Votre amoureux sera puni pour vous avoir ainsi
conseillée. Vous avez manqué[5] de commettre un
15 crime. Je ne vous punirai pas, mais le vrai coupable
paiera pour vous deux. Un homme de son nom peut
conspirer, même trahir ... mais il ne doit pas
voler.

— Voler ! voler ! lui, Cornélius ! Oh ! monseigneur,
20 si vous connaissiez mon Cornélius ! C'est cet homme-
ci qui a volé !

— Prouvez-le, dit Boxtel, triomphant.

— Eh bien ! oui ! Monsieur Boxtel, votre tulipe,
combien de caïeux avait-elle ?

25 — Trois.

— Que sont devenus ces trois caïeux ?[6]

---

[1] (espérance), hope.   [2] (projet), plan.   [3] (menteur), liar.
[4] agir, to act.   [5] manquer, to fail; vous avez manqué de
commettre un crime, you almost committed a crime.   [6] Que
sont devenus ces trois caïeux ? What has become of those
three bulbs ?

206

— L'un n'a pas réussi ; l'autre a donné la tulipe noire . . .

— Et le troisième ?

— Le troisième ? . . . Le troisième est chez moi.

— Vous mentez ![1] . . . Le voici !   **5**

Et elle tira de sa poitrine le troisième caïeu qu'elle tendit au prince.

Le prince prit le caïeu et déplia le papier qui l'enveloppait. Voyant qu'il y avait quelques lignes tracées sur le papier, il les lut. Soudain, sa main **10** trembla et ses yeux prirent une expression de douleur et de pitié.

Ce papier, c'était la feuille de la Bible que Corneille de Witt avait envoyée à Dordrecht par Craeke, pour prier Cornélius de brûler la correspondance du grand **15** pensionnaire avec monsieur de Louvois. Ce papier était à la fois la preuve de l'innocence de van Baerle et son titre[2] de propriété[3] aux caïeux de la tulipe noire.

Guillaume essuya[4] une goutte de sueur[5] froide **20** qui coulait de son front, plia le papier et le mit dans sa poche.

— Allez, monsieur Boxtel, dit-il, justice sera faite, je l'ai promis. Et vous, mon cher monsieur van Systens, gardez ici cette jeune fille et la tulipe. **25** Adieu.

[1] **mentir,** to lie, tell a lie.   [2] TITRE, title.   [3] (**propriété**)**,** ownership.   [4] **essuyer,** to wipe.   [5] SUEUR, sweat.

XVIII. LA FÊTE [1] DE LA TULIPE

Vers le soir, un officier entra chez van Systens et invita Rosa à le suivre chez Son Altesse, à l'hôtel de ville.[2]

Elle trouva le prince qui écrivait une lettre.

5 — Asseyez-vous, ma fille, dit-il, en finissant sa lettre. Nous ne sommes que nous deux . . . causons. Vous avez un père à Loewestein; vous ne l'aimez pas?

— Non, monseigneur . . . je ne l'aime pas comme 10 une fille devrait aimer. Il est méchant [3] . . . il maltraite [4] les prisonniers.

— M. van Baerle est un des prisonniers qu'il a maltraités?

— Oui . . . et j'aime M. van Baerle de tout mon 15 cœur.

— Et vous accepteriez la position d'être la femme [5] d'un homme destiné à vivre et à mourir en prison?

— Oui, monseigneur, s'il vivait et mourait en 20 prison, je l'aiderais à vivre et à mourir. Je serais la plus fière et la plus heureuse des créatures humaines, étant la femme de monsieur van Baerle . . . mais . . .

— Mais quoi? . . . Vous espérez en moi?

— Oui, monseigneur.

25 Le prince plia la lettre qu'il venait d'écrire, appela un officier et la lui donna, en lui disant de porter

---

[1] **fête,** festival, celebration.   [2] **hôtel de ville,** city hall.
[3] **méchant,** evil, wicked.   [4] **(maltraiter),** to mistreat.   [5] **femme,** woman, wife.

le message au gouverneur de la forteresse de Loewestein. Puis, s'adressant à Rosa:

— Ma fille, dit-il, ce sera après-demain la fête de
la tulipe. Prenez ces cinq cents florins et faites-vous
belle, car je veux que ce jour-là soit une grande fête 5
pour vous. Et maintenant, au revoir.

*   *   *

Le jour de la fête de la tulipe, tous les notables de
Harlem, avec M. van Systens en tête, formèrent un
cortège magnifique, au centre duquel on voyait la
tulipe noire, portée sur une civière couverte de ve- 10
lours [1] blanc à franges [2] d'or.[3] La ville tout entière
s'était assemblée le long de la route,[4] et tous les yeux
cherchaient après le héros de la fête, l'auteur [5] de
cette tulipe merveilleuse.[6]

Ce héros du jour, c'était Isaac Boxtel, qui marchait 15
dans la procession, la tulipe à sa droite et une bourse [7]
de cent mille florins en or à sa gauche. Il n'était
plus inquiet . . . Il n'aperçut pas Rosa.

Enfin, le cortège s'arrêta au centre de la grande
place, et les jeunes filles de Harlem escortèrent la 20
tulipe jusqu'au piédestal réservé pour elle à côté du
trône [8] de Son Altesse.

En ce moment, une voiture arrivait, et suivait
lentement son chemin à cause de la foule. Cette
voiture renfermait le malheureux van Baerle. Tout 25
à coup il demanda à l'officier qui l'escortait:

---

[1] VELOURS, velvet.   [2] **frange,** fringe.   [3] **or,** gold.
[4] **route,** road, way.   [5] **auteur,** author.   [6] (**merveilleuse,** *m.*
merveilleux), marvelous. [7] **bourse,** purse. [8] TRÔNE, throne.

209

— Qu'est-ce cela, monsieur ? . . . est-ce une fête ?

— Oui, c'est aujourd'hui la fête de la tulipe. On va donner le prix de la tulipe noire.

— La tulipe noire ! Où cela ? . . . où cela ?

5 — Là-bas . . . sur le piédestal . . . voyez-vous ?

— Je vois ! . . . Oh ! monsieur, faites arrêter la voiture ! Laissez-moi descendre . . . laissez-moi la voir de près, je vous prie.

— Mais vous oubliez que vous êtes prisonnier ? 10 J'ai mes ordres.

— Oh ! soyez patient, soyez généreux . . . Toute ma vie repose sur un mouvement de votre pitié. Oh ! il faut que je sorte ! . . . il faut que je la voie de près . . . car enfin, si c'était ma tulipe à moi ! Oh ! 15 monsieur, vous me tuerez, si vous voulez, mais je la verrai . . . je la verrai !

L'escorte de Son Altesse passait tout près de la voiture de van Baerle. En entendant les cris du prisonnier, le prince donna l'ordre de s'arrêter.

20 — Qu'est-ce cela ? demanda-t-il à l'officier.

— Monseigneur, c'est le prisonnier d'État que, par votre ordre, j'ai été chercher [1] à Loewestein. Il demande qu'on lui permette de voir la tulipe noire.

— Ah ! permettez-lui de descendre et qu'il aille 25 voir la tulipe noire. Elle est digne [2] d'être vue au moins une fois.

Cette permission donnée, le prince continua sa route.

---

[1] **j'ai été chercher,** I went to get.   [2] **digne,** worthy.

XIX. OÙ LA JUSTICE SE FAIT

Van Baerle, conduit par l'officier, arriva à six pas de la tulipe noire. Pendant quelques moments, il restait en admiration de la fleur, puis il cherchait tout autour de lui pour adresser une question, une seule. Mais, partout, des visages inconnus; partout, 5 on regardait le prince qui venait de s'asseoir sur le trône à côté de la tulipe noire. Il y avait un silence absolu parmi [1] les cinquante mille spectateurs.

Le prince se leva et parla:

— Vous savez dans quel but nous sommes ici. 10 Un prix de cent mille florins d'or a été promis à celui qui trouverait la tulipe noire. Cette merveille de la Hollande est là, exposée à vos yeux. Son nom et le nom de son auteur seront inscrits [2] au livre d'honneur de la ville de Harlem. Faites approcher 15 le propriétaire [3] de la tulipe noire.

A ces mots, Boxtel se précipita vers le prince. Au même instant, un officier conduisit vers son trône une belle jeune fille, vêtue [4] de fine laine [5] rouge, brodée [6] d'argent et couverte de dentelles.[7] C'était 20 Rosa.

Un double cri se fit entendre à la fois. Boxtel et Cornélius l'avaient reconnue et avaient tous deux crié: « Rosa ! Rosa ! »

— Cette tulipe est à vous, n'est-ce pas, jeune fille? 25 dit le prince.

---

[1] **parmi,** among.   [2] (**inscrire,** *p.p.* **inscrit**), to inscribe.
[3] (**propriétaire**), owner.   [4] **vêtir,** to dress.   [5] **laine,** wool.
[6] BRODER, to embroider.   [7] (**dentelle**), lace.

211

— Oui, monseigneur.

— Cette tulipe portera le nom de son auteur et sera
inscrite au Catalogue des fleurs sous le titre de *Tulipa
nigra Rosa Barlaensis* à cause du nom de van Baerle,
5 qui sera le nom de femme [1] de cette jeune fille.

Et en même temps, Guillaume prit la main de
Rosa et la mit dans la main d'un jeune homme qui
venait de se précipiter au pied du trône. Et en même
temps, Boxtel s'évanouit.

10 Quand on le releva, il était mort.

Rentré à l'hôtel de ville, le prince dit à Cornélius:

— Je donne à Rosa cent mille florins, qu'elle
pourra vous offrir; ils sont le prix de son amour, de
son courage et de son honnêteté.[2] Et vous, monsieur,
15 grâce à [3] Rosa encore, on s'est aperçu que vous aviez
été emprisonné pour un crime que vous n'aviez pas
commis. La preuve de votre innocence, c'est dans
cette feuille de Bible que je vous donne. Gardez-la
comme une chose précieuse. Maintenant vous êtes
20 non seulement libre, mais encore [4] vos biens vous
sont rendus. Comme le filleul de M. Corneille de
Witt et l'ami de M. Jean, conservez [5] la tradition de
leurs mérites, car ces MM. de Witt, mal jugés, mal
punis, dans un moment d'erreur populaire, étaient
25 deux grands citoyens dont la Hollande est fière aujourd'hui.

Puis, poussant un soupir,[6] il dit:

— Hélas! vous êtes bien heureux, vous, qui ne

---

[1] **nom de femme,** married name. [2] (**honnêteté**), honesty.
[3] **grâce à,** thanks to. [4] (**encore**), further, in addition. [5] CON-
SERVER, to preserve. [6] SOUPIR, sigh.

cherchez à conquérir [1] que de nouvelles couleurs de tulipes.

[1] **conquérir,** to conquer. The statement gains force when we recall that this is the eve of the invasion of Holland by the armies of Louis XIV.

FIN

EXERCISES

I. Words Used Once Only. The italicized words in the following sentences were used but once in *Book IV;* many of them are basic and will occur again in the *Series.* Do you know what they mean?

1. Soudain, Cornélius entendit *siffler* le *bateau.* 2. Cette *espèce* de *dentelle* est très *à la mode.* 3. La *prochaine* fois, il en aura des nouvelles. 4. Pendant la *journée,* la porte restait *entr'ouverte.* 5. *Heureusement,* Rosa a une *plume* et de l'*encre.* 6. C'est *aujourd'hui* un jour de fête. 7. Vers minuit, le prisonnier *s'endormit.* 8. Rosa a *poursuivi* Boxtel qui *prétendait* être l'auteur de la fleur. 9. Ne *mentez* pas et vous ne serez pas un *menteur.* 10. Le vieux geôlier *essuya* la *sueur* de son front. 11. Celui qui *s'enfuit* ne *conquerra* pas. 12. Rosa, *troublée* et sans *espérance,* *secoua* la tête tristement.

II. Special Words. The following non-cognate words were needed to tell this story. You may not meet them again soon. Justify their use by indicating their function in the tale:

geôlier	greffier	tulipier	citoyen	échafaud
épier	filleul	linge	sueur	conspiration
hurler	horticole	florin	patrie	léguer
gibet	guichet	cocher	trône	soupçonner

III. Derivatives. Name one or more words found in *Book IV* which are connected through stem and meaning with the following words; give the English equivalents for both words:

fleur	prison	refuser	couvert	espérer	honnête
juste	lever	mentir	porte	rêver	inquiétude
riche	siffler	vivre	rassurer	nommer	émotion

IV. EXTENSION OF MEANING. The following words have been used in more than one sense; give two meanings for each word and illustrate their use in a simple, short sentence:

place	arrêter	feuille	bord	avis	apprendre
remettre	gagner	perdre	saluer	douleur	conduire
devoir	haut	maître	bas	terre	bien

V. IRREGULAR VERB FORMS. The following irregular verb forms occur for the first time in *Book IV;* give their infinitive form and translate each into English:

Il voudra, elle a offert, ayez, j'ai conduit, il sut, qu'il eût, qu'il sût, soyez, que je reçoive, je surpris, nous avons détruit, qu'il pût, vous verrez, je mourrai, il saura, ayant.

VI. IDIOMATIC EXPRESSIONS. The more important idiomatic expressions introduced in *Book IV* are listed below, following the vocabulary key word and in the order of their occurrence in the text as indicated by the page number in parentheses. Pronounce the complete sentence and give the English equivalent:

presser: Les gens *se pressaient* vers la prison. (160)

aller: « Comment *va* mon frère? » dit Corneille. (160)

abord: *D'abord,* il faudra brûler la correspondance. (162)

attendre: Ils *s'attendaient à* trouver la porte ouverte. (166)

mode: Les robes de velours étaient très *à la mode.* (171)

avis: Les caïeux, *à son avis,* donneraient des tulipes noires. (171)

avant: Brûlez les papiers *avant que* les gardes arrivent. (174)

tant: *Tant qu'*il aura la tulipe noire, je le poursuivrai. (175)

revenir: En *revenant à lui,* il essaya de se relever. (176)

sauver: Ils ont essayé de *se sauver* de la foule. (178)

faire: Le prince lui *fait grâce* au dernier moment. (182)

loin: *Au loin,* il pouvait voir les maisons de Dordrecht. (183)

tenir: «*Tiens! tiens!* c'est vous, monsieur,» répondit-il. (184)

nouveau: Il annonça *de nouveau* qu'il ne l'aurait pas fait. (184)

215

précis: Revenez à neuf heures *précises*. (184)

pour: Montrez-moi la fleur *pour que* je la regarde. (186)

demain: « Au revoir,» dit-elle, en sortant, « *A demain!* » (187)

jour: Il me l'a dit il y a *huit jours*. (189)

mêler: Il ne faut pas *vous mêler de mes affaires*, monsieur. (190)

vite: « Descendez, ma fille, et *au plus vite!* » s'écria-t-il. (190)

mieux: J'ai détruit la tulipe. *Tant mieux!* (190)

faire: Elle *a fait semblant* de planter le caïeu. (191)

tranquille: *Soyez tranquille*, mon ami, cela n'arrivera pas. (193)

haut: Le mur était *haut de huit mètres*. (195)

vite: Je le ferai *le plus vite que possible*. (196)

nuit: *Cette nuit* je viendrai vous le dire. (197)

avoir: J'ai vu M. Jacob *il n'y a pas* vingt minutes. (200)

envoyer: Le prince *envoya chercher* M. Boxtel. (203)

manquer: Elle *avait manqué de commettre* un crime. (206)

devenir: Qu'est-ce que le troisième caïeu *est devenu?* (206)

hôtel: L'*hôtel de ville* se trouve de l'autre côté. (208)

nom: Elle ne voulait pas dire son *nom de femme*. (212)

grâce: *Grâce à elle*, il n'est pas mort en prison. (212)

VII. CATEGORIES. From the following words select (*a*) ten that deal with *gardening*, (*b*) eight that relate to *prisons*, (*c*) eight that pertain to *dress*, (*d*) eight that refer to *time*, and (*e*) twelve that indicate *people:*

linge	geôlier	tulipe	foule	propriétaire
citoyen	caïeu	garde	corsage	auteur
frère	clef	planter	frange	velours
laine	gibet	voler	séchoir	échafaud
gens	savant	filleul	culture	fleur
guichet	vêtir	journée	avril	portier
août	femme	broder	janvier	minuit
étranger	tôt	fleurir	tulipier	aujourd'hui
maître	horticole	dentelle	enfermer	après-demain
serviteur	muraille	cocher	mode	cultivateur

L'HOMME QUI DORMIT CENT ANS

PAR

HENRI BERNAY

ABRIDGED AND EDITED

BY

OTTO F. BOND

BOOK FIVE — ALTERNATE

« JE VIENS DE LIRE QUELQUE CHOSE D'EXTRAORDINAIRE ! »

FOREWORD

Bernay's *L'Homme qui dormit cent ans* is reminiscent of H. G. Wells' *When the Sleeper Awakens;* it is a projection of contemporary social, economic, and cultural trends and characteristics into the world of the year 2025. As a pseudo-scientific novel, its appeal and its vocabulary are distinctly *modern.*

You will find its new stock of 250 non-cognate words, 70 per cent of which are basic, and most of the 624 dependable cognates that form 65% of the total vocabulary, of unusually practical value for speech, as well as for reading. Suspended animation, vitamin capsules in lieu of meals, compulsory socialized medicine, the disappearance of coal and oil as sources of motive power, television, walkie-talkies, speech transcribers, air liners, helicopters, mass production in series, pre-fabricated housing, human robots — almost everything is here that you are talking about for the future, except atomic energy.

Book V also repeats 444 of the non-cognate words used in the preceding four books of the *Alternate Series.* This is your opportunity, therefore, to review at least one-half of the burden words used previously.

As in the preceding books of the *Series,* words introduced for the first time, of basic value, are footnoted in heavy type; other than basic items are in small capitals. Parentheses denote derivatives of known words; note the frequency with which they occur. And now . . . *si jeunesse savait* . . .

THE EDITOR

219

L'HOMME QUI DORMIT CENT ANS

I. SI JEUNESSE[1] SAVAIT . . .

Ils étaient deux hommes face à face, séparés par une table couverte de papiers. Le plus jeune avait vingt-cinq ans. Il était grand et beau, aux cheveux bruns[2] et aux yeux clairs et francs. L'autre, âgé de cinquante ans, était gros,[3] avec des yeux qui roulaient **5** sans cesse[4] derrière des lunettes[5] rondes. Par les trois fenêtres de la salle[6] on apercevait, de l'autre côté de la place, la silhouette de la Bourse[7] de Paris, déserte à ce moment.

Le jeune homme examinait des papiers sur la table. **10** Soudain, il leva la tête et dit:

— Je n'y comprends rien[8] . . . je ne suis pas très fort en chiffres![9] Alors, ma situation est mauvaise? . . . J'ai perdu beaucoup d'argent?

— C'est indiqué là. **15**

— Ah! . . . Un million huit cent mille francs . . .

---

[1] (**jeunesse**), youth. The proverb in full is " Si jeunesse savait, si vieillesse pouvait." [2] **brun**, brown. [3] **gros**, stout, fat. [4] (**cesse**), cease; sans cesse, incessantly. [5] (**lunettes**), spectacles, glasses. [6] **salle**, room, hall. [7] The Bourse, or Stock Exchange, is a huge edifice in the square by that name, north of the Palais Royal and the Louvre. [8] **Je n'y comprends rien**, I can't make anything out of it. [9] **chiffre**, figure, number.

mais alors . . . je suis ruiné ! . . . complètement ruiné !
Est-ce vous qui me devez de l'argent, ou moi qui
vous en dois ?

— C'est vous . . . cinquante mille francs.

5 — Alors, si je suis complètement ruiné, c'est par
votre faute . . . C'est vous qui m'avez conseillé de
spéculer à la Bourse ! . . .

Soudain, le jeune homme se leva, en disant:

— Adieu ! monsieur Branchin.

10 — Et . . . mes cinquante mille francs ? . . .

— Profits et pertes,[1] mon cher !

— Mais, monsieur La Taillade ! . . . Ce que vous
voulez faire est injuste ! . . . Vous êtes un honnête
homme . . .

15 — Vous aussi ! . . . Nous sommes deux honnêtes
hommes . . . Et de cette aventure, on peut apprendre
ceci: il ne faut jamais jouer à la Bourse avec des
misérables de votre espèce !

Et M. La Taillade gagna la porte et disparut dans
20 le couloir.[2]

En remontant lentement le boulevard, le jeune
homme pensait à lui-même. Son passé [3] était court,
mais troublé. Ayant perdu ses parents à seize ans,
René avait été placé sous la protection d'un oncle,
25 qu'il ne voyait que pendant l'été. Ayant obtenu une
licence [4] en droit,[5] il était parti pour le régiment, d'où
il était sorti avec le grade de sous-lieutenant [6] de

---

[1] (perte), loss. [2] (couloir), corridor, passage. [3] (passé),
past. [4] LICENCE, master's degree. [5] (droit), law. The
licence en droit permits one to practice law. [6] sous-lieutenant,
second lieutenant.

réserve. C'est alors qu'il avait été mis en possession de sa fortune. Et il s'était ruiné de la façon [1] la plus stupide!

Maintenant, il pensait:

— Si j'avais su . . .   **5**

II. ON HÉSITE

Il était huit heures quand René La Taillade entra chez lui, rue Chaptal.[2] Son domestique apparut au bout du couloir.

— Ah! voilà enfin Monsieur! Monsieur est en retard d'une heure . . . J'avais préparé un excellent **10** rôti [3] de poulet [4] . . . il a refroidi [5] . . .

— Cela ne fait rien, mon bon Célestin; je le mangerai tout de même.

Célestin était un homme de quarante ans, maigre, et d'apparence mélancolique. Ce qui le rendait tou- **15** jours triste, c'était d'aimer les bonnes choses à manger, et de souffrir d'une maladie d'estomac. Au service des La Taillade depuis vingt ans, il était absolument [6] dévoué [7] à son jeune maître.

René passa dans la salle à manger, et trouva tout **20** de suite que le rôti était encore excellent. Célestin le regardait. Enfin, il dit:

---

[1] **façon,** way, manner.   [2] A street in the residential section of Levallois-Perret, northeast of the Bois de Boulogne. [3] (**rôti**), roast.   [4] (**poulet**), chicken.   [5] (**refroidir**), to cool, get cold.   [6] (**absolument**), absolutely, wholly.   [7] DÉVOUÉ *adj.,* devoted, attached.

— Monsieur ne va donc pas à l'Opéra-Comique?[1]

— Non, Célestin . . . Je ne suis pas d'humeur d'entendre *Manon*.[2]

— Monsieur souffre de l'estomac? . . .

5 — Non, je ne suis pas malade . . . C'est que je suis ruiné . . . ruiné!

— Monsieur est ruiné? . . . Ce n'est pas possible! J'ai calculé que Monsieur avait assez d'argent pour dix ans de plus, au moins . . .

10 — Tu as bien calculé, sans doute, mais tu n'as pas pensé aux accidents de la Bourse. J'ai confié tout mon argent à un misérable . . . et je l'ai perdu.

— Eh bien! ce n'est pas une mauvaise chose . . . Puisque Monsieur n'a plus rien, il va être obligé de 15 travailler. Il n'y a rien de meilleur pour l'homme que le travail.

— Tu as raison, mais que veux-tu que je fasse? . . . Je n'ai qu'une licence en droit, je ne suis pas très éloquent, je ferais un mauvais avocat.[3]

20 — Alors, que décide Monsieur?

— Je décide d'abord que je me passerai de tes services.

— Non, Monsieur . . . Je ne quitterai jamais Monsieur! Et quand Monsieur sera redevenu[4] riche . . . 25 car Monsieur est intelligent, il peut se marier . . .

---

[1] The Opéra-Comique is midway between the Bourse and the Opéra, off the Boulevard des Italiens. Its repertory is mainly light opera. [2] *Manon* is one of Massenet's best light operas; it is based on the novel *Manon Lescaut* by the abbé Prévost (1731). [3] (avocat), lawyer. [4] (redevenir), to become again.

— Jamais!... Je suis trop fier pour chercher une femme qui m'apporterait une riche dot, à moi pauvre!... Mais n'en parlons plus; j'ai besoin de repos.

Célestin quitta la salle; puis le silence régna dans l'appartement. **5**

Après quelques minutes, René passa dans sa chambre. Il ouvrit un tiroir de table. Son révolver y était placé bien en vue. Il le prit, l'examina, et aperçut qu'il n'était pas chargé.[1] Il était pourtant sûr de ne pas en avoir ôté[2] les cartouches.[3] Pour **10** les retrouver, il chercha dans tous les tiroirs. Il ne découvrit pas une seule cartouche. Soudain, la voix de Célestin s'éleva derrière lui:

— Si Monsieur cherche les balles pour cet instrument, c'est moi qui les ai... Je les ai ôtées, **15** moi-même, pour empêcher Monsieur de se tuer. A vingt-cinq ans, on ne peut renoncer à l'existence... Monsieur est-il le seul à ne pas avoir d'argent?... Il y a des millions d'individus dans son cas,[4] et ils ne pensent pas à se tuer! **20**

— Mais je ne puis rendre aucun[5] service à la société; si je disparais, ce ne sera pas une grande perte...

La voix de Célestin trembla d'émotion:

— Je n'ai que vous au monde, Monsieur... Si **25** vous disparaissez, je ne vous survivrai pas. Vous êtes responsable de ma propre vie... Maintenant, faites comme vous voudrez. Bonsoir, Monsieur!

---

[1] **charger,** to load. [2] ÔTER, to remove. [3] CARTOUCHE, cartridge, shell. [4] **cas,** case, situation. [5] **aucun** (with **ne**), no, not one, not any.

— Mon bon Célestin!... Tu as raison, je suis égoïste, je ne pense qu'à moi. Depuis l'annonce[1] de ma ruine, il me semblait que la vie ne valait[2] plus rien. Mais, maintenant, pour le moment, je te pro-
5 mets de vivre!

— C'est tout ce que je demande... Monsieur désire-t-il que je lui rende les cartouches?

— Non, je n'en ai pas besoin. Bonne nuit, Cé-lestin.

III. UN ARTICLE DE JOURNAL

10 Le lendemain matin, à l'heure ordinaire, Célestin apporta le petit déjeuner[3] et les journaux à son maître. En ouvrant le *Grand Journal*, René re-marqua tout de suite un article qui tenait le milieu de la première page:

15 *Une découverte[4] étonnante![5]*
On peut dormir cent ans et se réveiller
aussi frais qu'on s'était endormi.

On se souviendra des communications faites à l'Académie de médecine, il y a plusieurs années, par
20 le docteur américain Jack Trundle. Il a réussi à in-terrompre, ou à ralentir[6] les fonctions vitales dans des organismes vivants, mais, jusqu'ici, le docteur Trundle n'a agi que sur des organismes rudimentaires. Cependant il affirme aujourd'hui avoir trouvé la pos-

---

[1] **annonce**, announcement.   [2] **valoir**, to be worth.   [3] **dé-jeuner**, breakfast, lunch; **le petit déjeuner**, breakfast.
[4] **(découverte)**, discovery.   [5] **(étonnant)**, astonishing, **amaz-ing**.   [6] **(ralentir)**, to slow (down), reduce, lessen.

sibilité de provoquer chez l'homme même un sommeil[1] prolongé, après lequel le sujet se retrouverait
exactement dans les mêmes conditions qu'au moment
où il s'est endormi.

Ce n'est pas autre chose que la reproduction artifi-   5
cielle du phénomène bien connu sous le nom d'*hiberna-
tion* qui permet à certains animaux de demeurer[2]
dans un sommeil pendant tout l'hiver, sans prendre
de nourriture. Pendant ce long sommeil, ils ne
respirent[3] plus avec la même intensité; leur cœur   10
bat moins vite, et la température de leur corps
s'abaisse[4] considérablement. C'est ce phénomène
que le docteur Trundle prétend reproduire à volonté.[5]

Au moyen d'un anesthétique, il endort[6] l'animal
sur lequel il veut agir. Il le place dans un air très   15
pur, dont la température est maintenue[7] à trente degrés et la pression[8] un peu au-dessus de la pression
atmosphérique moyenne.[9] Puis il injecte sous la
peau[10] une substance dont l'effet est de diminuer
progressivement la fréquence des battements[11] du   20
cœur. Par la répétition fréquente de cette opération,
il réussit à réduire le nombre des battements et celui
des inhalations d'air, dans une proportion aussi grande
qu'il désire, sans faire mourir l'animal. Quoique[12] la
vie soit ralentie, elle a besoin d'être entretenue[13]   25
par quelque chose de plus substantiel que l'air. Le
docteur injecte sous la peau une nourriture secrète qui
est entièrement absorbée par l'organisme. Une in-

[1] **sommeil,** sleep. [2] **demeurer,** to remain, rest. [3] **respirer,**
to breathe. [4] **(s'abaisser),** to be lowered, decrease. [5] **(volonté),**
will. [6] **(endormir),** to put to sleep. [7] **(maintenir),** to keep,
maintain. [8] **(pression),** pressure. [9] **(moyen)** *adj.*, mean,
average, middle. [10] **peau,** skin. [11] **(battement),** beat, beating.
[12] **Quoique,** Although. [13] **(entretenir),** to support, keep up.

227

jection par semaine [1] suffit à maintenir l'activité
nécessaire pour entretenir les mouvements du sang
dans les artères et les veines.

Mais, dira-t-on, est-il probable qu'après ce sommeil
5 prolongé, l'on puisse se réveiller et recommencer à
vivre d'une façon normale? Le savant dit qu'il en est
certain. Mais le retour aux conditions ordinaires doit
être accompli avec une grande lenteur.[2] Le docteur
Trundle nous a montré un chat [3] réveillé après un
10 sommeil d'un an, et qui n'avait rien perdu de son
apparence primitive. Et maintenant, le docteur
Trundle est prêt à endormir pour plusieurs mois,
pour plusieurs années, pour un siècle [4] même,
l'homme qui voudra bien s'offrir pour l'expérience.[5]
15 S'endormir en 1927 et se réveiller cent ans après!
Cet homme se trouvera-t-il? [6]

Absorbé dans la lecture de l'article, René n'aperçut
pas l'entrée [7] de Célestin.

— Ah! s'exclama son serviteur, Monsieur a laissé
20 refroidir son chocolat!

— C'est parce que je viens de lire quelque chose
d'extraordinaire! Tiens! lis toi-même . . .

Et René finit son déjeuner pendant que Célestin
lisait l'article relatif à la découverte du docteur
25 Jack Trundle.

— Eh bien? dit René. Qu'en penses-tu?

— On ment, Monsieur, on ment! . . . Il est pro-

---

[1] semaine, week; par semaine, a week.   [2] (lenteur), slowness.   [3] chat, cat.   [4] siècle, century.   [5] expérience, experiment.   [6] Cet homme se trouvera-t-il? Will this man be
found?   [7] (entrée), entry, entrance.

bable que sous prétexte d'endormir les gens, ce docteur Trundle les tuerait!

— Tu n'as pas l'esprit scientifique. Cherche dans
l'*Annuaire*[1] du téléphone le numéro de ce docteur
Jack Trundle . . . Je vais lui demander un rendez- 5
vous.[2] J'ai envie de dormir pendant cent ans. Si
l'expérience ne réussit pas, je ne perdrai rien. Au
contraire, si elle réussit, je ne manquerai plus d'argent . . . Tout le monde voudra payer pour me voir.

— Eh bien! si ce fameux docteur Trundle endort 10
Monsieur, je veux qu'il m'endorme aussi! Monsieur
est pauvre, moi aussi . . . Monsieur n'a pas de famille, moi non plus. Donc, rien ne m'empêche de
faire avec lui un petit sommeil de cent ans![3]

IV. CHEZ LE DOCTEUR TRUNDLE

Cet après-midi, le docteur Trundle travaillait dans 15
le cabinet[4] de son laboratoire à Saint-Cloud,[5] quand
on frappa à la porte. Il ouvrit.

— Le docteur Trundle? dit René.

— Moi-même. A qui ai-je l'honneur?

— René La Taillade et Célestin Marquizot. Nous 20
venons pour l'expérience . . .

— Pour l'expérience? . . . Ah! . . . Entrez, messieurs, entrez! Vous me faites un grand plaisir![6] . . .

Et vous ne risquez rien, absolument rien! Dans une semaine vous serez prêts . . . Et pour combien de temps vous endormirai-je?

— Pour cent ans, si vous voulez, répondit René,
5 avec autant de calme que s'il louait un appartement.

— Parfait! Dans cent ans, vous vivrez et c'est moi qui serai mort!

— Pourquoi ne vous endormez-vous pas avec nous!
10 dit Célestin.

— D'abord parce que je ne puis appliquer mon système sur moi-même. Ensuite [1] parce que l'avenir [2] ne m'intéresse pas autant que le présent.

En parlant, le docteur était sorti du cabinet avec
15 ses deux visiteurs.

— Si vous voulez bien me suivre, messieurs, leur dit-il, je vous ferai voir [3] mon laboratoire!

Le laboratoire du docteur Trundle était aussi moderne que le savant lui-même. Très grand et très
20 haut, il recevait l'air et la lumière par de vastes fenêtres qui en occupaient tout un côté. Les murs blancs et les appareils [4] brillants reflétaient gaiement [5] les rayons du soleil.

— Voici une machine frigorifique, [6] dit Trundle, qui
25 a servi à mes premières expériences; car j'ai d'abord essayé l'action du froid pour endormir mes sujets.

— Oui, remarqua Célestin, je connais bien les ef-

---

[1] **Ensuite,** Then. [2] AVENIR, future. [3] **je vous ferai voir,** I shall show you. [4] **appareil,** instrument, apparatus, equipment. [5] **(gaiement),** gaily. [6] FRIGORIFIQUE, refrigerating, cooling.

fets du froid . . . En hiver, je dors beaucoup plus
longtemps qu'en été.

— Mais, continua le docteur, le froid, quand il est
intense, produit [1] une suspension complète de la vie
et seuls les organismes rudimentaires peuvent le sup- 5
porter sans en mourir . . . Voyez ce poisson au milieu
de ce bloc de glace [2]; le poisson n'est pas mort, mais
il ne vit plus.

— Et il peut revivre? [3] demanda Célestin d'un
air de doute.   10

— Il revivra dans cinq minutes.

Le docteur plaça le bloc dans un vase de verre,[4]
ajusta quelques fils,[5] et fit marcher [6] une dynamo.
Peu à peu le bloc de glace fondit,[7] et le poisson toujours inerte tomba au fond du vase. Après quelques 15
moments, la température de l'eau s'étant élevée, le
poisson reprit sa respiration normale et se mit à
nager dans le vase comme un poisson en parfaite
santé.[8]

— Prodigieux! s'écria René.   20

— Pourtant une telle suspension de vie n'est bonne
que pour des animaux inférieurs; d'autres en mour-
raient . . . Mais voici ce qui vous intéressera surtout.

Le savant montra une sorte de momie étendue
dans une cage de verre.   25

— Ceci est un chat, dit-il. Cet animal dort depuis

---

[1] **produire,** to produce. [2] **glace,** ice. [3] (**revivre**), to come
to life (again). [4] **verre,** glass; **vase de verre,** glass vessel.
[5] (**fil**), wire. [6] (**marcher**), to go, move (*of machines*); **faire
marcher,** to set going, start. [7] **fondre,** to melt. [8] (**santé**),
health.

un an, et je peux le réveiller quand je le voudrai. Seulement l'opération durera plusieurs jours, mais je vous assure que l'animal est bien vivant.

En effet, le chat était encore reconnaissable, mais
5 desséché[1] comme du parchemin et rigide. Sur la cage de verre, plusieurs appareils étaient fixés: thermomètre, hygromètre,[2] baromètre enregistreur.[3] Un cadran[4] portait une aiguille qui marchait avec une extrême lenteur.

10 — Chaque oscillation de cette aiguille correspond à un battement du cœur. Il y en a deux par minute; soixante-dix est le nombre normal. Le cœur de ce chat bat donc trente-cinq fois moins vite que dans la vie ordinaire. Alors il vieillit[5] trente-cinq fois
15 moins rapidement; après être restés trente-cinq ans dans cet état, ses organes n'auront fait qu'un effort équivalent à celui d'une année.

— Alors, dit René, au bout d'un siècle, nous n'aurons vieilli que de trois ans?

20 — Précisément . . . Quel âge avez-vous?

— Vingt-cinq ans, et Célestin: quarante ans.

— Eh bien, quand vous vous réveillerez en 2027, vous aurez respectivement vingt-huit et quarante-trois ans. Quelles économies de forces vitales vous
25 allez faire!

— Alors, qui prendra soin de nous pendant ces cent ans, et qui nous éveillera? demanda Célestin.

---

[1] (dessécher), to dry (up), parch, wither. [2] HYGROMÈTRE, hygrometer (instrument for measuring moisture in the air). [3] enregistreur *adj.*, self-registering, recording. [4] CADRAN, dial. [5] (vieillir), to age, grow old.

— Soyez tranquille! Je prendrai soin de vous tant
que je vivrai. Et, avant de vous endormir, j'écrirai
un testament par lequel je léguerai toute ma fortune
à vous entretenir. Je laisserai des instructions dé-
taillées, et vous pouvez compter que les plus grands 5
savants du monde se disputeront l'honneur de vous
réveiller.

Célestin regarda René. Celui-ci semblait trouver
parfaitement naturel tout ce que disait Trundle. Le
serviteur poussa un soupir. Ils sortirent du labora- 10
toire.

— Monsieur est toujours décidé? demanda Célestin à René.

— Tout à fait! En ce moment, je ne sais que
faire [1]; après cent ans de réflexion, ce sera étrange si 15
je n'ai pas trouvé le moyen d'occuper utilement [2] mon
existence.

V. LE GRAND DÉPART [3]

On parlait partout de l'article paru dans le *Grand
Journal*. De tous les pays du monde, Trundle reçut
des lettres, mais presque personne ne prenait l'affaire 20
au sérieux.[4] Sauf René et Célestin, aucun candidat
au sommeil ne se présenta. Dans le monde savant,
le doute était général. L'Académie des sciences refusa de discuter la question. L'Académie de médecine demanda qu'on empêchât ce qu'elle regardait 25

---

[1] **je ne sais que faire,** I don't know what to do.   [2] **utile,**
useful; **utilement,** usefully.   [3] (**départ**), departure, leaving.
[4] **prenait l'affaire au sérieux,** took the matter seriously.

comme la manifestation d'un charlatanisme dangereux. Trundle se frottait[1] les mains.

Chaque jour René et Célestin allaient à Saint-Cloud où le docteur Trundle les soumettait[2] à un
5 examen[3] minutieux.[4] Il les trouvait parfaitement sains[5] et tout à fait en forme.

Vers dix heures du matin, le 3 mai 1927, René, suivi de Célestin, traversa le jardin de Trundle. Le temps était superbe; toute la nature avait un air de
10 fête. Trundle les reçut dans son cabinet de travail. Il fit asseoir René devant son bureau,[6] en disant:

— Avant de vous endormir, je vous demande de recopier de votre main et de signer cette formule légale:

15   Je soussigné René La Taillade, parfaitement sain de corps et d'esprit, déclare être venu, de ma propre autorité, chez le docteur Jack Trundle, et lui avoir demandé, de ma propre volonté, de m'endormir pour une période de cent ans à compter de ce jour. Je
20   déclare prendre toute la responsabilité de mon acte. Fait à Paris, le trois mai mil neuf cent vingt-sept.

René copia la formule, signa et se leva. Célestin fit de même.

— Voilà qui est fait,[7] dit le docteur. Maintenant,
25 allons-y!

Sur le seuil[8] du laboratoire, René se retourna. Par la fenêtre du cabinet, il regardait une dernière fois

---

[1] **frotter,** to rub.   [2] **(soumettre),** to submit.   [3] **examen,** examination.   [4] **(minutieux),** thorough, close, searching. [5] **sain,** healthy.   [6] **bureau,** desk.   [7] **Voilà qui est fait,** Now, that's done.   [8] SEUIL, threshold.

234

les fleurs, les bois, le ciel pur . . . Puis il entra. Célestin le suivit, en hésitant.

Au milieu de la salle, sur un piédestal, était une
sorte de double cercueil[1] en verre. Sur les surfaces
intérieures du cercueil étaient fixés des cadrans, des 5
boîtes de formes diverses, des tuyaux,[2] et des fils
électriques.

— C'est dans cette chose-là qu'on va nous mettre?
demanda Célestin.

— Vous y serez très bien,[3] répondit le docteur, je 10
vous assure. Maintenant, ôtez vos vêtements et
mettez ces robes de laine blanche.

Cinq minutes plus tard, ils étaient tout prêts.

— Au revoir, Célestin! dit René. A cent ans![4]

Et il se mit le premier dans le cercueil. Célestin 15
le suivit. Trundle leur tendit deux verres qui con-
tenaient un liquide semblable[5] à du vin.[6] Tous deux
burent le liquide, se couchèrent[7] et fermèrent les
yeux. Quelques instants après, ils dormaient. Le
narcotique que Trundle leur avait fait boire lui per- 20
mettait de faire les injections nécessaires pour ralentir les mouvements de leur cœur. Les injections
faites, les deux hommes demeurèrent dans une im-
mobilité semblable à celle de la mort.

Trundle arrangea les appareils enregistreurs des 25
battements du cœur, mit en action les stérilisateurs
pour envoyer dans le cercueil un air parfaitement

---

[1] CERCUEIL, coffin. [2] **tuyau,** tube, pipe. [3] **Vous y serez très
bien,** You will be very comfortable there. [4] **A cent ans!** I'll
see you in a hundred years!   [5] **(semblable),** like, similar,
resembling. [6] **vin,** wine. [7] **se coucher,** to lie down.

pur, régla [1] la température, et attendit. Vers le soir,
le nombre des battements du cœur était tombé à
quarante-cinq par minute pour René, et à quarante
pour Célestin. Le lendemain, une nouvelle injection
5 amena le nombre à vingt-cinq. Le cinquième jour,
le nombre des pulsations des deux hommes était
tombé à quatre par minute.

— Maintenant, se dit le docteur, je peux faire
savoir [2] au public ce que j'ai accompli.

VI. ON SAUTE DANS L'INFINI

10   Annie Thompson, conservatrice [3] du Rockefeller
Museum de New-York, dictait [4] son courrier. [5] Devant elle, sur le bureau, était un petit appareil qui
enregistrait ses paroles en même temps qu'elle les
prononçait. Les vibrations de la voix agissaient sur
15 un microphone et faisaient perforer une bande de
papier. La dictée [6] terminée, on plaça la bande sur
une machine à écrire [7] électrique, et les lettres étaient
« tapées » [8] automatiquement. On obtenait ainsi une
orthographe [9] phonétique simplifiée qui avait rem-
20 placé l'ancienne [10] orthographe presque partout.

La conservatrice avait trente ans à peine. Elle
était assez jolie, mais ses cheveux blonds étaient
coupés courts, et ses yeux bleus se cachaient derrière

---

[1] (régler), to regulate, adjust.   [2] faire savoir, to inform,
make known.   [3] (conservatrice, m. conservateur), conservator, keeper.   [4] DICTER, to dictate.   [5] COURRIER, mail, correspondence.   [6] (dictée), dictation.   [7] machine à écrire,
typewriter.   [8] (taper), to type.   [9] ORTHOGRAPHE, spelling,
orthography.   [10] ANCIEN, old, former.

236

des lunettes teintées.[1] Sa peau rembrunie [2] était sans poudres ni rouge. Elle était vêtue [3] d'une tunique grise et d'une culotte [4] courte, ce qui lui donnait un air masculin sans charme.

Elle avait gagné sa place après plusieurs concours [5] d'où elle était sortie première. Elle ne possédait aucun titre universitaire; les Américains avaient depuis longtemps installé un système nouveau. Pour obtenir une place élective, aucun diplôme n'était nécessaire. N'importe [6] qui pouvait se présenter. Les examens étaient assez difficiles pour éliminer les incapables.

Une sonnerie [7] interrompit sa dictée. C'était celle de l'appareil du téléphone sans fil.[8] Annie Thompson appuya [9] sur un bouton; une plaque [10] de verre dépoli [11] s'éclaira,[12] et l'image d'un jeune homme y apparut. Il la salua en souriant . . .

— Allô! dit-elle. Qui êtes-vous et que me voulez-vous?

— Je suis Gabriel Clerc, de l'*Informateur* de Paris. Je désire une interview . . . sur les deux momies françaises [13] de votre musée. Les momies sont celles de René La Taillade et son domestique Célestin Marquizot, qui ont été endormis par un certain docteur

---

[1] (teinter), to tint, color. [2] (rembruni), tanned, darkened. [3] vêtir, to dress, clothe. [4] CULOTTE, breeches. [5] (concours), competition. [6] importer, to matter; n'importe qui, no matter who, anyone. [7] (sonnerie), ring, sound of a bell. [8] téléphone sans fil, wireless telephone. [9] (appuyer), to press. [10] plaque, plate, sheet (*of metal, etc.*). [11] (dépoli), frosted, ground (*of glass*). [12] (éclairer), to light; s'éclairer, to light up. [13] français, French.

Trundle il y a cent ans, donc le réveil [1] doit se faire
bientôt?

— On doit commencer demain 25 avril.

— Alors, pensez-vous que les momies vont revivre?

5   — Je ne sais pas, monsieur ... Elles sont dans
un état de conservation [2] remarquable, mais il ne
reste que peu de vie dans ces corps.

— Une question, madame ... Comment ces Français sont-ils aux États-Unis? [3]

10   — Le docteur Trundle était Américain ... Quand
il est mort, il y a plus de quatre-vingt-dix ans, il a
légué les momies au Rockefeller Museum.

— Pourtant le Museum a brûlé il y a vingt ans?

— En 2006, mais le double cercueil a été sauvé ...

15 Il a connu aussi d'autres incidents: la révolution
européenne de 1935, le bombardement aérien [4] de
New-York par les Japonais en 1982, le tremblement [5]
de terre de 1997 ... Pourtant, le cercueil reste in-
tact.

20   — Cela semble miraculeux.

— Il n'y a pas de miracles à notre époque, monsieur ... Il n'y a que des faits [6] scientifiques.

— Vous avez raison, madame ... Alors, j'espère
avoir le plaisir de vous voir dans peu de jours; j'ar-
25 riverai le 2 mai pour assister à la fin [7] de l'expérience.
Au revoir, madame.

---

[1] (réveil), awakening.   [2] (conservation), preservation.
[3] États-Unis, United States.   [4] aérien, aerial, air.
[5] (tremblement), trembling; tremblement de terre, earthquake.   [6] (fait) n., fact.   [7] assister à la fin, to be present at
(witness) the end.

Annie Thompson appuya de nouveau sur le bouton du téléphone, et la plaque de verre dépoli ne reflétait plus aucune image. Puis elle se leva et se dirigea vers la rotonde centrale du Museum.

La rotonde centrale ne contenait que des pièces 5 rares: un squelette[1] de diplodocus,[2] un squelette de ptérodactyle,[3] un vrai mammouth,[4] et, à la place d'honneur, le double cercueil de verre. Un gardien[5] veillait[6] nuit et jour sur les momies depuis un siècle.

Les deux hommes avaient toute l'apparence des 10 momies égyptiennes. Les mains étaient comme celles d'un squelette; la peau du visage était desséchée, rembrunie, transparente; on distinguait les veines et les artères. Les yeux étaient un peu rentrés[7] dans les orbites; les lèvres étaient closes. Leur corps était 15 dur et sonore comme du bois. Cependant, pour chacun[8] d'eux, un appareil enregistreur, depuis cent ans, n'avait cessé de marquer le rythme régulier des pulsations du cœur — une toutes les trente secondes pour René, toutes les trente-deux secondes pour Cé- 20 lestin.

On avait préparé une salle spécialement pour leur réveil. Elle était de forme circulaire, peinte[9] en blanc et sans ouverture visible, mais éclairée d'une lumière semblable à celle du jour, et qui paraissait 25

---

[1] SQUELETTE, skeleton.   [2] DIPLODOCUS, a giant, prehistoric, four-footed reptile.   [3] PTÉRODACTYLE, a prehistoric, flying, bat-like reptile.   [4] MAMMOUTH, a huge elephant of the Pleistocene era.   [5] (gardien), caretaker.   [6] veiller, to watch (sur, over), take care of.   [7] (rentré), sunken.   [8] (chacun), each.
[9] (peint) adj., painted.

239

sortir de ses murailles. Au-dessus d'une grande table centrale, il y avait une sorte de miroir à la surface dépolie; c'était l'appareil émetteur[1] utilisé pour la télévision. Car l'expérience devait être publique; il
5 y aurait des projections sur écran[2] dans les institutions scientifiques des cinq parties du monde.

VII. LE RÉVEIL

Dans ses instructions, le docteur Trundle avait recommandé que la résurrection des deux hommes fût conduite avec des précautions minutieuses. La
10 première chose à faire était de rendre une certaine humidité à l'air dans le cercueil; en même temps, on devait élever peu à peu la température de l'air jusqu'à trente-sept degrés, chiffre normal du corps humain, et ramener[3] sa pression à celle de l'atmos-
15 phère. Enfin, il fallait augmenter progressivement la dose de nourriture injectée, pour que le cœur pût retrouver l'énergie nécessaire à des mouvements plus rapides.

Une grande responsabilité pesait sur la personne
20 chargée de ces opérations, puisque le docteur Trundle avait laissé aux opérateurs le soin de régler les détails suivant les résultats. Ce fut donc avec inquiétude que, le 25 avril 2027, Annie Thompson entra, suivie de plusieurs médecins choisis parmi les plus célèbres
25 du monde, dans la salle où les deux corps restaient

---

[1] (**émetteur**) *adj.*, broadcasting, sending (*wireless*).
[2] ÉCRAN, screen (*for projections*). [3] (**ramener**), to bring back, restore.

240

dans leur cercueil de verre. Les opérations commencèrent.

Rien ne se passa jusqu'au soir; les aiguilles continuèrent d'osciller sur leurs cadrans avec le même rythme que depuis cent ans. Au bout de vingt- **5** quatre heures, il n'y avait aucun changement.[1] Le monde attendait anxieusement des nouvelles. Une seconde journée passa dans les mêmes conditions. Annie Thompson craignait que ce fût la mort qui arrivât. **10**

Au bout de quarante-huit heures, les médecins tinrent une conférence. La conservatrice les décida,[2] au risque de tuer les hommes, à doubler l'injection de nourriture et à en ajouter une autre dont l'effet devait être de stimuler la circulation du sang. **15**

On attendit avec anxiété. Le soir du deuxième jour, l'appareil enregistreur des pulsations indiquait que le nombre des battements avait passé à trois par minute; à dix heures du soir, il était monté à dix. Une teinte[3] rose commençait à paraître sous la peau **20** des deux momies.

— Maintenant, dit la conservatrice, nous avons de grandes chances de réussir; seulement, il ne faut pas aller trop vite.

VIII. LE 3 MAI 2027

Célestin se frotta les yeux comme un monsieur qui **25** s'éveille après une bonne nuit de sommeil. Son re-

---

[1] (changement), change. [2] (décider), to persuade. [3] **teinte, tint,** shade, tone.

gard se posa sur le visage d'Annie Thompson, qu'il prenait pour une infirmière.[1]

— Bonjour, madame, dit-il. J'ai donc été malade? . . .

5 A ce moment René poussa un soupir. Célestin se retourna et reconnut son jeune maître.

— Ah! je m'en souviens! . . . ce fameux sommeil de Jack Trundle . . . une ruse, quoi! Comment vous sentez-vous, Monsieur?

10 — Très bien, mon cher Célestin, et toi?

— J'ai une faim terrible . . . Mais où sommes-nous? . . . dans une clinique?

— Au Rockefeller Museum de New-York, répondit Annie Thompson.

15 René regarda la conservatrice, stupéfait.

— Ah! C'est une ruse de Trundle, Monsieur! s'écria Célestin.

— Le docteur Trundle est mort depuis quatre-vingt-dix ans, dit Annie Thompson, en souriant.
20 Nous sommes aujourd'hui le 3 mai 2027; vous avez dormi pendant un siècle . . .

Soudain, une voix d'homme remplit la salle:

— Ici, Sylvain Grandjean, membre de l'Académie des sciences de Paris. Je remercie Miss Annie
25 Thompson, conservatrice du Rockefeller Museum, d'avoir bien voulu me permettre d'être le premier à saluer mes deux compatriotes.[2] René La Taillade et Célestin Marquizot, je suis heureux de vous accueillir[3] dans ce monde nouveau . . .

---

[1] (infirmi–er, –ère), nurse, hospital attendant. [2] (compatriote), fellow-countryman. [3] (accueillir), to greet, welcome.

242

— Monsieur! Monsieur! s'écria Célestin, en montrant du doigt au-dessus de sa tête.

Dans le miroir, René voyait un académicien en uniforme qui lui parlait. L'image était distincte et en vraies couleurs. Pour la première fois, René comprit que beaucoup de temps avait passé depuis le jour où il s'était endormi à Saint-Cloud. Mais le discours s'arrêta soudain, et l'image disparut, car Annie Thompson avait appuyé sur le bouton.

— Il faut vous reposer, messieurs, dit-elle. Si vous avez faim, prenez une de ces pilules.[1]

Elle leur tendit une petite boîte ronde, pleine de pilules grises. Ils obéirent. Aussitôt que la pilule fut dans son estomac, René eut l'impression d'avoir fait un repas[2] copieux.

— L'effet de cette pilule est prodigieux, mademoiselle!... Que nous avez-vous donné? demanda René.

— Tous les éléments nécessaires à vos tissus. On a réalisé le rêve de votre savant Berthelot,[3] qui a pensé le premier à nourrir[4] chimiquement[5] le corps humain. Les repas sont supprimés[6]; on ne perd plus de temps à manger. Maintenant, c'est fait en trente secondes. Mais on vous attend... Il vous faut vous habiller.

---

[1] PILULE, pill. [2] REPAS, meal. [3] Marcelin Berthelot (1827–1907), celebrated French chemist, author of innumerable works on organic chemistry and thermo-chemistry. [4] **nourrir**, to feed, nourish. [5] (**chimiquement**), chemically (**chimie,** chemistry). [6] SUPPRIMER, to suppress, abolish, do away with.

Annie Thompson quitta la salle, et bientôt on apporta des tuniques et des culottes de soie artificielle. Aussitôt que René et Célestin se furent habillés, la conservatrice reparut,[1] suivie d'un jeune homme
5 maigre.

— Je veux vous présenter [2] M. Gabriel Clerc, journaliste français. Il est parti hier de Paris pour vous voir.

René lui tendit la main, mais le journaliste ne
10 comprit pas ce geste, oublié depuis un demi-siècle.

— Je suis heureux de vous voir en bonne santé, dit-il. Je vais rester quelques jours à New-York, et je suis à votre service, mes chers compatriotes . . .

— Ah! mon Dieu! s'écria Célestin. Vous êtes
15 Parisien, monsieur! Eh bien! ça me fait plaisir de vous voir! Comment va Paris? . . . et la tour Eiffel? [3] . . .

— Oh! celle-là, dit le journaliste, vous ne la reverrez plus . . . Elle a disparu il y a longtemps . . .
20 Elle empêchait la circulation des avions [4] et des hélicoptères. Vous trouverez quelques petits changements à Paris . . . On circule surtout en l'air . . . mais vous apprendrez vite à voler [5] . . .

A ce moment, la porte s'ouvrit, et un gardien
25 annonça:

— La Commission d'hygiène! [6]

___

[1] (reparaître), to reappear. [2] présenter, to introduce, present. [3] An iron tower erected in 1889, in the Champ-de-Mars, by the French engineer Eiffel. It is 984 feet high and is surmounted by a powerful radio (T.S.F.) station.
[4] avion, airplane. [5] voler, to fly. [6] Commission d'hygiène, Board of Health.

IX. QUELQUES FORMALITÉS DU XXIᵉ
SIÈCLE

Cinq messieurs graves, tout habillés de **noir,** s'avancèrent dans la salle, s'assirent devant une longue table, et regardèrent René et Célestin, sans mot dire.[1]

— Je vous laisse, dit la conservatrice. Ceci est la **5** formalité la plus importante qui doit accompagner votre rentrée [2] dans le monde des vivants.

— Cela me rappelle le jour où j'ai passé mon bachot,[3] il y a cent huit ans, murmura René.

Les cinq messieurs se consultèrent un instant, puis **10** le plus âgé [4] dit en français:

— Messieurs, la Commission supérieure d'hygiène, dont je suis le président, est obligée par la loi [5] de vous soumettre à quelques opérations avant de vous autoriser à communiquer avec vos semblables.[6] Il **15** nous faut vous examiner minutieusement. Veuillez [7] vous déshabiller.[8]

René et Célestin se déshabillèrent, et on commença à les mesurer, en appliquant des instruments sur toutes les parties de leur corps. De grandes feuilles **20** se couvrirent des chiffres qui résultaient de ces investigations.

---

[1] **sans mot dire,** without saying anything.   [2] (rentrée), reappearance, return.   [3] ʙᴀᴄʜᴏᴛ, baccalaureate; **passer son bachot,** to go up for one's baccalaureate (bachelor's degree).
[4] **(âgé),** old, aged.   [5] **loi,** law.   [6] (semblable) *n.,* fellow creature.   [7] **Veuillez** (*impv. of* **vouloir),** Please.   [8] (**déshabiller**), to undress.

— L'examen est favorable, annonça enfin le président. Vous pouvez remettre vos habits, mais il va falloir vous vacciner. Il y a cent ans, on vaccinait contre la petite vérole[1] et contre la fièvre typhoïde,
5 mais maintenant nous employons des vaccins contre le choléra, la tuberculose, le cancer, la grippe et une douzaine d'autres maladies, qui, grâce à eux, tendent à disparaître. Ce sont ces vaccins que l'on va vous inoculer aussi rapidement que possible. Jusqu'à ce
10 que[2] ce soit fini, vous serez isolés au Grand Lazaret.[3]

La Commission se retira et Annie Thompson reparut.

— Tous mes compliments, dit-elle. Bientôt[4] vous pourrez vivre comme tout le monde. Si vous avez
15 quelque chose à me demander pendant que vous serez au Lazaret, appelez le numéro 734.683 de New-York, entre seize et dix-sept heures... A bientôt![5]

Elle disparut. Le gardien entra et fit signe à René
20 et à Célestin de le suivre; une voiture[6] les attendait en bas. Les deux hommes montèrent[7] derrière le conducteur,[8] et la voiture se mit en marche[9] à une vitesse[10] étonnante et sans aucune vibration.

Tout de suite, René remarqua le silence presque
25 complet dans les rues qu'ils suivirent. Quand les

---

[1] VÉROLE, pox; petite vérole, smallpox.   [2] Jusqu'à ce que, Until.   [3] LAZARET, quarantine hospital.   [4] (bientôt), soon.   [5] A bientôt! Good-bye, see you again soon!   [6] (voiture), automobile.   [7] (monter), to get in (into).   [8] conducteur, driver.   [9] (marche), movement; se mettre en marche, to start out, set off.   [10] (vitesse), speed.

autos se croisaient,[1] on n'entendait qu'une sorte de glissement.[2] Sur les trottoirs,[3] des passants [4] allaient non moins vite, perchés sur des espèces de patinettes.[5] Au-dessus d'eux, des véhicules grands et petits volaient à grande vitesse dans le ciel.   5

Soudain, l'auto s'arrêta devant un haut mur; une porte s'ouvrit et se referma derrière eux. Ils se trouvaient dans un vaste jardin, où s'élevaient ci et là de petites maisons qui ressemblaient à des cottages. Un homme vêtu comme un infirmier vint 10 à leur rencontre,[6] et les conduisit vers un des cottages.

— Voici votre demeure,[7] leur dit-il. Installez-vous. Demain matin, vers huit heures, l'un de nos médecins viendra vous faire une première piqûre.[8] 15 Je vous laisse. A demain.

Le cottage se composait d'un petit salon, de deux chambres à coucher [9] et de deux salles de bain.[10]

— On sera bien ici, dit Célestin, mais je ne vois ni salle à manger ni cuisine!   20

— Ces deux pièces [11] sont devenues inutiles, dit René, puisqu'on ne se nourrit plus que de pilules! Eh bien, allons explorer ce fameux lazaret.

Ils traversèrent quelques allées et arrivèrent au pied d'une grande tour. Un gardien s'approcha d'eux 25

[1] (se croiser), to pass each other.   [2] (glissement), slipping, gliding motion.   [3] (trottoir), sidewalk.   [4] (passant), passer-by.
[5] (patinette), scooter.   [6] rencontre, meeting; venir à leur rencontre, to come to meet them.   [7] (demeure), dwelling (*iemporary*).   [8] (piqûre), injection.   [9] chambre à coucher, bedroom.
[10] bain, bath; salle de bain, bathroom.   [11] (pièce), room.

et leur demanda s'ils voulaient monter avec lui au haut de la tour.

— Vous ne connaissez pas New-York? dit-il. Je vais vous le montrer.

5 On monta jusqu'à la plateforme supérieure d'où on voyait un panorama magnifique. Le lazaret était installé au bord de la mer; en face, sur une petite île, s'élevait une grande statue.

— C'est la « Liberté éclairant le monde », dit le
10 gardien. Elle sert toujours de guide pour les navires[1] et les hélicoptères qui viennent à New-York. L'endroit où nous sommes était autrefois[2] le quartier des « gratte-ciel »,[3] mais il y a longtemps que tout cela a disparu. Il a fallu installer ici un port adapté aux
15 besoins de la navigation aérienne, car presque tout le monde vole maintenant. Tous les véhicules aériens qui arrivent d'Europe viennent se poser devant le lazaret, où leurs passagers[4] sont examinés avant d'être permis de pénétrer dans les États-Unis.
20 La ville s'est étendue vers l'ouest,[5] comme vous pouvez le voir.

En effet, on apercevait jusqu'à l'horizon une suite continue de maisons et de jardins. Dans le ciel, des centaines[6] de machines volantes allaient,
25 venaient, se croisaient, comme un vol[7] d'oiseaux.

René et Célestin redescendirent et regagnèrent leur demeure. Au moment de leur entrée, une sonnerie de téléphone se fit entendre. René pressa le

---

[1] NAVIRE, ship, vessel. [2] (autrefois), formerly. [3] (gratte-ciel), skyscraper. [4] (passager), passenger. [5] ouest, west.
[6] (centaine), a hundred. [7] (vol), flight.

bouton et l'image d'un homme assis dans un fauteuil
parut sur la plaque; en même temps une voix disait:

— Je suis le médecin de service.[1] Je viendrai vous
voir demain matin huit heures; je vous recommande
de ne rien manger avant mon arrivée.   5

La plaque devint obscure; la voix cessa.

— Ne rien manger, dit Célestin, ce n'est pas une
privation! . . . Si l'on avait comme autrefois, à son
réveil, du bon chocolat avec des brioches,[2] ce serait
autre chose! . . .   10

X. QUELQUES REGRETS . . .

Le lendemain matin, à huit heures précises, le
médecin de service entra, accompagné d'un infirmier.

— Nous allons commencer par vous donner la
petite vérole, dit-il. Couchez-vous . . . Je suis pressé.

Il fit une piqûre à René, une autre à Célestin, 15
donna à chacun un petit appareil dans une boîte, et
sortit en disant:

— Restez couchés jusqu'à quatre heures du soir.
Si vous avez besoin de quelque chose, vous appellerez
le gardien en parlant dans ce microphone.   20

— Tous les gens que nous voyons semblent être
pressés, dit René, après le départ du médecin.. Peut-
être le serons-nous aussi plus tard . . . Eh bien,
essayons de communiquer avec le gardien.

Il parla dans son appareil; une voix lui répondit 25
immédiatement:

---

[1] **médecin de service,** physician on duty. [2] BRIOCHE, a
sort of bun, made of flour, butter, and eggs.

— Qu'est-ce que vous désirez?

— Il y a plus de cent ans que je n'ai fumé [1] une cigarette ... Serait-il possible de m'en procurer?

Le gardien parut stupéfait d'abord, puis il expliqua que depuis cinquante ans l'usage [2] du tabac [3] avait été supprimé en Amérique.

— Ils ne mangent pas, s'écria Célestin, ils ne boivent pas, ils ne fument pas! Qu'est-ce qu'ils peuvent bien faire?

— Je me le demande, dit René. Eh bien, essayons maintenant de causer avec Miss Thompson ... Ce doit être facile.

Il tourna les boutons de l'appareil de télévision et attendit; mais au lieu [4] du visage souriant de la conservatrice, le visage austère d'une vieille dame [5] parut sur l'écran.

— Qui demandez-vous? dit-elle.

— Miss Annie Thompson.

— Ce n'est pas ici!

— Mais, madame, vous êtes bien le numéro ...

— Je vous répète que ce n'est pas ici!

Et elle coupa la communication.[6]

— Allons! dit Célestin. C'est comme autrefois! ...
On n'a pas encore trouvé le moyen de ne pas tomber sur un faux numéro![7]

Après une demi-heure, René essaya de nouveau;

---

[1] **fumer,** to smoke.   [2] **(usage),** use.   [3] **tabac,** tobacco.
[4] **lieu,** place; **au lieu de,** instead of.   [5] **dame,** lady.   [6] **couper la communication,** to hang up (a telephone).   [7] **On n'a pas ... faux numéro,** They haven't yet found how not to get a wrong number.

cette fois, il se trouva en présence d'un gros monsieur apoplectique, qui ne lui laissa pas placer un
mot.[1]

— Mais non![2] Vous le voyez bien, que je ne suis
pas Miss Annie Thompson! Il n'y a pas besoin d'un 5
long examen pour comprendre que je ne suis pas
une jeune fille!

— Vous avez bien raison, monsieur, mais . . .

— Coupez donc! s'écria Célestin. La discussion
sera inutile! 10

René suivit ce conseil. Puis il essaya de lire un
livre scientifique que le gardien lui avait apporté,
mais il n'y comprit rien. Alors il choisit un roman,[3]
mais le roman était aussi bête que ceux qu'il avait
lus[4] autrefois. Il finit par s'endormir. 15

La sonnerie du téléphone le réveilla, et la figure
d'Annie Thompson parut dans la glace dépolie.

— Ah! vous voilà![5] dit René. J'ai vainement
essayé de vous parler ce matin . . .

— Vous avez dû m'appeler[6] en dehors[7] des heures 20
que je vous avais indiquées . . . Pour la télévision,
c'est seulement à ces heures-là que ce numéro est à
moi; le reste du temps, il est à d'autres personnes
que je ne connais pas.

— Il faut savoir trop de choses pour vivre au XXIe 25
siècle! . . . Je m'ennuie horriblement.

---

[1] **placer un mot,** to get a word in edgeways. [2] **Mais non!**
Indeed not! Of course not! [3] ROMAN, novel. [4] **lu** *p.p. of*
lire. [5] **vous voilà!** there you are! [6] **Vous avez dû m'appeler,**
You must have called me. [7] (**dehors**), outside; **en dehors
de,** outside (of).

— On peut toujours s'occuper . . . Il y a des milliers[1] de livres dans la bibliothèque[2] du Grand Lazaret, des promenades dans le jardin, des représentations[3] aux théâtres ou à l'Opéra qu'on peut
5 suivre au moyen de l'appareil de télévision . . . Je veux que vous repreniez goût[4] à l'existence . . . Vous êtes un peu mes enfants, vous savez.

A ce moment, un mouvement brusque fit tomber ses lunettes teintées. Elle se baissa pour les ra-
10 masser.

— Oh! dit René, ne les remettez pas! Elles vous vieillissent de vingt ans . . .

— Mais cela ne me fait rien, dit la jeune fille.

— Comment! cela ne vous fait rien! . . . De mon
15 temps,[5] les femmes cherchaient à paraître jeunes, même quand elles ne l'étaient plus, et elles avaient bien raison. On vieillit toujours trop vite.

Annie Thompson ne remit pas ses lunettes.

XI. . . . ET QUELQUES SURPRISES

Le matin du trente et unième jour, tous les vaccins
20 ayant été inoculés selon la loi, René et Célestin sortirent du Grand Lazaret. Gabriel Clerc les accueillit à la porte.

 — Je savais que vous alliez sortir, dit-il, et je venais à votre rencontre. Miss Thompson est ab-

---

[1] (millier), a thousand.　[2] BIBLIOTHÈQUE, library.　[3] représentation, performance.　[4] goût, taste, liking.　[5] De mon temps, In my time (day).

sente aujourd'hui, elle fait une conférence[1] à San Francisco. Quelle habitation[2] vous a-t-on assignée?

— Je ne sais pas, répondit René, mais voici une carte qu'on m'a donnée.

— Ah! vous habitez le quatrième district, 47e avenue, n° 237 . . . c'est le quartier le plus agréable de New-York.

— Et si j'aimais mieux[3] vivre à un autre endroit? . . .

— Cela serait impossible! On ne vous le permettrait pas. Aux États-Unis, on vit depuis longtemps sous une véritable tyrannie qui veut faire le bonheur des hommes, mais sans leur permettre d'en choisir les moyens.

— Je suis étonné qu'on nous abandonne ainsi à trouver notre habitation!

— Ne croyez pas cela! . . . On veille toujours sur vos mouvements . . . Mais je veux vous y conduire . . . Nous allons prendre l'aérobus.

— Dépêchons-nous,[4] dit Célestin, car j'ai faim. Il y a assez longtemps que j'avale[5] des pilules! . . . Un bon bifteck[6] ou un poulet garni de légumes avec du bon vin, ça . . .

— Un bifteck? . . . un poulet? s'écria le journaliste. Ce n'est pas à New-York que vous vous les procurerez! Vous pouvez manger des fruits, mais c'est tout. Alors, consentez à avaler une pilule . . .

---

[1] CONFÉRENCE, lecture; **faire une conférence,** to lecture.
[2] (**habitation**), house, residence (*permanent*). [3] **aimer mieux,** to prefer. [4] **se dépêcher,** to hurry. [5] AVALER, to swallow.
[6] BIFTECK, beefsteak.

Tout en causant, ils étaient arrivés à une grande place qui servait de point de départ à une douzaine d'avenues. Des automobiles tournaient autour d'un refuge central réservé aux appareils aériens qui s'y
5 posaient ou s'envolaient[1] sans cesse. Tout cela se faisait presque sans bruit et dans un ordre parfait. Les trois hommes traversèrent la place par un passage souterrain[2] et gagnèrent le refuge central. Plusieurs machines volantes y étaient posées; elles
10 étaient toutes semblables et faites pour deux passagers seulement.

— C'est le modèle pour les citoyens des classes moyennes, expliqua Clerc. Les hommes sont séparés en catégories, et la plupart[3] des citoyens ont droit à
15 une machine de cette sorte.

L'aérobus arrivait. Il traversa la place à cinquante mètres de hauteur, descendit doucement, et s'arrêta sur une plateforme qui lui était réservée. Les trois Français montèrent. L'aérobus s'éleva et se remit
20 en marche vers l'ouest.

— Nous allons traverser toute la ville, continua le journaliste, ce qui vous permettra d'en avoir une vue générale. Tout ce quartier au-dessous de nous est celui des administrations publiques; elles tien-
25 nent beaucoup de place, parce que cette vie est tellement réglée par les lois et les règlements que la liberté individuelle n'existe guère . . . Voyez ces terrains[4] vides, entourés de grandes estrades[5]; ce sont

---

[1] (s'envoler), to fly away, take off (*of airplanes*). [2] (**souterrain**), subterranean. [3] **la plupart de,** most (of). [4] (**terrain**), plot of ground, field. [5] ESTRADE, platform, stand.

les terrains de sports.[1] Les sports tiennent une
grande place dans la vie des Américains. Remarquez
les terrasses sur les grands bâtiments[2]; elles sont pour
l'arrivée et le départ des hélicos.[3] Remarquez aussi
qu'il n'y a plus dans la ville une seule usine[4]; toutes 5
les usines sont installées en dehors des habitations, à
cinquante kilomètres de la mer. Et voici maintenant
les maisons des New-Yorkais. Les fameux bâtiments
à vingt étages, comme les gratte-ciel, ont disparu;
chaque famille a son cottage avec un petit jardin . . . 10
Et voilà que nous arrivons!

Ils descendirent au milieu d'une place semblable à
celle qu'ils avaient quittée, passèrent par un couloir
souterrain, remontèrent au trottoir, et s'arrêtèrent
devant une grille qui portait l'inscription: « Police 15
du 4° district ». Un fonctionnaire[5] nota leurs noms
et prénoms, et leur donna la clef de leur habitation.
Deux minutes après, ils s'arrêtèrent devant le cottage n° 237.

XII PLUS ÇA CHANGE[6] . . .

Les murs de la maison étaient formés de deux 20
épaisseurs[7] de plaques avec une couche[8] d'air entre
les deux qui protégeait l'intérieur contre les varia-

---

[1] **terrain de sport,** athletic field.   [2] **(bâtiment),** building.
[3] **hélico = hélicoptère.**   [4] **usine,** factory, works, mill.
[5] **(fonctionnaire),** official (*of government*).   [6] The proverb **in**
full is "Plus ça change, plus c'est la même chose." **Plus . . .**
plus, The more . . . the more.   [7] **(épaisseur),** thickness.
[8] **(couche),** layer.

tions de température. Tous les cottages du quartier se ressemblaient, ayant été fabriqués en série.

— On dresse une telle maison en deux jours, dit le journaliste. Il y en a des centaines de mille aux 5 États-Unis.

L'intérieur était d'une grande simplicité. Les pièces étaient claires et peintes en blanc. Tous les meubles,[1] comme les maisons, avaient été fabriqués en quantités énormes d'après des modèles fixes.

10 — Excusez-moi de vous poser une question . . . Célestin et moi, nous sommes rentrés dans le monde sans un sou . . . Comment allons-nous vivre?

— Oh! tout cela est changé! L'argent a presque disparu en Amérique. Chacun reçoit des carnets au 15 moyen desquels il se procure ce qui est indispensable à l'existence. Ne vous en a-t-on pas donné au Grand Lazaret?

— C'est cela, sans doute, dit René, en tirant un carnet de sa poche.

20 — C'est cela. Vous en détachez les feuilles, et des magasins[2] dans chaque quartier de la ville vous délivrent les objets dont vous avez besoin. La quantité et la qualité diffèrent suivant votre occupation. Chacun en a pour le travail qu'il fait. Il faut que 25 tout le monde serve l'État; en échange, l'État assure votre vie matérielle et vous donne même quelque chose de plus.

— Et les Américains acceptent cette tyrannie?

— Elle est imposée par une force de police qui est 30 nombreuse et qui se prend au sérieux. Et puis,

[1] **meuble,** piece of furniture. [2] **magasin,** store.

quand on est nourri et logé,[1] on est disposé à considérer le reste comme relativement secondaire . . .

— Monsieur! s'écria Célestin, qui cherchait partout dans la maison. Venez voir! . . . au bout du couloir . . . j'ai trouvé le garage! Il y a deux hélicos, 5 deux patinettes, et une automobile à quatre places . . . Mais l'auto ne se ressemble pas à ceux de notre siècle, voyez-vous . . .

— C'est vrai, dit Clerc. Nous n'avons plus de levier de changement de vitesse[2]; il suffit d'appuyer 10 sur cette pédale pour embrayer[3] et accélérer comme vous voudrez. Et puis, il n'y a ni réservoir d'essence[4] ni cylindres. Depuis soixante ans, les moteurs à pétrole[5] ont complètement disparu, comme les machines[6] à vapeur. Tout est actionné[7] par 15 l'électricité, grâce à la découverte de l'accumulateur[8] léger. Vous vous souvenez, il y a cent ans, des articles de journaux dont les auteurs prédisaient qu'au bout d'une période assez courte, le charbon[9] et le pétrole manqueraient? . . . Ce serait la fin de 20 toutes les industries et peut-être de la civilisation. Eh bien, vers 1940, on a réussi à employer l'énergie contenue dans les mers, en se servant des marées.[10]

---

[1] **loger,** to lodge. [2] levier de changement de vitesse, gear-shift lever. [3] EMBRAYER, to let in the clutch, put in gear. [4] essence, gasoline; réservoir d'essence, gasoline tank. [5] PÉTROLE, petroleum; moteur à pétrole, oil engine, Diesel engine. [6] (machine), engine; machine à vapeur, steam engine. [7] (actionner), to drive, run, set in motion (*of machinery*). [8] ACCUMULATEUR, battery, storage cell (battery). [9] charbon, coal. [10] marée, tide.

257

Vers 1960, l'emploi [1] de l'énergie des marées devint
général. Puis deux savants français, Georges Claude
et Boucherot,[2] avaient formulé l'idée de faire marcher des turbines en se servant de la différence de
5 température entre les eaux de la surface de la mer
et celles des grandes profondeurs, qui restent à près
de zéro degré. On a appliqué cette idée, et avec ces
deux sources d'énergie, on a pu supprimer presque
complètement l'emploi du charbon et du pétrole . . .
10 — Quelle révolution! dit René.
— Oui . . . Il y en a eu en Russie et aux États-
Unis, au moment où on a commencé à fabriquer
l'accumulateur léger en série; c'était la ruine de
presque toutes leurs industries. C'est ainsi que mar-
15 chent vos hélicos, vos patinettes, votre voiture,
l'aérobus, les chemins de fer,[3] les bateaux, et toutes
les usines du monde entier.
— Mais c'est formidable! murmura René.

XIII. CHACUN À SON GOÛT [4]

Le lendemain, vers midi, Annie Thompson des-
20 cendit de son hélico devant le cottage n° 237.
— Eh bien, demanda-t-elle, comment vous trouvez-vous ici?

[1] (emploi), use, employment.   [2] The French physicist
and chemist Georges Claude, with Paul Boucherot, announced
in 1930 the possibility of obtaining energy by utilizing the
difference between temperatures at varying ocean depths.
To Claude, also, is owed the discovery of liquid air (1900).
[3] chemin de fer, railroad.   [4] The English equivalent of this
proverb is " Every man to his own liking."

258

— On peut vivre dans cette maison, répondit René,
mais le monde où nous nous trouvons maintenant
diffère si profondément de celui que nous avons
connu, que tout nous choque[1]; il faudra du temps[2]
pour oublier le passé . . .   5
— Je comprends cela . . . Il aurait peut-être mieux
valu que le docteur Trundle vous fît transporter en
Australie . . . L'Australie a refusé de suivre l'évolution des autres pays du monde; on y vit encore de la
vie que vous avez connue. Et bien, il me faut al- 10
ler faire une conférence à la Nouvelle-Orléans sur
l'histoire de votre sommeil et de votre résurrection . . . Voulez-vous bien m'accompagner? L'hélico-
express part de la gare à seize heures; nous arriverons
quatre heures après.   15
— Je le veux bien, dit René. Je serai content de
prendre un peu l'air.
— Merci, dit la jeune fille. Je viendrai vous chercher à quinze heures et demie . . . Maintenant, je
vous quitte . . . A bientôt.   20
A l'heure fixée, elle revint dans une voiture du
Museum qui les conduisit tous trois à la gare[3] centrale. Ils montèrent dans un grand wagon[4] très
confortable. Une minute après, les hélices[5] se mirent
en mouvement, le wagon s'éleva en l'air et se mit en 25
marche vers le Sud-Ouest.[6] René et Annie, assis
l'un près de l'autre,[7] causaient.

---

[1] CHOQUER, to shock, offend, displease.   [2] **il faudra du
temps,** time will be necessary.   [3] **gare,** station (*of a railroad*).
[4] **wagon,** coach, car (*railway*).   [5] HÉLICE, propeller.   [6] **sud,**
south.   [7] **l'un près de l'autre,** beside each other.

— Avez-vous pensé, demanda-t-elle, à la profession qu'il va falloir prendre?... Personne n'a le droit de rester sans travailler aux États-Unis... Que faisiez-vous en France, il y a cent ans?

5 — Rien du tout! Je dépensais [1] l'argent qu'avaient laissé mes parents....

— Mais vous êtes intelligent... Vous pourrez rendre des services. Seulement, il faut commencer par les emplois inférieurs, et s'élever peu à 10 peu...

Pendant qu'ils causaient, les paysages [2] de l'Amérique du Nord s'enfuyaient au-dessous d'eux. La plupart des villes occupaient des espaces immenses le long des rivières ou au milieu des forêts; on n'y 15 voyait presque plus de cultures ni de pâturages, [3] puisque l'usage du pain et celui de la viande avaient disparu. Près de la Nouvelle-Orléans, ils virent au bord de la mer les vastes bâtiments d'une station centrale électrique [4] utilisant l'énergie des marées, et 20 qui servait toute la région du Sud.

Ils descendirent à la grande gare centrale de la ville, où ils furent accueillis par un Comité de savants.

La conférence fut un triomphe. Pendant les jours 25 qui suivirent, ils firent d'autres voyages, mais à la grande surprise de René, Célestin lui demanda la permission de ne plus les accompagner.

— Tu vas t'ennuyer seul à la maison, lui dit René.

---

[1] **dépenser,** to spend. [2] **(paysage),** landscape, countryside. [3] PÂTURAGE, pasture, grazing ground. [4] **station centrale électrique,** electric power plant.

— Non, répondit-il, j'ai fait des connaissances parmi nos voisins.

Un soir, en rentrant, René ne trouva pas son domestique dans le cottage. Alors, il alla dans le jardin, où il vit Célestin, appuyé au mur, et qui 5 causait avec une personne invisible, en souriant et en répétant toujours, avec une cordialité remarquable:

— *Yes! yes! yes!*

En entendant les pas de son maître dans l'allée, 10 il jeta un sonore « *Good-bye* » et se tourna vers René, en se frottant les mains.

— Je causais avec nos voisines, lui dit-il. Ce sont deux vieilles filles [1] . . . très gentilles! [2] Je ne comprends rien à ce qu'elles me disent, alors je leur ré- 15 ponds toujours *yes* . . . Ça leur fait plaisir. Ah! Monsieur! ce sont des femmes supérieures! . . . Elles ont des lapins,[3] Monsieur! . . . Oui . . . de vrais lapins! Et les lapins, voyez-vous, ce n'est pas une mauvaise chose! 20

Et Célestin sourit avec malice.

XIV. ON REDEVIENT ÉCOLIER

Un jour, René arriva sur la plateforme du Rockefeller Museum en très mauvaise humeur; Célestin le suivait, en maudissant.

— Qu'avez-vous donc? demanda Miss Thompson. 25

[1] vieille fille, old maid, spinster. [2] gentil (*f.* gentille), nice.
[3] LAPIN, rabbit.

— La police aérienne nous a dressé trois contraventions! [1] répondit René. Les lois sont devenues si sévères et si nombreuses qu'on ne peut plus bouger sans faire des contraventions. C'est une tyrannie!

5 — C'est une mauvaise chose! ajouta Célestin. Et ça commence quand on est tout jeune!

— Ah! dit Miss Thompson, il faut que je vous conduise à la Grande École [2]; vous y verrez comment les enfants sont élevés aujourd'hui! Allons-y
10 tout de suite!

Et elle se précipita dans l'espace, suivie par ses deux compagnons.

La Grande École de New-York était bâtie au milieu d'un parc, avec de larges allées et d'immenses
15 terrains pour les sports. Quand les trois hélicos se posèrent sur la plateforme centrale, René fut frappé du nombre et des dimensions des bâtiments groupés autour de cette plateforme.

— C'est ici, lui dit Miss Thompson, qu'on reçoit
20 tous les garçons de la ville de New-York, quand ils arrivent à l'âge de douze ans ... Mais voici le directeur qui peut vous expliquer lui-même notre système d'éducation.

— Avec plaisir, dit le directeur, qui était sorti du
25 bâtiment central à leur rencontre. Les enfants sont envoyés, à l'âge de six ans, à l'école primaire de leur district, où ils font tous les mêmes études [3] pendant

---

[1] CONTRAVENTION, a violation of police regulations; **dresser une contravention,** to give notice of a violation of police regulations, serve a summons.   [2] **école,** school.   [3] **étude,** study.

six années. Au bout de ce temps, on les envoie ici avec des notes sur leur intelligence et la régularité de leur travail. Nous continuons leur instruction, mais, chaque année, nous éliminons ceux qui se montrent les moins capables de réussir dans la classe 5 à laquelle ils sont arrivés.

— Que deviennent-ils? demanda René.

— Ils sont utilisés comme ouvriers, ou comme petits employés, et destinés à ne jamais sortir de ces fonctions. 10

— Et les autres?

— Ils continuent leurs études et, en sortant de l'école, sont distribués par le Conseil supérieur de l'instruction publique entre les diverses branches de l'activité du pays. 15

— Ils n'ont pas le droit de choisir leur profession?

— Non, car le Conseil sait mieux qu'eux ce qui leur convient.[1]

— Et quand ils y sont entrés, ils ne peuvent plus en sortir? 20

— C'est très difficile; il faut qu'ils fassent preuve[2] de qualités remarquables. Il est rare qu'on accorde une changement de catégorie.

— Savez-vous qu'autrefois certains élèves[3] médiocres sont devenus des hommes éminents, et que 25 de très bons élèves se montraient incapables dans la vie pratique? Et qu'en séparant les individus, d'après leur situation sociale, d'une façon si rigide, vous arrivez à supprimer l'initiative? . . .

---

[1] (**convenir**), to be suitable (fitting, advisable).   [2] **faire preuve,** to give evidence.   [3] (**élève**), pupil.

263

— Nous avons supprimé les paresseux.[1]

— Et la liberté? Qu'en faites-vous?

— La liberté telle que vous l'entendiez, dit Miss Thompson, n'existe plus dans ce pays.

5 — Eh bien! dit Célestin, savez-vous ce que je ferais, si j'étais un élève ici?... Une révolution!... pour leur apprendre à vivre!...

XV. LA FORTUNE VIENT EN DORMANT

— Célestin est encore sorti! dit René, en rentrant le lendemain. Il doit être encore avec nos voisines...
10 Je vais le chercher.

— Pourquoi vous fatiguer ainsi? demanda Miss Thompson. Pour le trouver, vous n'avez qu'à vous servir de votre radiophone personnel.

Ce petit appareil téléphonique de poche, à la fois
15 émetteur et récepteur,[2] suffisait dans un rayon[3] d'un kilomètre pour permettre une conversation avec tous ceux dont on connaissait le chiffre personnel. En se servant de l'instrument, René chercha Célestin, qui répondit aussitôt:

20 — C'est moi, Monsieur! Je suis au fond du parc, avec les Spangburry... Grâce à elles, je saurai bientôt parler anglais...

— Viens, nous t'attendons... Miss Thompson va nous conduire dans une usine. Dépêche-toi!

25 On trouva l'usine absolument propre,[4] l'emploi de l'électricité ayant remplacé celui du charbon. Des

---

[1] (paresseux), lazy.   [2] (récepteur) *adj.*, receiving.
[3] (rayon), radius.   [4] (propre), clean.

machines-outils faisaient presque tout le travail, et
le rôle des ouvriers ne consistait qu'à vérifier la
manière dont les machines fonctionnaient. Chaque
usine était spécialisée et ne fabriquait qu'un petit
nombre de modèles. Tous les gestes des ouvriers 5
étaient réglés à l'avance; aucun effort n'était inutile
et il n'y avait aucune perte de temps. C'était l'ap-
plication rigoureuse de la méthode inventée par
l'Américain Taylor,[1] au xxᵉ siècle.

Célestin s'arrêta devant un ouvrier qui répétait 10
continuellement un mouvement identique, et demanda:

— Est-ce qu'il est vivant? ... Il a l'air d'un
automate! ...

— Il remplit le rôle d'une machine, dit Miss 15
Thompson, mais la machine qu'il faudrait mettre à
sa place serait trop compliquée; c'est pourquoi on a
laissé un homme à cet endroit.

— Et si cet homme, ou un autre, ne donne pas
satisfaction? 20

— On le met en prison ... Les gens d'aujourd'hui,
étant nourris et logés, n'ont pas grande envie de
travailler; alors, il faut les obliger à faire leur devoir.

Au retour de[2] leur excursion, René et Célestin
trouvèrent devant la porte de leur cottage un mon- 25
sieur qui les attendait.

— Célestin Marquizot? demanda-t-il.

[1] Frederick W. Taylor (1856–1915), an American engineer,
whose researches in shop management established the princi-
ples of modern scientific management in industry.   [2] **Au retour
de,** Returning from.

— C'est moi! dit Célestin.

— Et moi, Norman Bishop, avocat . . . Vous êtes bien M. Célestin Marquizot, né à Paris le 11 janvier 1887 ? . . .

5 — Oui.

— Alors j'ai le plaisir de vous apprendre, monsieur, que vous êtes propriétaire de la somme d'un million cent soixante-dix-sept mille deux cent quarante-huit francs et vingt-sept centimes.[1]

10 — Moi ? . . . D'où me vient cette fabuleuse fortune ?

— De la Caisse [2] d'épargne de Paris. Quand le docteur Trundle vous a endormi, vous aviez à la Caisse d'épargne exactement trois mille cinq cent 15 vingt-neuf francs dix centimes. Cette somme en cent ans, avec les intérêts [3] composés à six pour cent,[4] a produit un million cent soixante . . .

— Assez, monsieur, assez! Vous êtes sûr ? . . . Je suis aussi riche que cela ? . . .

20 — Oui, monsieur.

— C'est extraordinaire! . . . Alors, nous sommes millionnaires! . . . Ainsi, il suffit de dormir pendant cent ans pour devenir riche ? . . . Rien que ça!

— Quand le bénéficiaire sera-t-il mis en possession 25 de cette somme? demanda René.

— Quand il le voudra.

— Où?

---

[1] **centime,** one one-hundredth part of a franc. [2] CAISSE, cash, cashier's desk; **caisse d'épargne,** savings bank. [3] **intérêt,** interest; **intérêt composé,** compound interest. [4] **pour cent,** per cent.

— A Paris.

— A Paris? s'écria Célestin. Il a dit à Paris? . . .
Monsieur, partons tout de suite!

XVI. UNE BONNE IDÉE

Annie Thompson écouta l'histoire du changement
de fortune de Célestin, puis elle dit: **5**

— Que pourriez-vous faire de cet argent? On
reçoit de l'État l'habitation, les vêtements, la nourriture, les moyens de transport. L'État seul peut
entrer dans le commerce. Vous n'avez pas le droit
d'acheter des objets excepté ceux énumérés dans **10**
votre carnet. Tous les millions du monde vous seraient complètement inutiles.

— Vos lois sont absurdes! s'écria Célestin. Nous
étions plus heureux autrefois! . . . Nous avions des
désirs, et nous trouvions du bonheur à les satis- **15**
faire . . . On travaillait pour ses enfants . . . pour
leur laisser un héritage [1] . . . ou pour leur procurer
les satisfactions que l'argent pouvait payer . . .

— Mais tout cela n'a pas changé en France; l'argent a gardé sa valeur d'échange, et le droit d'héri- **20**
tage existe toujours . . . Ah! j'oubliais! Vous allez
me quitter? . . . Alors, occupons-nous des formalités
de départ. Vous avez contracté des dettes envers le
gouvernement des États-Unis pour cette habitation,
vos vêtements, votre nourriture . . . Pour que vous **25**
puissiez sortir, il faut que vous laissiez une garantie;

[1] HÉRITAGE, inheritance.

267

puisque vous n'avez rien, c'est moi qui répondrai de vous . . .

René ne dit rien, mais son regard remercia la conservatrice, qui en parut plus embarrassée que de 5 longues phrases.

— Ça, c'est gentil! dit Célestin. Et maintenant, voulez-vous me faire un grand plaisir? . . . Je vous demande d'aller vous promener pendant trois quarts [1] d'heure . . . Je veux vous faire une surprise!

10 Ils s'en allèrent au fond du parc et s'assirent sur un banc de pierre. René était silencieux; Miss Thompson parla la première:

— A quoi pensez-vous?

— Au passé . . . Je me demande si le progrès as-15 sure le bonheur des hommes . . .

— Tout change, c'est la loi de la nature . . . Regardez cette petite plante; à l'époque tertiaire,[2] l'ancêtre de cette plante avait la grandeur[3] d'un baobab[4] . . . Il est donc normal que nous ne ressem-20 blions pas à l'homme des cavernes . . .

Ils discutaient encore quand Célestin les appela. Il les attendait à la porte, une serviette[5] sur le bras.

— Il est midi, dit-il. Monsieur est servi.

— C'est ainsi qu'autrefois on annonçait les repas, 25 dit René à Miss Thompson.

---

[1] **quart,** fourth.   [2] **à l'époque tertiaire,** in Tertiary times. In geologic ages, the Tertiary is the third great division, preceding the modern.   [3] **(grandeur),** height, size.   [4] The *baobab* tree is native to Africa; it is one of the largest trees known, its trunk often exceeding 30 ft. in diameter.   [5] **(serviette),** napkin.

Une table était dressée, avec trois couverts [1] sur une nappe blanche. Et au milieu de la table, il y avait un lapin rôti selon toutes les règles de l'art culinaire.

— Un lapin! s'écria René.

— Oui, Monsieur . . . un lapin, un vrai lapin! Je [5] l'ai emprunté [2] aux demoiselles Spangburry . . . Elles en ont tant qu'elles ne s'apercevront pas de la perte de celui-ci. De plus, la faim justifie les moyens [3] . . . A table,[4] Monsieur! Il y a plus de cent ans que nous n'avons pas déjeuné! [10]

— Vous allez dévorer cette viande? demanda Miss Thompson, étonnée. Mais . . . c'est un retour à la barbarie![5] C'est un crime!

— Ce serait un crime de le laisser refroidir, dit Célestin. Asseyez-vous et imitez-nous. [15]

Annie Thompson goûta [6] un morceau de la viande, après mille hésitations. Puis — terrible retour à la barbarie! — elle reprit un autre morceau.

— Monsieur! déclara Célestin, la serviette au cou et la bouche pleine, le lapin, même pour des million- [20] naires, ce n'est pas une mauvaise chose! . . .

XVII. UN LAPIN QUI NE PORTE PAS BONHEUR

Le lendemain matin, vers huit heures, on frappa à la porte du cottage. Célestin, ayant ouvert, se

---

[1] (**couvert**), cover (*consisting of knife, fork, and spoon*).
[2] EMPRUNTER, to borrow.   [3] Célestin is punning on the well-known statement: "La *fin* justifie les moyens."   [4] **A table, Monsieur!** Dinner is waiting, sir!   [5] BARBARIE, barbarism.
[6] **goûter,** to taste.

trouva en présence d'un petit monsieur qui annonça
froidement :

— Police ! . . . J'ai ordre de vous arrêter pour
vol.[1] Vous vous expliquerez devant le coroner;
5 veuillez me suivre, vous et votre compagnon.

René et Célestin montèrent aussitôt dans l'hélicoptère de police qui attendait à la porte; quelques
minutes plus tard, ils descendirent chez le coroner du
district. Celui-ci ne perdit pas de temps; il consulta
10 un papier, et leur dit:

— René La Taillade et Célestin Marquizot, au
nom de la loi, je vous arrête. Vous êtes accusés
d'avoir volé hier, aux demoiselles Spangburry, un
lapin d'expérience [2] . . .

15 — Qu'appelez-vous lapin d'expérience ? demanda
René.

— Un lapin auquel on avait injecté la fièvre jaune [3]
pour étudier [4] un nouveau sérum.

René La Taillade pâlit. Célestin poussa un
20 cri.

— Il est heureux pour vous, continua le coroner,
que les vaccins du Grand Lazaret soient excellents,
car le fait d'avoir touché à cet animal vous aurait
certainement rendus malades.

25 — Que dirait-il, pensait René, s'il savait que nous
l'avons mangé ? . . .

— Ah ! Monsieur ! murmura Célestin . . . C'est
une mauvaise chose !

— Silence ! cria le coroner. Où est le lapin ?

[1] **vol,** theft.   [2] **lapin d'expérience,** experimental rabbit.
[3] **jaune,** yellow.   [4] **étudier,** to study.

— Le lapin? . . . ah, oui! . . . le lapin s'est sauvé
. . . il s'est enfui!

— Où? . . . Quand? . . .

— Dans . . . dans notre jardin . . .

— La chose est encore plus grave; ce lapin pour- **5**
rait porter la fièvre jaune partout. Je vais vous
faire transporter à la prison centrale, où vous serez
interrogés.

Avant de quitter la salle, René obtint la permission
de parler à la conservatrice du Rockefeller Museum. **10**
Il eut la joie d'apprendre que Miss Thompson n'était
pas malade; puis il raconta l'aventure. Il entendit
la jeune fille rire de tout son cœur, ce qui le rassura
un peu.

A la prison centrale, on les conduisit dans une petite **15**
salle où il n'y avait que deux chaises et, le long du
mur, des appareils curieux. Un homme entra, suivi
d'un agent de police, mit en marche une petite dynamo, régla quelques contacts, et, prenant à la main
une plaque de métal attachée par des fils à l'un des **20**
appareils, s'assit sans mot dire en face de Célestin.
Puis il leva la plaque, et René eut la surprise d'entendre dire son domestique:

— C'est moi qui ai volé le lapin, profitant d'une
absence des demoiselles Spangburry. Je l'ai fait **25**
cuire[1] et je l'ai mangé . . . avec M. René La Taillade . . .

Satisfait, l'homme se leva, remit la plaque à sa
place, stoppa la dynamo et sortit. Célestin, stupéfait, regarda son maître et dit: **30**

[1] **cuire,** to cook; **faire cuire,** to cook.

271

— Je ne sais pas ce qui s'est passé... J'ai senti comme une volonté qui s'imposait à moi, et je n'ai pu m'empêcher de dire la vérité.

L'agent s'approcha des appareils, prit une tablette
5 blanche, et leur fit signe de le suivre. Ils entrèrent dans une autre salle où un juge en robe noire était assis derrière un bureau sur un estrade. L'agent mit la tablette dans un appareil et, dans le silence, une voix s'éleva, disant:

10 — C'est moi qui ai volé le lapin en profitant d'une absence des demoiselles Spangburry. Je l'ai fait cuire et je l'ai mangé... avec M. René La Taillade...

— C'est moi qui ai parlé? demanda Célestin, en
15 regardant René.

— Tu as parlé devant un phonographe, qui répète tes paroles maintenant.

— Célestin Marquizot, annonça le juge, un an de prison, comme auteur principal; René La Taillade,
20 six mois de prison, comme complice. Allez!

Ils suivirent de nouveau l'agent de police. On les installa dans une cellule qui donnait sur une grande cour. Célestin, tombé dans une chaise, semblait plongé dans le désespoir.

25 — Allons! lui dit René, un peu de courage!... Nous n'en mourrons pas! Sortons dans la cour...

Il s'approcha de la porte, qui était grande ouverte.[1] Mais au moment où il allait traverser le seuil, il se sentit arrêté par une force invincible. Il lui semblait
30 que ses pieds étaient attachés à la terre.

[1] **grande ouverte,** wide open.

272

— Célestin! appela-t-il. Essaie de sortir . . .

Célestin se leva, mais, arrivé à côté de son maître, il fut arrêté comme lui.

— C'est bien ce que je pensais! dit René. Il y a entre les deux montants[1] de cette porte un courant [5] électrique qui empêche complètement de passer. Comme ça, on n'a pas besoin de geôliers pour nous garder.

Le temps passa lentement jusqu'à midi. A midi, un gardien vint dire à René qu'on le demandait au [10] téléphone. Ce fut Miss Thompson.

— J'ai pu persuader le Chef de Justice, lui dit-elle, que vous avez agi par ignorance, et il a consenti à vous remettre en liberté.[2]

— Voilà une nouvelle dette de reconnaissance[3] [15] envers vous . . .

— Non, vous ne me devez aucune reconnaissance . . . le lapin était excellent!

XVIII. HEUREUX QUI COMME ULYSSE[4] . . .

Une semaine plus tard, les deux Français firent leurs adieux[5] à Miss Thompson et montèrent à bord [20] du hélico-express du service New York-Paris. C'était une énorme machine d'une forme pareille[6] à celle des

---

[1] (montant), upright post (of a door).   [2] remettre en liberté, to release, set free again.   [3] (reconnaissance), gratitude.   [4] The first line of Du Bellay's oft-quoted sonnet, in full, is "Heureux qui, comme Ulysse, a fait un beau voyage." The reference is to the wanderings of Ulysses and his joy at his homecoming.   [5] faire ses adieux, to say good-bye.   [6] pareille (m. pareil), like, similar.

dirigeables d'autrefois, mais aussi longue qu'un paquebot.[1] Partant de New-York à six heures du soir, on arrivait à Paris le lendemain matin à neuf heures, alors qu'il était six heures du matin en Amérique.

5 Les hélices horizontales se mirent en mouvement, l'hélico monta en l'air, puis se mit en marche vers l'Est. La nuit vint, toute remplie d'étoiles.[2] Célestin se coucha vers neuf heures. René demeura longtemps sur le pont-promenade,[3] contemplant les 10 étoiles et rêvant à la patrie qu'il allait revoir.

Le lendemain matin, ils volèrent au-dessus de la Bretagne, et, une heure après, ils apercevaient la Ville Lumière,[4] coupée en deux par le ruban bleu de la Seine. L'hélico ralentit sa marche et vint se poser 15 sur un large bassin dans la rivière. Sur le quai, Gabriel Clerc les attendait.

— Je me charge de vous,[5] dit-il. Tout le monde se dispute le plaisir de vous recevoir ... Mais d'abord, un petit déjeuner, n'est-ce pas?

20 A la terrasse d'un café, ils prirent un délicieux chocolat accompagné de brioches.

— Ah! Monsieur! s'écria Célestin, la bouche pleine. Il fait bon vivre[6] à Paris! Voilà cent ans et deux mois que je n'ai été aussi heureux!

25 Paris cependant avait bien changé. Les costumes des hommes et des femmes ressemblaient à ceux que l'on portait en Amérique. Tout le monde sem-

---

[1] PAQUEBOT, liner. [2] étoile, star. [3] (pont), deck; pont-promenade, promenade deck. [4] Ville Lumière, City of Light. A favorite term for Paris. [5] se charger de, to take charge of. [6] Il fait bon vivre, Living is good.

274

blait aussi pressé qu'à New-York. Les mêmes automobiles silencieuses, les mêmes patinettes électriques
sur les trottoirs, et des hélicoptères qui se posaient
ou s'envolaient devant leurs yeux. Un bâtiment neuf
avait pris la place de la maison rue Chaptal. La **5**
Bourse avait disparu.

A midi et demi, René et Célestin allèrent aux
bureaux du *Grand Journal*, où un banquet devait
être servi [1] en leur honneur. Il y avait là une foule
de dignitaires de la Presse, de la Politique, du Monde **10**
savant. Plusieurs discours furent prononcés, où l'on
célébrait les progrès de la Science et prédisait pour
un avenir plus ou moins lointain,[2] son triomphe dé-
finitif et le bonheur de l'humanité.

— Voilà, se dit l'ex-jeune homme, un thème que **15**
j'ai souvent entendu dans ma première existence ! . . .
Les hommes sont incorrigibles : ils espèrent sans cesse
plus de bonheur . . .

Dans l'après-midi, ils furent reçus par le Président
de la République et par le Conseil municipal de **20**
Paris. Le soir, ils assistèrent à un bal donné au bé-
néfice des laboratoires de France. Le lendemain, ils
parurent devant une réunion [3] des cinq académies.[4]
On les montra dans tous les cinémas, leurs portraits
parurent dans tous les journaux, ils furent invités à **25**

---

[1] **devait être servi,** was to be served.   [2] **(lointain)** *adj.*,
distant, far-away.   [3] (réunion), meeting, gathering.   [4] There
are five *académies* that form the *Institut de France: l'Académie
française, l'Académie des Inscriptions et Belles-Lettres, l'Académie des Sciences morales et politiques, l'Académie des Sciences,* and *l'Académie des Beaux-Arts.*

275

déjeuner et à dîner chaque jour, et, quand ils rentraient à l'hôtel, c'était pour entendre, à chaque instant, la sonnerie de l'appareil de télévision où des inconnus leur demandaient une interview.

5 — C'est une existence fatigante, déclara Célestin. Ma dyspepsie est redevenue plus forte que jamais!

René visitait les musées où il avait la surprise de voir, en bonne place et admirés de tous, des tableaux [1] ou des sculptures qu'il avait trouvés de très mauvais 10 goût en 1927. Il alla au concert et ne comprit rien à la musique du XXIe siècle. Au théâtre, les pièces [2] que l'on jouait lui parurent encore plus mauvaises que celles du temps de sa jeunesse.

— Décidément, se dit-il, le docteur Trundle avait 15 raison!... Je comprends maintenant qu'il ait préféré faire son expérience sur un autre que lui-même. Il faut vivre avec son temps ...

XIX. IL Y A LOIN DE LA COUPE [3]
AUX LÈVRES

Depuis son arrivée à Paris, une mélancolie gagnait René; c'était comme la tristesse d'un voyageur [4] 20 resté très longtemps absent, et qui ne retrouve plus aucun visage connu. Il ne se retrouvait pas mieux chez lui à Paris qu'à New-York. L'horrible égoïsme

---

[1] **tableau,** painting, picture. [2] **(pièce),** play. [3] COUPE, a bowl-shaped cup, glass (*champagne*). The proverb has its English counterpart in "There's many a slip 'twixt the cup and the lip." [4] **(voyageur),** traveler.

de la société nouvelle lui faisait peur.[1] Vrai, l'argent
circulait encore à Paris, mais était-ce un bien ou un
mal? La capitale de la France était plus que jamais
Cosmopolis, le rendez-vous de tous ceux qui voulaient s'amuser.   5

Ces tristes réflexions furent interrompues par l'entrée de Célestin dans sa chambre:

— Monsieur, c'est l'heure! J'ai téléphoné à la
Caisse d'Epargne, on m'attend . . . Clerc est en
bas . . . Alors, en route pour la fortune![2]   10

A la Caisse d'Epargne, on fit entrer[3] les trois
hommes chez le directeur, qui, après quelques formalités, demanda à Célestin:

— Vous connaissez la somme?

— Oui . . . Onze cent soixante-dix-sept mille deux 15
cent quarante-huit francs vingt-sept centimes! J'ai
décidé de confier ce petit capital à la Banque de
France; vous aurez donc à me donner cent soixante-
dix-sept mille francs, car je veux un peu d'argent de
poche . . .   20

— Mais, monsieur, je ne peux pas vous donner un
centime.

— Pas un centime! . . . et pourquoi pas?

— J'ai ici une opposition[4] . . . Il paraît que vous
devez de l'argent au directeur général des contribu- 25
tions directes.[5]

[1] **lui faisait peur,** frightened him.   [2] **en route pour la
fortune!** let's be on our way to fortune!   [3] **faire entrer, to**
show in. [4] OPPOSITION, an order to stop payment. [5] **directeur**
général des contributions directes, director-general of the
tax assessment bureau. *Contributions directes* are assessed, or
direct, taxes.

277

— Il s'agit donc de mes impôts?[1] ... Ah! bon! Que dois-je faire?

— Aller rue de Valois,[2] dit le directeur avec un singulier sourire.

5 Dehors, Célestin laissa voir sa colère:

— Ça n'a pas changé! C'est toujours les mêmes ruses! Les fonctionnaires français sont immortels!

Rue de Valois, Célestin ne se perdit pas en for-10 malités.

— Bonjour, monsieur, dit-il au directeur. C'est vous qui avez mis opposition sur mon million? ... Eh, bien! je ne demande qu'à payer ce que je dois à l'État.

15 — Vous devez d'abord les impôts de 1927. Ensuite, vous devez cent impôts annuels.

— Comment! On veut me faire payer des impôts pendant mon sommeil?

— Vous n'étiez pas mort, n'est-ce pas? Alors, 20 vous n'avez jamais cessé d'être sujet à des contributions ... Et puis, il y a les intérêts composés à six pour cent ...

— Combien vous dois-je? demanda Célestin, étouffant.

25 — Un million cinq cent vingt mille francs ... Et vous, M. La Taillade, vous devez un peu plus du double. Alors, messieurs, j'ai le regret de vous dé-

---

[1] impôt, tax, income tax.   [2] The *rue de Valois* runs north from the *Place du Palais-Royal* to the *Rue des Petits Champs*, through the quarter containing the *Banque de France* and the *Palais-Royal*

fendre[1] de quitter Paris jusqu'à ce que cette dette envers l'État soit acquittée en bonne forme.

— Ça, c'est un peu fort! s'écria Célestin.

— C'est la loi, dit le directeur.

Une fois sorti du bureau du directeur, Célestin ne put pas retenir son émotion:

— J'avais fait tant de beaux rêves! répétait-il. Je ne me consolerai jamais!... Et qu'allons-nous faire maintenant que nous sommes saisis?

— Je me charge de vous remettre en liberté, dit Clerc, mais votre million est perdu!

— Vas-tu rester à Paris? demanda René à Célestin. Moi, je retourne à New-York, mais je ne t'oblige pas à me suivre . . .

— Quoi? répondit Célestin. Vous abandonner maintenant après cent ans?... Monsieur! je vous accompagnerai en Amérique!

XX. QUI CHERCHERA, TROUVERA

Grâce aux efforts de Gabriel Clerc, on consentit enfin à laisser partir René et Célestin; un beau soir d'été, ils reprirent l'hélico-express pour New-York. Annie Thompson les attendait dans son cabinet au Rockefeller Museum.

— Ainsi, dit-elle, vous ne vous êtes pas trouvés mieux en France qu'ici?

— Non, répondit René, je m'y suis trouvé plus isolé même, car votre amitié[2] me manquait.

___

[1] **défendre,** to forbid. [2] **(amitié),** friendship; **votre amitié me manquait,** I missed your friendship.

Les yeux de la jeune fille montrèrent le plaisir que lui causait cette phrase, mais elle dit brusquement:

— Maintenant, il faut que nous vous trouvions une position sociale. La chose est assez difficile; 5 vous êtes trop âgé pour entrer dans une administration de l'État, et vous n'avez pas de connaissances[1] techniques . . . Alors, je vous propose la position de chef du personnel dans une usine d'hélicoptères.

— Eh bien, j'accepte.

10 Le lendemain matin, René et Célestin, qui devait lui servir de secrétaire, allèrent chez le directeur de l'usine. Celui-ci donna à René un livre contenant le règlement de l'usine, en lui disant:

— Vous n'avez qu'à faire appliquer ce règlement. 15 Vous avez toute la journée pour l'apprendre; demain matin, vous entrerez dans vos fonctions.[2]

Le règlement fut minutieux. Il était défendu d'arriver en retard, de partir avant l'heure, de parler pendant le travail, de changer de gestes, etc. Le 20 troisième jour, le directeur général fit venir[3] René chez lui, et lui dit:

— Voici la première fois depuis dix ans que nous avons une perte de temps: il y a deux jours, de deux minutes; hier, de cinq minutes. Ce retard vient de 25 votre négligence. Si l'on continuait ainsi, la production de l'usine tomberait vite à zéro. Je suis obligé de vous relever de vos fonctions.

Ce soir, en rentrant au n° 237, René dit à Célestin:

[1] (connaissance), knowledge. [2] (fonction), duty, office; entrer dans ses fonctions, to enter upon one's duties. [3] faire venir, to send for, summon.

— Décidément, j'avais tort de me laisser endormir par le docteur Trundle . . . Cette existence devient de plus en plus insupportable !

— Allons-nous-en, Monsieur ! . . . n'importe où . . . en Australie, si vous voulez ? . . . Regardez cette an- 5 nonce dans le journal d'aujourd'hui; il me semble que cela pourrait vous intéresser . . .

René lut:

On demande à Sydney (Australie) un homme instruit[1] dans l'histoire du droit et désireux de remplir 10
les fonctions d'avocat. Situation matérielle assurée.

L'Australie ! . . . Ce pays lointain qui avait refusé de suivre l'évolution des autres pays, celui où les conditions d'existence étaient encore pareilles à celles du siècle précédent . . . Là-bas, il serait un homme 15 au lieu d'être une machine ! . . .

— Il faut consulter Miss Thompson, dit René.

— Elle est très gentille, dit Célestin, mais elle ne vous comprendra pas.

— Qui sait ? murmura René. 20

Il se précipita dans son hélico et traversa la ville à grande vitesse pour s'arrêter devant la porte d'Annie. Elle vint à sa rencontre en souriant.

— Vous êtes là de bonne heure[2] aujourd'hui, lui dit-elle. 25

Il lui montra l'annonce dans le journal; elle lut, et le regarda bien en face:

— Vous voulez partir ? . . . Et vous avez compté sur moi pour faciliter votre départ ?

---

[1] INSTRUIT, educated, learned. [2] de bonne heure, early.

— Oui, dit-il, à voix basse.

— Je ferai de mon mieux . . . Je comprends . . .

— Ah! vous savez, Annie, que je ne regretterai ici qu'une seule personne . . . la seule qui m'ait compris et se soit intéressée à moi. Si vous n'étiez pas la conservatrice du Museum, je vous proposerais de venir là-bas avec moi . . . On nous marierait à la cathédrale de Sydney; nous serions heureux comme on l'était autrefois . . .

— Je sais maintenant, René, que la science ne suffit pas à donner le bonheur . . . Nous le trouverons là-bas, René . . . Je pars avec vous.

XXI. LE PAYS DU BONHEUR

L'hélico-postal d'Insulinde [1] transporta René, Célestin et Annie à Batavia, d'où ils gagnèrent, en hydravion,[2] Port-Moresby, en Nouvelle Guinée. C'est dans ce port que venait une fois par semaine le courrier [3] d'Australie. Ce courrier était un paquebot de dix mille tonnes, actionné par un moteur à pétrole, et très confortable.

— Enfin! dit Célestin, avec joie, voilà quelque chose qui ressemble à un honnête navire! . . .

Le voyage fut assez pénible [4] pour Miss Thompson, car elle souffrit du mal de mer.[5] Au bout de vingt heures, on aperçut la ville de Cooktown. La jeune

---

[1] **L'hélico-postal d'Insulinde,** the helicopter in the mail service of the East Indies. [2] HYDRAVION, hydroplane. [3] **(courrier),** mail boat. [4] **pénible,** painful. [5] **mal de mer,** seasickness.

fille regardait curieusement cette terre inconnue où elle allait vivre au milieu de gens d'une autre époque. La sirène du navire siffla trois fois.

— Ces trois cris, dit René, nous donnent le signal d'une vie nouvelle. Nous entrons dans le passé, 5 Annie.

— Ce passé est mon avenir, répondit-elle avec confiance.

Le paquebot s'approcha du quai. Un son[1] clair arriva aux voyageurs dans le vent. 10

— Des cloches![2] dit René. Il y a des cloches ... C'est l'Angélus de midi.[3]

La foule qui les attendait sur le quai ressemblait à celle d'un siècle plus tôt. Les hommes portaient des vestes et les femmes des jupes[4] courtes. Des 15 douaniers[5] en uniforme attendaient le débarquement[6] des passagers.

Une heure plus tard, les trois voyageurs étaient au *Gordon-Palace*, dans un appartement garni de meubles à la mode de 1920. 20

— Monsieur! s'écria Célestin, voilà un vrai téléphone! ... Je veux m'en servir ...

— Eh, bien! téléphone pour savoir à quelle heure est le train de Sydney.

Célestin décrocha[7] le récepteur et cria: 25

---

[1] **son,** sound. [2] **cloche,** bell. [3] **l'Angélus de midi,** the noon Angelus. The call to prayer is sounded at six o'clock, morning and evening, also. [4] JUPE, skirt. [5] (**douanier**), customs officer. [6] (**débarquement**), landing, disembarking. [7] (**décrocher**), to take off, lift (a telephone receiver, **récepteur**).

— Allô!... allô!... allô!...

Cinq minutes passèrent avant qu'il eût la communication. Enfin, il put demander:

— Le 47.09!... oui... 47.09...

5   Plusieurs autres minutes passèrent; Célestin abandonna l'appareil avec un sourire de satisfaction:

— La téléphoniste[1] m'a répondu: « Pas libre! »[2] ... Ce n'est pas une mauvaise chose!... Nous allons recommencer à vivre!

---

[1] (téléphoniste), telephone operator.   [2] **Pas libre!** The line is busy!

F I N

EXERCISES

I. Special Words. The following non-basic words were used in telling this particular story; give their meaning and tell in what connection they were used:

cartouche	squelette	épargne	cabinet
teinte	estrade	cadran	marée
pilule	cercueil	lapin	avocat
ortographe	bachot	serviette	patinette

II. Words Used Once Only. The italicized words occurred but once in *Book V;* do you know what they mean?

1. Des *douaniers* attendaient le *débarquement* des passagers. 2. D'abord il se servait d'une machine *frigorifique.* 3. Dans cette société, on a supprimé les *paresseux.* 4. Les murs étaient formés de deux *épaisseurs* de plaques avec une *couche* d'air entre les deux. 5. L'électricité avait remplacé la *machine à vapeur* et le *moteur à essence.* 6. *Décrochez,* monsieur, et demandez à la *téléphoniste* le 47.07. 7. Le *paysage* n'avait ni cultures ni *pâturages.* 8. Ils s'assirent derrière le *conducteur* de la voiture. 9. Peu à peu la glace dans les *tuyaux fondit.* 10. Le misérable avait *emprunté* des *milliers* de francs à ses amis. 11. *Goûtez* un morceau de cette viande. 12. Sur les trottoirs les *passants* allaient à toute vitesse.

III. Extension of Meaning. The following words have acquired a new meaning in *Book V;* illustrate old and new values of each word in simple sentences:

rayon	droit	voler	glace
fait	couvert	propre	fil
pièce	vol	bien	semblable
bureau	appuyer	machine	courrier

IV. DERIVATIVES. Name one or more words *newly* used in *Book V* which are connected through stem and meaning with the following words; give the English equivalents of both words:

jeune	presser	veiller	utile	mener
lune	battre	garder	sec	unir
dicter	étude	suite	an	perdre
entrer	sain	peine	action	régler
vieille	fumée	loin	goût	découvrir
lent	son, *n.*	terre	habiller	tenir
dormir	froid	employer	élever	étude
vite	changer	teinter	glisser	demeurer
passer	cent	bâtir	épais	connaître

V. CATEGORIES. From the following list of words, select (*a*) ten that relate to *travel*, (*b*) fifteen that refer to *mechanics*, (*c*) ten that relate to *education*, (*d*) fifteen that refer to *meals*, and (*e*) fifteen that refer to *housing:*

meuble	rôti	école	tuyau	voler
aérien	appareil	poulet	élève	bâtiment
magasin	déjeuner	fil	wagon	étude
étudier	cadran	vin	bouton	voiture
examen	pièce	habitation	brioche	licence
bifteck	droit	avocat	usine	accumulateur
hydravion	actionner	serviette	éclairer	bibliothèque
couloir	douanier	embrayer	bachot	connaissance
goûter	demeure	couvert	émetteur	paysage
instruit	navire	récepteur	cuire	machine
hélice	vitesse	marche	seuil	lapin
gare	avaler	pont	nourrir	gratte-ciel
demeurer	cuisine	loger	coupe	enregistreur

VI. WORD ASSOCIATION. With which one of the three words in column B is the action expressed by the verb in column A commonly associated?

A	B		
vêtir	1—culotte	2—roman	3—tableau
dépenser	1—cloche	2—caisse	3—piqûre
fumer	1—impôt	2—jupe	3—tabac
valoir	1—sommeil	2—millier	3—expérience
s'endormir	1—se croiser	2—accueillir	3—se coucher
assister	1—balle	2—amitié	3—conférence
ralentir	1—annuaire	2—battement	3—lieu

VII. IDIOMATIC EXPRESSIONS. Some of the more important idiomatic expressions introduced in *Book V* are listed below, following the vocabulary key word, and with the page reference to their first occurrence in parentheses. Pronounce the complete sentence and give the English equivalent:

comprendre: Je ne suis pas médecin; *je n'y comprends rien*. (221)

retard: Le rendez-vous est pour 8 heures; *ne soyez pas en retard*. (223)

passer: On ne peut pas *se passer de* nourriture. (224)

bien: Mais oui! *nous y sommes très bien!* (235)

importer: Je veux bien le dire à *n'importe qui*. (237)

assister: *Il assistait toujours aux* réunions de l'académie. (238)

jusque: Attendez *jusqu'à ce que* le courrier arrive. (246)

bientôt: *A bientôt!* Je suis très pressé! (246)

rencontre: Le journaliste est venu *à notre rencontre*. (247)

dehors: Ne m'appelez pas *en dehors des* heures indiquées. (251)

plupart: *La plupart des passagers* souffraient du mal de mer. (254)

retour: *Au retour de la promenade*, ils faisaient un somme. (265)

charger: Veut-il *se charger de* leur éducation? (274)

heure: Venez *de bonne heure;* on part à midi précis. (281)

VIII. THE VERB "FAIRE." The verb **faire** enters into many idiomatic expressions. The following occur in

Book V; read the sentence aloud and give the English equivalent:

1. Est-ce que cela vous *fait plaisir?* 2. Je voulais lui *faire voir* mon cabinet de travail. 3. Voudriez-vous *faire un sommeil* de cent ans? 4. Savait-il *faire marcher* la machine? 5. Après avoir perdu sa bourse, elle *ne savait que faire.* 6. Il *fit savoir* au public ses expériences. 7. Demain elle *fera une conférence* à la Nouvelle-Orléans. 8. Je viens vous *faire mes adieux.* 9. L'idée de dormir cent ans *lui fait peur.* 10. Le président de la caisse d'épargne *le fit venir.* 11. Il dit à son domestique de *faire entrer* les messieurs. 12. *Ça ne me fait rien;* vous pouvez partir tout de suite. 13. Le réveil *se fera* le 13 mai, à 11 heures du soir.

VOCABULARY

Note: This vocabulary lists all words and idioms used in Books I–V, inclusive, of the *Graded French Readers, Alternate Series*, except (a) dependable cognates in the given context, and (b) adverbs in *–ment* when the adjective stem is given. It includes also irregular verb forms and items of the initial word stock (cf. *Dantès*, Exercise I). Idioms are listed under the key words as given in the separate idiom lists. The total non-cognate vocabulary of Books I–V, exclusive of inflected verb forms, is 1206 words, eighty-three percent *basic* for general use.

Abbreviations: *adj.* adjective, *adv.* adverb, *art.* article, *conj.* conjunction, *f.* feminine, *fut.* future, *impv.* imperative, *inf.* infinitive, *inter.* interrogative, *m.* masculine, *n.* noun, *p.p.* past participle, *p. abs.* past absolute (= past definite), *p. desc.* past descriptive (= imperfect), *p. fut.* past future (= conditional), *p. subj.* past subjunctive, *pl.* plural, *prep.* preposition, *pres. ind.* present indicative, *pres. part.* present participle, *pres. subj.* present subjunctive, *pron.* pronoun, *rel.* relative, *v.* verb.

A

à to, at, on, with, in, into, by, of, for, from

abaisser (s') decrease, be lowered

abandonner give up, leave

abbé *m.* priest, abbé

abord: d'abord (at) first

absolument absolutely

accomplir accomplish; **s'accomplir** be accomplished (fulfilled)

accorder allow, grant

accueillir greet, welcome

accumulateur *m.* storage battery

acheter buy (à from)

actionner drive, run, set in motion (*machinery*)

adieu *m.* good-bye; **faire ses adieux** say good-bye

adresser address; **s'adresser à** address oneself to, speak to

aérien, –ne aerial, air-

affaire *f.* affair; *pl.* business, dealings

affirmer swear to, affirm

âgé *adj.* aged, old; **âgé de cent ans** a hundred years old

agent agent; **agent de police** policeman

agir act

agissaient *p. desc.* **agir**

agonie *f.* death struggle

ai, as, a *pres. ind.* **avoir**
aïe! ouch!
aiguille *f.* hand (*of a clock*), dial hand; needle
aile *f.* wing
aille *pres. subj.* **aller**
aimer like, love; **aimer mieux** prefer
ainsi thus, so, consequently
air *m.* air; look, appearance
ait *pres. subj.* **avoir**
ajouter add
allée *f.* garden path, walk, alley
aller go; be, get along (*health*); **comment va Paris?** how's Paris? **allons!** come now! well! nonsense! **allons-y!** let's go ahead! **allez-y!** go to it! get going! **s'en aller** go away, leave
allumer light
alors then
Altesse *f.* Highness
amateur *m.* lover; amateur
âme *f.* soul
amener bring
ami *m.*, **amie** *f.* friend
amitié *f.* friendship
amour *m.* love
amoureu-x, –se *adj.* in love; **devenir** (**être**) **amoureux** fall (be) in love (**de** with); *n.* lover
an *m.* year
ancien, –ne former, old
anglais English; *n.* Englishman
année *f.* year
annonce *f.* announcement, advertisement
annuaire *m.* directory, year book
août *m.* August
apercevoir (**s'**) notice, see
aperçut *p. abs.* **apercevoir**
apéritif *m.* aperitive (*an appetizer*)

apparaître appear
appareil *m.* apparatus, instrument; **appareil téléphonique** telephone
appartenir belong
apparut *p. abs.* **apparaître**
appeler call; **s'appeler** be named
appliquer apply
apporter bring
apprendre learn; teach, inform
approcher bring near, approach; **s'approcher** (**de**) approach
appuyer press (**sur** on); **s'appuyer** lean
après after, afterward; **et après?** well? what of it? **d'après** according to
après-demain *m.* day after tomorrow
après-midi *m.* afternoon
arbre *m.* tree
argent *m.* money
armée *f.* army
arracher pull (tear, snatch) up (out, off), uproot (**à** from)
arranger (**s'**) make arrangements (shift), get along, settle
arrêter arrest, stop; **s'arrêter** stop, stand still
arrivée *f.* coming, arrival, entry
arriver come, arrive; happen
asseoir (**s'**) sit (down)
asseyent *pres. ind.* **asseoir**
assez enough; rather, quite
assied, –s *pres. ind.* **asseoir**
assiette *f.* plate
assis *adj.* seated, sitting; *p.p.* **asseoir**
assister attend, witness, be present (**à** at)
assit *p. abs.* **asseoir**
attacher tie, bind, attach

290

attendre wait (for); **en attendant** meanwhile; **en attendant que** until; **s'attendre à** expect, await

au = **à** + **le**

aucun no, none, not one, not any (*with or without* **ne**)

aujourd'hui today

auprès: auprès de beside, close (near) to

auquel = **à** + **lequel**

aur–ai, –as, –a, –ons, –ez, –ont *fut.* avoir

aur–ais, –ait, –aient *p. fut.* avoir

aussi also, too; as; and so

aussitôt at once, immediately; **aussitôt que** as soon as

autant as much (many); **autant que** as much (many) as

auteur *m.* author, originator

autour round, around; **autour de** around

autre other, another

autrefois formerly

aux = **à** + **les**

avaler swallow

avant before; **avant que** *conj.* before; **avant de** before

avec with

avenir *m.* future

avion *m.* airplane

avis *m.* opinion; **à son avis** in his opinion; advice, notice

avocat *m.* lawyer

avoir have; be (*in age expressions*); **qu'avez-vous donc?** what's the matter with you? **qu'est-ce qu'il y a** what's the matter? **qu'y a–t–il?** what's the matter? **il y a que . . .** the trouble is that . . .; **il y a** ago; **il y a (avait)** there

is *or* are (there was *or* were); **il y a trois jours que le caieu est en terre** the bulb has been in the ground already six days; **avoir l'air** look, appear, seem (**de** to); **avoir besoin de** need; **avoir faim** be hungry; **avoir peur** be afraid; **avoir pitié (de)** pity; **avoir raison** be right; **avoir tort** be wrong

avril *m.* April

ayant *pres. part.* avoir

ayez *pres. subj. & impv.* avoir

B

bachot *m.* bachelor's degree; **passer son bachot** go up for one's bachelor's degree

bain *m.* bath; **salle de bain** bathroom

baiser *v.* to kiss; *n.m.* kiss

baisser lower, bend down, bow; **se baisser** bend down (over), stoop

bal *m.* ball, dance

balle *f.* bullet

banc *m.* bench, seat

barbarie *f.* barbarism

barbe *f.* beard

barrer bar

bas *n.m.* bottom; *adj.* low; *adv.* **en bas** down, below, downstairs; **là-bas** yonder, over there, down there

bassin *m.* basin

bataille *f.* battle

bateau *m.* boat, ship

bâtiment *m.* building, structure

bâtir build, construct

bâton *m.* stick

battement *m.* beat, beating

battre strike, beat; **se battre** fight, struggle

beau, bel, belle (*pl.* **beaux,**

291

belles) fine, beautiful, handsome
beaucoup much, many; a good deal, greatly
beauté *f.* beauty
bec *m.* beak
bel, belle *see* **beau**
berceuse *f.* cradle-song, lullaby
besoin *m.* need
bête *f.* animal, beast; *adj.* silly, stupid
bibliothèque *f.* library
bien *adv.* quite, indeed, well, very, thoroughly, very willingly; **eh bien!** well! very well! **être bien** be comfortable; **c'est bien!** all right! **ou bien** or else; *n.m.* good; property
bien-aimé beloved
bientôt soon; **à bientôt** see you again soon! see you later!
bifteck *m.* beefsteak
blanc, blanche white
blessé *n.m.* wounded person
blesser wound, hurt, injure
blessure *f.* injury, wound
bleu blue
boire drink
bois wood; *pl.* woods; **tête de bois** blockhead
boi-s, -t, -vent *pres. ind.* **boire**
boîte *f.* box; **à la boîte** (*slang*) in the jug (clink, guardhouse)
bon, bonne good; kind, good-natured; **bon pour moi** good toward me
bonheur *m.* happiness, good luck
bonjour *m.* good morning, how do you do
bonsoir *m.* good evening
bord *m.* edge; **à bord** on board (*ship*)

bouche *f.* mouth
boucher stop (up)
bouger stir, move
boule *f.* ball
boulet *m.* cannon ball
bourgeois *m.* citizen, townsman
bourse *f.* purse; **la Bourse** Stock Exchange
bout *m.* end, tip; **au bout de** after
bouteille *f.* bottle
boutique *f.* shop
bouton *m.* button
bras *m.* arm
brave worthy, good, nice, fine; brave
brillant shining, glistening, sparkling
brillantine *f.* hair oil
brioche *f.* brioche (*a sort of breakfast bun*)
briser break; bruise
brise-tout *m.* a person who breaks everything
broder embroider
brosse *f.* brush
bruit *m.* noise, sound
brûler burn
brun brown
bu *p.p.* **boire**
bureau *m.* desk; office; bureau, department
but *m.* aim, object
but, burent *p. abs.* **boire**
buvant *pres. part.* **boire**

C

ça = cela; comme ça in that way
cabinet *m.* study, private office
cacher hide
cachot *m.* dungeon, dark cell
cadavre *m.* corpse
cadran *m.* dial
caieu *m.* a young bulb

caisse *f.* cash; cashier's desk; caisse d'épargne savings bank

car for, because

carnet *m.* notebook, order book

carte *f.* card

cartouche *f.* cartridge, shell

cas *m.* case; en tout cas at any rate

casser break

casserole *f.* saucepan, casserole

cause *f.* cause; à cause de because of; case (*lawsuit*)

causer cause

causer talk, chat

ce *pron.* it, that, he, she; *adj.* ce, cet, cette this, that; ces these, those

ceci this

cela that; c'est cela! that's it!

celui, celle (*pl.* ceux, celles) he, she, this (one), that (one), the one; celui (celle, ceux, celles)–ci the latter

cent hundred

centaine *f.* a hundred

centime *m.* centime ($\frac{1}{100}$ of a franc)

cependant however, yet, still, nevertheless

cercueil *m.* coffin

cesse *f.* ceasing; sans cesse incessantly, continually

cesser stop, cease

ceux *pl. of* celui

chacun *pron.* each, each one

chaise *f.* chair

chambre *f.* room, chamber; chambre à coucher bedroom

chance *f.* luck; avoir de la chance be lucky

changement *m.* change

chanter sing

chapeau *m.* hat

chaque *adj.* each, every

charbon *m.* coal

charger load, burden, charge; entrust (de with); se charger de take charge of

charmant charming

chat *m.* cat

château *m.* castle, chateau

chaud warm

chef *m.* chief, leader, head; chef de cuisine head cook

chemin *m.* way, road, path; chemin de fer railroad

cher, chère dear; expensive, costly; payer cher pay dearly

chercher look for, seek, search, try to; chercher après search for; venir (aller, *etc.*) chercher come (go, *etc.*) for

cheval *m.* horse; à cheval on horse (horseback)

cheveu, –x *m.* hair

chez at (in, into, to) the house (home, store, *etc.*) of; chez moi at home, in my house; with, in

chiffre *m.* figure, number

chimiquement chemically

choisir choose, select

choix *m.* choice

choquer offend, shock, displease

chose *f.* thing; autre chose anything (something) else

chrétien *m.* Christian

ciel *m.* sky, Heaven

cimetière *m.* cemetery

cinq five

cinquantaine *f.* fifty, about fifty

cinquante fifty

cinquième fifth

ciseaux *m. pl.* scissors

citoyen *m.* citizen

civière *f.* litter, stretcher

293

clair clear, light; clair de lune moonlight
clef f. key; fermer à clef shut and lock
cloche f. bell
cocher m. coachman, driver
cœur m. heart
coiffeur m. barber
coiffure f. way (style) of arranging the hair; salon de coiffure hair-dressing parlor; salon de coiffure d'hommes barbershop
coin m. corner
colère f. anger
combien how much, how many
comme as, like; how; comme ça so, in that way; comme ci comme ça so so
commencement m. beginning
commencer begin, commence
comment how; comment! what!
commettre commit
commis p.p. commettre
commissaire m. commissioner
communication f. telephone connection; couper la communication hang up a telephone receiver
compagnie f. company
compatriote m. fellow citizen, countryman
complice m. accomplice
composé adj. compound
composer (se) consist (de of)
comprendre understand; je n'y comprends rien I can't make anything of it, I don't understand a word
compris p.p. comprendre
comprit p. abs. comprendre
compter count
concierge m. doorman, janitor
concours m. competition
conducteur m. driver

conduire lead, conduct, direct, drive
conduit pres. ind. & p.p conduire
confiance f. trust, confidence
confier entrust, confide
connaiss–ais, –ait, –aient p. ▸ desc. connaître
connaissance f. acquaintance; pl. knowledge
connaissez pres. ind. connaître
connaître know, be acquainted with
connu p.p. connaître; adj. known, famous
conquérir win, conquer
conseil m. advice, counsel; council
conseiller advise
conservation f. preservation
conservatrice f. (m. conservateur) keeper, conservator
conspiration f. plot, conspiracy
conspirer plot, conspire
contenir hold, contain
content satisfied, glad, content
continu continuous, unbroken
contour m. outline
contraire m. opposite, contrary; au contraire on the other hand
contravention f. violation of police regulations; dresser une contravention serve a summons
contre against, close to
contribution f. tax, assessment
convenir suit, be proper (suitable)
corps m. body
corsage m. bodice
cortège m. procession
côté m. side, direction; de l'autre côté in (on) the

other direction (side); **à côté** at one side, beside
cou *m.* neck
couche *f.* layer
coucher (**se**) lie down, go to bed
coude *f.* elbow
couler flow, drip
couleur *f.* color
couloir *m.* passage, corridor, hallway
coup *m.* blow; shot; knock, stroke; thrust; **coup de pied** kick; **coup de sifflet** whistle; **tout à coup** suddenly
coupable guilty; *n.m.* culprit
coupe *f.* shallow cup, champagne glass
couper cut (off, short)
cour *f.* yard, court, courtyard
courir run, hurry; **courir sur** rush upon, attack
courrier *m.* mail, correspondence; mail boat
court short
cour–ut, **–urent** *p. abs.* courir
couteau *m.* knife
couvert *p.p.* **couvrir**; *adj.* covered, concealed, clothed
couvert *n. m.* cover (knife, fork, spoon)
couvrir cover
craindre fear, be afraid
crâne *m.* cranium, skull
crayon *m.* pencil
créer create
creuser dig
crier cry, exclaim
croire believe, think
croiser (**se**) pass each other (*of vehicles*)
croyant *pres. part.* **croire**
croyez *pres. ind. & impv.* **croire**
cru *p.p.* **croire**
cruche *f.* jug
crut *p. abs.* **croire**

cuire cook
cuisine *f.* kitchen
cuit *p.p.* **cuire**; *adj.* cooked; **trop cuit** overdone
culotte *f.* breeches, shorts
cultivateur *m.* grower
culture *f.* cultivation; culture; crop

D

dame *f.* lady
dans in, within, inside of, into
de of, about, from, by, with, in, to; than; some, any; **de l', de la, du, des** of (from) the, some, any
débarrasser rid, relieve (**de** of)
debout upright, standing
débris *m.* wreckage, refuse
déception *f.* disappointment
déchirer tear
décidé *adj.* resolved; **êtes-vous décidé?** have you made up your mind (**à** to)?
décider decide; persuade, convince; **se décider** make up one's mind (**à** to), come to a decision
découvert *p.p.* **découvrir**; *adj.* bare, bare-headed; discovered
découverte *f.* discovery
découvrir discover, uncover, bare
décrocher take off, lift (*a telephone receiver*)
défendre forbid; defend
dehors outside, outdoors; **en** (**au**) **dehors** outside
déjà already
déjeuner *m.* lunch, breakfast; **le petit déjeuner** breakfast
demain tomorrow; **à demain** good-bye until tomorrow

295

demande *f.* proposal, demand
demander ask (for)
demeure *f.* home, dwelling
demeurer live, dwell; stay, remain
demi half, a half
demoiselle *f.* miss, young lady
dentelle *f.* lace
départ *m.* leaving, departure
dépêcher (se) hurry
dépenser spend
déplacer shift, displace, move
déplier unfold
dépoli frosted, ground (*of glass*)
depuis since, from, for; **l'abbé est ici depuis 1811** the abbé has been here since 1811
dern–ier, –ière last; *n.* latter
derrière behind; *n.m.* back, back part, rear; **porte de derrière** back door, postern
des = **de + les**
désert *adj.* deserted
désespoir *m.* despair, desperation
déshabiller (se) undress
désirer want, wish, desire
desséché *adj.* dried, withered
dessous under, underneath, beneath; **au-dessous (de)** underneath, beneath, below
dessus above, on top, over; **au-dessus (de)** over, above, overhead
détruire destroy
détruit *p.p.* **détruire**
deux two; **tous les deux** both
deuxième second
devant before, in front (of), ahead
devenir become, grow
devin–t, –rent *p. abs.* **devenir**
devoir ought, must, have to, be to; owe; *n.m.* duty
dévouer devote

diable *m.* devil; **au diable!** the deuce! confound it!
dictée *f.* dictation
dicter dictate
Dieu *m.* God; **mon Dieu!** my goodness! Heavens! *etc.*
difficile difficult, hard
digne worthy,
diminuer lessen, diminish
dire say, tell; **c'est-à-dire** that is
diriger direct; **se diriger** make one's way
dis–ais, –ait, –aient *past. desc.* **dire**
disant *pres. part.* **dire**
discours *m.* speech, discourse
discuter discuss, argue
disparaître disappear
disparu *p.p.* **disparaître**
disparut *p. abs.* **disparaître**
distinguer distinguish, make out
dit *pres. ind. & p.p.* **dire**
dix ten; **dix-huit** eighteen; **dix-neuf** nineteen; **dix-sept** seventeen
doigt *m.* finger
doi–s, –t, –vent *pres. ind.* **devoir**
domestique *m.* servant
dominer rise above, dominate
donc therefore, indeed, so, then
donner give; **donner sur** look out (face) upon
dont whose, of whom (which), by (with) which
dormir sleep
dos *m.* back, shoulder
dot *f.* dowry
douanier *m.* customs official
douleur *f.* anguish, grief, pain, suffering
doux, douce sweet; gentle; soft; mild; pleasant
douzaine *f.* dozen
douze twelve

dresser erect, raise; set (*a table*)

droit *m.* right; law; *adj.* right

droite *f.* right-hand, right side; **à droite** at (on) the right

du = **de** + **le**

dû *p.p.* **devoir**

dur hard; harsh, stern

durer last

E

eau *f.* water

échafaud *m.* scaffold

échange *m.* exchange

échapper (**s'**) escape (**de, à** from)

échelle *f.* ladder

éclairer light (up)

éclater burst, break out

école *f.* school

écoli–er, –ère *n.* pupil

écouter listen (to)

écran *m.* screen

écrier (**s'**) cry out, exclaim

écrire write

écrit *p.p.* **écrire**

écrivit *p. abs.* **écrire**

effet *m.* effect; **en effet** in fact; **faire l'effet** have the effect

égout *m.* sewer

élève *m. or f.* pupil

élever raise; **s'élever** rise, arise

elle she, it, her; *pl.* **elles** they, them

embrayer let in the clutch

émetteur *adj.* sending-, transmitting- (*radio*)

emmener take (lead) away

empêcher prevent, keep (**de** from)

emploi *m.* use, employment, occupation

employer use, employ

emporter remove, take away, carry off

emprunter borrow

ému moved, excited, touched, stirred (*with emotion*)

en *prep.* in, into, at, to, on, of; *conj.* (+ *pres. part.*) in, while, on, by; *pron.* some, any, of them (her, him, it), with it (them); *adv.* from there

encore again, yet, still; besides, also; further; **encore un** another

encre *f.* ink

endormir put to sleep; **s'endormir** go to sleep

endroit *m.* place, spot

enfant *m. & f.* child

enfermer shut up (in), lock up (*persons*), confine, inclose

enfin at last, finally

enfuir (**s'**) flee, take flight

enlever remove, take away; take off

ennuyer bore, vex, bother; **s'ennuyer** be (grow) bored (weary, tired)

enquête *f.* investigation, inquiry

enrégistreur *adj.* self-registering, recording

ensemble together

ensuite then, afterward, next

entendre hear; **se faire entendre** make oneself heard

entourer surround

entre between, among

entrée *f.* entrance, entry

entrer enter, come in, go into

entretenir support, keep up

entr'ouvert half-open

envelopper envelop, wrap up

enverr–a, –ez *fut.* **envoyer**

envers toward

envie *f.* longing, desire, envy

envoler (**s'**) take flight, fly away, take off (*of planes*)

297

envoyer send; **envoyer cher-cher** send for
épaisseur *f.* thickness
épargne *f.* saving
épée *f.* sword
épier spy (upon)
épouser marry
es, est *pres. ind.* être
escalier *m.* stairs, stairway
espèce *f.* sort, kind, species
espérance *f.* hope
espérer hope (for)
espoir *m.* hope
esprit *m.* mind, spirit
essayer try, attempt (**de** to)
essence *f.* gasoline; **réservoir d'essence** gasoline tank
essuyer wipe
estomac *m.* stomach
estrade *f.* platform, stand, stage; grandstand
et and
étage *m.* floor, story (*of a house*)
ét–ais, –ait, –aient *past desc.* être
état *m.* state, condition
été *m.* summer
été *p.p.* être
étendre (s') extend, stretch
êtes *pres. ind.* être
étoile *f.* star
étonnant astonishing, amazing
étonné *adj.* surprised, astonished
étouffer stifle, choke; suppress
étrange strange, odd
étranger *m.* stranger, foreigner
être be; **être à quelqu'un** belong to someone
étude *f.* study
étudiant *m.* student
étudier study
eu *p.p.* avoir

eût *p. subj.* avoir
eut, eurent *p. abs.* avoir
eux them, they; **eux-mêmes** themselves
évanoui *adj.* in a faint, unconscious
évanouir (s') faint
éveiller wake, waken; **s'éveiller** wake (up), awake
examen *m.* examination
exécuteur *m.* executioner
expérience *f.* experiment
expliquer explain

F

fabricant *m.* manufacturer
fabriquer make, manufacture
face *f.* face; **en face (de)** in front (of), opposite
fâcher (se) get (become) angry (**contre** with, at)
facile easy
façon *f.* way, manner; **à sa façon** in one's own manner
faible weak, feeble
faim *f.* hunger; **avoir faim** be hungry
faire make, do; (+ *inf.*) cause, have, make (someone do something or something be done); **ça ne me (vous) fait rien** that doesn't make any difference to me (you); **qu'est-ce que ça me fait?** what difference does that make to me? **ça n'y (cela ne) fait rien** it doesn't make any difference; **pourquoi faire?** what for? **faire appeler** summon, send for; **faire attention** pay attention, heed; **faites attention!** look out! careful! **faire entrer** show (usher) in; **faire face à** face; **faire frais** be cool; **faire grâce** pardon; **faire**

298

l'imbécile play the fool; faire le jour be daylight; faire justice render justice; faire mal à injure, harm, hurt; faire marcher set going, start, drive (*machinery*); faire mourir kill; faire peur à frighten; faire plaisir give pleasure, please; faire une promenade take a walk; faire savoir make known, tell; faire semblant de pretend to, make believe; faire signe make a sign, beckon; faire signe que oui (non) indicate (make a sign) that something is (is not) so; faire sommeil take a nap; faire venir send for, summon; faire vite act quickly; faire voir, show; se faire take place, become, develop

fait *m.* fact; *p.p.* faire

faites *pres. ind. & impv.* faire

falloir be necessary, must; need, lack; il nous faudrait we should need (have to have); il faudra du temps time will be necessary

farce *f.* joke, farce

fasse *pres. subj.* faire

fatigué tired

fatiguer (se) become (get, grow) tired

faut *pres. ind.* falloir

faute *f.* mistake, fault; sans faute without fail

fauteuil *m.* armchair

faux, fausse wrong, false, untrue

favori, –te favorite

femme *f.* woman; wife

fenêtre *f.* window

fer *m.* iron

fer–ai, –a, –ez, –ont *fut.* faire

fer–ais, –ait *p. fut.* faire

fermer shut, close

fête *f.* feast, celebration, festival

feu *m.* fire

feuille *f.* leaf; page

février *m.* February

fier, fière proud, haughty

fièvre *f.* fever

figure *f.* face

fil *m.* thread; wire

fille *f.* girl, daughter; vieille fille old maid

filleul *m.* godson

fils *m.* son

fin *f.* end

finir finish, end; finir de + *inf.* finish + *pres. part.;* finir par + *inf.* to finally + *inf.*

fit, firent *p. abs.* faire

fixe staring, fixed

fleur *f.* flower

fleurir blossom, bloom

florin *m.* florin (*a Dutch coin worth about 40 cents*)

fois *f.* time; une fois once; plus d'une fois more than once; à la fois at a time, at the same time

fol, folle *see* fou

folie *f.* madness, insanity

fonction *f.* duty, function, office

fonctionnaire *m.* government official

fond *m.* bottom, depth; back

fondre melt

force *f.* force, strength, might

forêt *f.* forest

fort *adj.* strong; skillful, clever; c'est trop fort! that's too much! *adv.* very, strongly, much; hard, fast; loud

fou, fol, folle mad, insane, crazy; *n.* mad (insane) person, fool

foule *f.* crowd, host

frais, fraîche cool, fresh
franc *m.* franc (*20 cents, old value*)
français *adj.* French; *n.* French person
frange *f.* fringe
frapper strike, hit, knock
frère *m.* brother
frigorifique refrigerating
froid *adj.* cold; *n.m.* cold, coolness
front *m.* front; forehead
frotter rub
fuir flee
fumée *f.* smoke
fumer smoke
fusil *m.* gun, rifle
fut *p. abs.* être
fût *p. subj.* être

G

gagner earn, win, gain, take possession of; reach
gaiement gaily
galérie *f.* passage, gallery
garçon *m.* boy; fellow, chap
garde *f.* attention, heed, watch, guard, protection; **prendre garde** be on one's guard (**de** against), heed, take care, beware
garder keep; take care of, protect, guard
gardien *m.* attendant, caretaker, guard
gare *f.* railway station
garni *adj.* garnished
gauche *adj.* left; *n.f.* left; **à gauche** on (to, at) the left
genou *m.* knee; **à genoux** kneeling, on one's knees
gens *m. & f.* people
gentil, –le nice, kind, agreeable
geôlier *m.* jailer
geste *m.* gesture
gibet *m.* gallows

glace *f.* mirror; ice
glissement *m.* slipping, gliding
glisser slip, slide, glide
goût *m.* taste
goûter taste
goutte *f.* drop
grâce *f.* grace; favor; mercy; **de grâce !** for mercy's sake! thanks! **grâce à moi (eux)** thanks to me (them)
grade *f.* rank, grade
grand big, tall, large, great; main; **la grand'route** the main road, highway; **grand ouvert** wide open
grandeur *f.* size
gras, grasse fat
gratte-ciel *m.* skyscraper
grattement *m.* scratching, scraping, grating
grave serious, grave
greffier *m.* clerk of the court
grille *f.* grating, window with grating
gris gray
gros, grosse big, large, great; stout, plump
guère: ne ... guère hardly, scarcely, barely
guichet *m.* small window or grating in a door

H

habiller (s') dress, clothe oneself
habit *m.* coat, covering; clothes
habitation *f.* house, residence
habiter inhabit, dwell (live) in, occupy
habitude *f.* custom, habit
habituer accustom; **s'habituer** get accustomed to
haine *f.* hate, hatred
haut *adj.* high; loud, aloud; *n.m.* top

hauteur *f.* height
hein! what? hey!
hélas! alas!
hélice *f.* propeller
héritage *m.* inheritance
heure *f.* hour; o'clock, time;
de bonne heure early
heureusement fortunately,
happily
heureu–x, –se happy; lucky
hier *m.* yesterday
histoire *f.* story, history;
comme je n'aime pas les
histoires as I don't like a
fuss
hiver *m.* winter
homme *m.* man
honnête honest, respectable,
honorable, decent
honnêteté *f.* honesty
hors: hors de out of, without
horticole horticultural
huit eight
humide damp, humid
hurlement *m.* howling, yell
hurler howl, shout, yell
hygromètre *m.* hygrometer
(*for measuring humidity*)

I

ici here
idée *f.* idea
idiot *adj.* idiotic; *n.m.* idiot
il he, it; there; *pl.* ils they
île *f.* island
immobile motionless
impasse *f.* dead-end street
importer to matter, be of importance; n'importe no
matter
impôt *m.* tax, income tax
inanimé lifeless
inconnu *adj.* unknown; *n.m.*
stranger
indigne unworthy
indiquer indicate, point to

infame infamous; *n.m.* villain
infirmier *m.*, infirmière *f.*
nurse, hospital attendant
infini *m.* infinite
inqui–et, –ète uneasy, wor-
ried, restless
inquiéter worry, make uneasy
inquiétude *f.* uneasiness,
worry
inscrire inscribe
inscrit *p.p.* inscrire
instant *m.* moment, instant,
minute
instruit *adj.* educated, learned
insurgé *m.* insurgent
intéresser (s') be interested
(à in)
intérêt *m.* interest; intérêt
composé compound in-
terest
interrogatoire *m.* questioning, examination
interroger question, interrogate
interrompre interrupt
inutile useless

J

jalou–x, –se jealous
jamais ever, never; ne . . .
jamais never
jambe *f.* leg
janvier *m.* January
jardin *m.* garden
jaune yellow
je I
jeter throw, throw away (out,
down), hurl, fling; se
jeter sur rush toward
jeune young
jeunesse *f.* youth
joie *f.* joy, happiness
joli pretty
joue *f.* cheek
jouer play; jouer à play (a
game); speculate, gamble
jour *m.* day; le jour during

301

the day; **tous les jours** every day; **de jour en jour** from day to day

journal *m.* newspaper

journée *f.* day, daytime

joyeu–x, –se merry, joyous

juge *m.* judge

juillet *m.* July

jumelle *f.* opera glasses, binoculars

jupe *f.* skirt

jusque until; **jusqu'à** until, as far as, to; **jusqu'à ce que** *conj.* until; **jusqu'ici** until now; **jusque-là** until then

juste just, fair, right

justement exactly

K

kilo *m.* = **kilogramme** kilogram (*about 22 lbs.*)

kilomètre *m.* kilometer (*0.6214 of a mile*)

L

la *pron.* her, it; so; *art.* the; his, her (*for possessive adjective*)

là *adv.* there; *suffix* -**là** (*distinguishes between* that *and* this); **là-bas** yonder, over there

lâche *adj.* cowardly; *n.m.* coward

lâcher release, let go

laid plain, homely, ugly

laine *f.* wool

laisser leave, let, allow; **laisser tomber** drop

lait *m.* milk

laiterie *f.* dairy

lapin *m.* rabbit; **lapin d'expérience** rabbit for an experiment

large wide, large

larme *f.* tear

laver wash (off)

lazaret *m.* quarantine hospital

le *pron.* him, it; so; *art.* the; his, her (*for possessive adjective*)

leçon *f.* lesson

lecture *f.* reading

léger, légère light

léguer bequeath

légume *m.* vegetable

lendemain *m.* next day, day after; **le lendemain matin** the next morning

lent slow

lenteur *f.* slowness

lequel, lesquels, laquelle, lesquelles *rel. pron.* who, whom, which, which one, that; *inter. pron.* which (one)? who?

les *pron.* them; *art.* the; his, her (*for possessive adjective*)

leur *pron.* them, to them; *adj.* their

lever *n.m.* rise, rising

lever *v.* raise, lift; **se lever** rise, get up

levier *m.* lever; **levier de changement de vitesse** gear-shift lever

lèvre *f.* lip

libre free; **pas libre!** the line is busy! (*in telephoning*)

licence *f.* master's degree; **licence en droit** degree permitting one to practice law

lier tie, bind

lieu *m.* place; **au lieu de** instead of

ligne *f.* line, row

linge *m.* linen, cloth

lire read

lisait *p. desc.* lire

lisant *pres. part.* lire

302

lit *m.* bed
livre *m.* book
loger lodge, live, stay
loi *f.* law
loin far, far away; **au loin**
in the distance, far off; **de
loin** from a distance; **loin
de là** far from it
lointain distant, far
long, longue long; **le long de**
along, the length of
longtemps *adv.* long, a long
time; **le plus longtemps
possible** as long as possible
longueur *f.* length
louer rent, hire
lourd heavy
lui he, him, for (to, from)
him (her); **lui-même** himself
lumière *f.* light
lune *f.* moon
lunettes *f. pl.* spectacles,
glasses
lut *p. abs.* lire

M

machine *f.* engine; machine;
machine à vapeur steam
engine
mademoiselle Miss
magasin *m.* store, shop
mai *m.* May
maigre thin, lean
main *f.* hand; **à la main** in
one's (his, my, *etc.*) hand
maintenant now
maintenir keep (together, in
order), maintain
mais but, however; **mais!**
why! **mais non (oui)!** no
(yes) indeed! of course
(not)!
maison *f.* house; **maison de
fous** insane asylum
maître *m.* master; teacher
mal *m.* (*pl.* **maux**) harm,

hurt, pain, injury, suffering; evil, wrong; **mal de
tête** headache; **mal de
mer** seasickness; *adv.*
badly, bad, ill, wrong
malade ill, sick; *n.m.f.*
patient, sick person
maladie *f.* illness, disease,
malady
malgré in spite of
malheur *m.* misfortune, bad
luck; unhappiness
malheureu–x, –se unhappy,
unfortunate
maltraiter mistreat
manche *m.* handle
manger eat
manquer lack, fail, be want-
ing; **manquer de +** *inf.*
almost **+** *inf.*
marche *f.* motion, move-
ment; **se mettre en marche**
start, set off
marcher walk, march, go,
advance; go, work (*ma-
chinery*)
marée *f.* tide
marier marry, give in mar-
riage; **se marier (avec)**
marry, get married
marin *m.* sailor
matin *m.* morning; **au (le)
matin** in the morning
maudire curse; **maudit!**
curses!
maudis, maudit *pres. ind.*
maudire
mauvais bad, wretched
me me, to (for, from) me,
myself, to myself
méchant bad, wicked, evil
médecin *m.* doctor; **médecin
de service** staff physician
meilleur better, best
mêler mix, mingle, blend;
mêlez-vous de vos affaires
mind your own business
même *adj.* same, very; **de**

303

même likewise, the same; **il en sera de même** the same thing will happen again; *pron.* -self (**moi-même** myself, *etc.*); *adv.* even, very

menteur *m.* liar

mentir tell a lie, lie

mer *f.* sea; **en mer** at sea

merci thanks, thank you

mériter deserve, merit

merveille *f.* miracle, wonder

merveilleu-x, –se marvelous

messager *m.* (*f.* **messagère**) messenger

messieurs *pl. of* **monsieur**

métier *m.* trade, profession

mettre put, put on, place, set; **se mettre à + *inf.* to begin to + *inf.*; **se mettre en colère** become angry

mètre *m.* meter (1.09 *yards*)

meuble *m.* piece of furniture

meur–s, –t, –ent *pres. ind.* **mourir**

midi *m.* noon

mien, –ne (**le mien,** *etc.*) mine

mieux *adv.* better, best; **tant mieux!** so much the better! **de mon** (**son,** *etc.*) **mieux** my (his, her, *etc.*) best

mil = **mille** (*in dates*)

milieu *m.* middle; **au milieu de** in the middle (center, midst) of

mille thousand

millier *n.m.* a thousand

minuit *m.* midnight, twelve o'clock (P.M.)

minutieu–x, –se thorough, close

mis *p.p.* **mettre**

misérable *m.* wretch, scoundrel

mit, mirent *p. abs.* **mettre**

mode *f.* style, fashion; **à la mode** in style, stylish

moi I, me

moins *adv.* less, least; **au moins** at least; **en moins de** in less than

mois *m.* month

moitié *f.* half, part

moment *m.* moment; **du moment que** as soon as, since

mon, ma, mes my

monde *m.* world; **tout le monde** everyone

monnaie *f.* money

monseigneur my lord, your worship

monsieur *m.* sir, mister; gentleman; **M.** *abbreviation* Mr.

monter go (come) up, rise; get in (into)

montrer show, point out (at)

morceau *m.* piece

mort *p.p.* **mourir**; *adj.* dead; *n.m.* dead man; *n.f.* death

mot *m.* word; **placer un mot** get a word in edgeways; **sans mot dire** without saying anything

mou, mol, molle soft

mourir die

mourr–ai, –a *fut.* **mourir**

moutarde *f.* mustard

moyen *m.* means, way; **au moyen de** by means of

moyen, –ne *adj.* mean, average, middle

mur *m.* wall

muraille *f.* wall

N

nager swim

naître be born

navire *m.* ship, vessel

ne: **ne . . . pas** no, not; **ne . . . plus** no more (longer); **ne . . . que** only; **ne . . . rien** nothing; **ne . . . jamais** never; **ne . . . personne** nobody, no one; **ne ... guère** hardly, scarcely; **ne ... ni ... ni** neither ... nor

né *p.p.* **naître**

neuf nine

neuf, neuve new

nez *m.* nose

ni *see* **ne**

noir black, dark

nom *m.* name; **nom de femme** married name; **au nom de** in the name of

nombreu-x, –se many, numerous

nommer name, call

non no, not; **non pas** not

nord *m.* north

notre *(pl.* **nos)** our

nourrir feed, nourish

nourriture *f.* food, nourishment

nous we, us, to us, ourselves, to ourselves, each other, to each other, one another; **nous-mêmes** ourselves

nouveau, nouvel, nouvelle new; **de nouveau** again

nouvelle *f.* news; **de ses (leurs) nouvelles** news of it (them)

nuage *m.* cloud

nuit *f.* night; **la nuit** at night; **cette nuit** tonight, last night

numéro *m.* number; **tomber sur un faux numéro** get a wrong number *(in telephoning)*

O

obéir obey *(with* **à)**

objet *m.* object

obscur dark

obscurité *f.* darkness

obtenir get, obtain; achieve

occuper occupy; **s'occuper** to busy (occupy, trouble) oneself **(de** with, **à** in)

œil *m. (pl.* **yeux)** eye

œuf *m.* egg

offert *p.p.* **offrir**

offrir offer

oiseau *m.* bird

ombre *f.* shadow, shade, darkness

on *pron.* one, someone, we, they, people, you

ont *pres. ind.* **avoir**

onze eleven

opposition *f.* order to stop payment

or *m.* gold

ordinaire common, usual; **d'ordinaire** usually

oreille *f.* ear

orthographe *f.* spelling

oser dare

ôter remove, take off (away)

ou or

où *adv.* where, when; *rel. pron.* in (to) which; **d'où** whence; **où ça?** where's that?

oublier forget

ouest *m.* west

oui yes

outil *m.* tool, instrument

ouvert *p.p.* **ouvrir**; *adj.* open; **grand ouvert** wide open

ouverture *f.* opening

ouvrier *m.,* **ouvrière** *f.* worker

ouvrir open

P

pain *m.* bread, loaf

paix *f.* peace

pantalon *m.* trousers

papier *m.* paper

paquebot *m.* ocean liner

par by, through, in, out, on; per; **par jour** a day; **par la fenêtre** out of the window; **par semaine (mois)** weekly (monthly), once a week (month); **par ici**

(là)! this way! (that way!);
par-ci par-là here and there
paraissait *p. desc.* **paraître**
paraître appear
parce que because
pareil, –le such, like, similar
paresseu–x, –se lazy
parfait perfect
parfaitement quite so! certainly!
parler speak, talk
parmi among
parole *f.* speech, words
partir leave, depart
partout everywhere
paru *p.p.* **paraître**
par–ut, –urent *p. abs.* **paraître**
pas no, not; **ne ... pas** no, not
pas *m.* step, pace
passager *m.* passenger
passant *m.* passer-by
passé *m.* past
passer pass; **se passer** take place, go on, happen; **se passer de** do without
pâté *m.* pasty, meat pie
patrie *f.* country, fatherland
pâturage *m.* pasture, grazing land
pauvre poor, wretched; *n.* poor person, beggar
pauvreté *f.* poverty
payer pay (for); **payer cher** pay dearly, pay a high price; **pour vous payer ma tête** to make sport of me
pays *m.* country, land, region, countryside
paysage *m.* landscape, countryside
peau *f.* skin
peine *f.* difficulty; **à peine** barely, scarcely, hardly
peint *adj.* painted
pendant for, during; **pendant que** while
pendre hang

pénible painful, distressing
pensée *f.* thought
penser think (à of, about)
pensionnaire *m.* Pensionary (*officer of the Dutch Republic*)
perdre lose; undo, ruin; **se perdre** get (become) lost
père *m.* father
permettre permit, allow
permis *p.p.* **permettre**
personnage *m.* character (*in literature*)
personne *f.* person; *pron.* anyone, anybody, no one, nobody (*with* **ne**)
perte *f.* loss
peser weigh, rest heavily
petit little, small
pétrole *m.* crude oil; **moteur à pétrole** oil engine, Diesel engine
peu *adv.* little, few, not very; **un (petit) peu** a very little, a (little) bit; **peu à peu** gradually
peuple *m.* people, nation
peur *f.* fear; **avoir peur** be afraid
peut-être perhaps
peu–x, –t, –vent *pres. ind.* **pouvoir**
phrase *f.* sentence, phrase
pièce *f.* room; play (*theater*)
pied *m.* foot
pierre *f.* stone
pilule *f.* pill
pîqure *f.* puncture, injection
pitié *f.* pity
place *f.* place; square (*city*)
plaisir *m.* pleasure
plaque *f.* plate, sheet (*of metal, etc.*)
plâtre *m.* plaster, mortar
plein full
pleurer weep, cry, bemoan
plier fold
pluie *f.* rain

plume *f.* pen; feather
plupart: la **plupart** most (*with* de)
plus more; le **plus** most, the most; **plus que** more than; **plus de** more than, no more; **de plus** more, in addition, besides, moreover; **de plus en plus** more and more; **non plus** either, neither; **ne ... plus** no longer, no more
plusieurs several
poche *f.* pocket
pointe *f.* point; **sur la pointe des pieds** on tiptoe
poisson *m.* fish
poitrine *f.* breast, chest
poli polished; polite
politique *adj.* political; *n.f.* politics
pont *m.* deck (*of a ship*); **pont-promenade** promenade deck
porte *f.* door; gate (*of a city*)
porte-clefs *m.* turnkey, jailer
porter carry, bring, bear; wear (*clothes*); **se porter** be in health; get along
porteur *m.* bearer, porter
portier *m.* gatekeeper; doorman, porter
poser put, place; **poser une question** ask a question; **se poser** light
posséder possess
poudre *f.* powder
poulet *m.* chicken
pour for, to, in order to; **pour que** in order (so) that, to, for
pourquoi why
pourr–ai, –a, –ez, –ont *fut.* **pouvoir**
pourr–ais, –ait, –aient *p. fut.* **pouvoir**
poursuivre pursue, follow

pourtant however, yet, still
pousser push; grow; utter; **pousser un cri** cry out, scream
pouvoir can, be able, may
pratique *adj.* practical
précédent previous, preceding
précipiter (se) rush, hurl oneself
précis exact, precise; **à huit heures précises** at exactly eight o'clock
prédire foretell, predict
prédisait *p. desc.* **prédire**
premi–er, –ère first
prendre take, get; capture, seize; take on, assume; **je vous y prends** now I've caught you at it; **(se) prendre au sérieux** take (oneself) seriously
prennent *pres. ind. & subj.* **prendre**
prénom *m.* Christian name
près near, nearly; **près de** near, close, almost; **de près** close
présenter introduce, present
presque almost
pressé *adj.* in a hurry, hurried
presser squeeze, press; **se presser** be in a hurry, hurry
pression *f.* pressure
prêt ready; **se tenir prêt** hold oneself in readiness
prétendre claim, assert
preuve *f.* proof
prier beg, ask, pray, beseech, entreat
prière *f.* request, prayer
pris *p.p.* **prendre**
prit *p. abs.* **prendre**
prix *m.* prize
prochain next
produire produce, create, cause
profond deep, profound

307

profondeur *f.* depth
projet *m.* plan, project, intention
promenade *f.* walk; **faire une promenade** take a walk
promener (se) walk, take a walk
promettre promise
promis *p.p.* **promettre**
propre own; clean; proper, fit; **propre à rien** good-for-nothing
propriétaire *m.* owner
protéger protect
pu *p.p.* **pouvoir**
puis *pres. ind.* **pouvoir**
puis *adv.* then, afterward, after that
puisque since
puisse *pres. subj.* **pouvoir**
punir punish
put *p. abs.* **pouvoir**
pût *p. subj.* **pouvoir**

Q

qu' = que
quai *m.* wharf, quay
qualité *f.* quality, characteristic; profession
quand when
quarante forty
quart *m.* quarter, fourth; **quart d'heure** quarter of an hour
quartier *m.* district, quarter
quatorze fourteen
quatre four
quatre-vingt eighty; **quatre-vingt-dix** ninety
quatrième fourth
que *pron,* whom, which, that, what? *adv.* how! what! **ne ... que** only; **que de** how much (many); *conj.* that, than, as, whether, so that; **ce que** what, that which; **ce que c'est que**

d'être prisonnier what it is to be a prisoner; *also* **que = parceque**
quel, -le *adj.* what? which? what! what a!
quelque some, any, a few
quelquefois sometimes
quelqu'un *pron.* someone, somebody, anyone, anybody; *pl.* **quelques-uns** some
qui *rel. pron.* who, whom, which, that; *inter. pron.* who, whom; **ce qui** what, that which
quinze fifteen
quitter leave, quit; **quitter ce jour** depart this life
quoi what, which; **quoi!** what! how is that!
quoique although, though

R

raconter relate, tell
rage *f.* madness, rage, mania
raison *f.* reason; **avoir raison** be right
raisonnable rational
ralentir slow (down), reduce, lessen
ramasser pick up
ramener bring back
rappeler call back, recall; **se rappeler** remember
rapport *m.* report
rapporter bring back
rasoir *m.* razor
rayon *m.* ray; radius
récepteur *f.* receiver
recevoir receive
réclamer claim
recommencer begin again
reconnaissable recognizable
reconnaissance *f.* gratitude
reconnaître recognize
reconnut *p. abs.* **reconnaître**
reçu *p.p.* **recevoir**

308

redescendre come (go) down again
redevenir become again
réduire reduce
refermer shut (close) again
refroidir cool, become cold
refus *m.* refusal
regagner regain, recover
regard *m.* look, regard, glance
regarder look (at); regard, concern
règlement *m.* rule, regulation
régler regulate, arrange, settle
relever raise (pick, take) up (again); se relever rise (get up) again; relieve
relire reread, read again
remarquer notice
rembruni darkened, tanned
remercier thank (de for)
remettre replace, put back (again); set (*a bone*); remettre en liberté release again, set free
remit *p. abs.* remettre
remonter go (come) up again
remplacer replace
remplir fill
remuer stir, move, disturb, shake
rendez-vous *m.* appointment, meeting(-place)
rendre give back, return, restore; render, make
renfermer inclose, contain
renoncer give up, renounce
rentré *adj.* sunken (*eyes*)
rentrée *f.* return
rentrer return, go (back) in, come back
reparaître appear again
réparer mend, patch, repair
repas *m.* meal
répondre reply, answer
repos *m.* rest, repose
reposer (se) rest
repousser push back (away), repel

reprendre take back, take (up) again, recover; seize again, recapture
représentation *f.* performance, show, entertainment
repr–it, –irent *p. abs.* reprendre
résolu *adj.* determined
respirer breathe
rester remain, stay, rest
résumer sum up
retard *m.* delay; être en retard be late
retenir retain, hold (back), keep (back)
retomber fall again (back)
retour *m.* return; au retour de on returning from
retourner return, go back; turn again (over); se retourner turn around
retrouver find again, recover; se retrouver be again
réunion *f.* meeting, assembly
réussir succeed (à in)
rêve *m.* dream
réveil *m.* awakening
réveiller (se) wake (up), awaken
revenir return, come back; revenir à soi come to one's senses
rêver dream
reverr–ai, –a, –ez *fut.* revoir
reviendr–ai, –a, –ont *fut.* revenir
reviendr–ais, –ait, –aient *p. fut.* revenir
revien–s, –t, –nent *pres. ind.* revenir
revin–s, –t, –rent *p. abs.* revenir
revivre come to life again
revoir see again; au revoir good-bye
richesse *f.* wealth
rideau *m.* curtain
ridicule ridiculous

rien nothing, anything; **ne
... rien** nothing; **rien
que ...** nothing but ...
rire *v.* to laugh; *n.m.* laugh
roc *m.* stone, rock
roi *m.* king
roman *m.* novel, story
rond round
ronde *f.* rounds
rose *f.* rose; *adj.* pink, rosy
rôti *m.* roast of meat
rouge red
rougir blush, redden
rouler roll
route *f.* road, way, route; **en
route!** on the way! let's
go! **se mettre en route**
start out
ruban *m.* ribbon
rue *f.* street
ruse *f.* trick

S

sac *m.* bag, sack
sachant *pres. part.* **savoir**
sache, sachiez *pres. subj.*
savoir
sain healthy
sais, sait *pres. ind.* **savoir**
saisir seize
sale dirty, soiled; *slang*
beastly, confounded
salle *f.* hall, room; **salle à
manger** dining room
salon *m.* parlor, salon
saluer greet, bow, salute
salut *m.* safety, salvation
sang *m.* blood
sanglot *m.* sob
sans without
santé *f.* health
sapristi! by Jove! the deuce!
satisfaire satisfy
sauf safe; except
saura *fut.* **savoir**
saurait *p. fut.* **savoir**
sauter jump, leap; blow up

sauver save; **se sauver** escape, make an escape
savant *adj.* learned, scholarly;
n.m. scholar, scientist
savoir know, know how, can,
be able; **savoir que dire
(faire)** know what to say
(do)
savon *m.* soap
scène *f.* stage, scene (*in a
play*)
se himself, herself, itself,
oneself, themselves, to himself (herself, itself, themselves); (to) each other,
(to) one another
séchoir *m.* drying room
secouer shake
seize sixteen
séjour *m.* stay, abode
selon according to
semaine *f.* week
semblable *adj.* like, similar;
n.m. fellow creature
semblant *m.* appearance, pretense
sembler seem
sentiment *m.* feeling, sense,
sentiment
sentir feel; smell
sept seven
ser–ai, –a, –ez, –ont *fut.* **être**
ser–ait, –iez, –aient *p.fut.* **être**
serviette *f.* napkin
servir serve; **servir à** serve
as, be used for; **à quoi
servent-ils?** of what use
are they? **servir de** serve
as; **se servir de** use, make
use of
serviteur *m.* servant
seuil *m.* threshold, doorsill
seul single, alone, only
si if, whether; so; **un si ...**
such a ...; yes; **si!** yes,
indeed!
siècle *m.* century
siffler whistle

310

sifflet *m.* whistle; **coup de sifflet** sound of a whistle
silencieu–x, –se silent, quiet
soie *f.* silk
soigner care for, look after, attend to
soin *m.* care, attention
soir *m.* evening; **tous les soirs** every evening
sois *impv. & pres. subj.* être
soi–s, –t, –ent *pres. subj.* être
soixante sixty; **soixante-dix** seventy; **soixante-quinze** seventy-five; **soixante-douze** seventy-two
soldat *m.* soldier
soleil *m.* sun, sunshine
sombre dark, somber, gloomy, dismal
somme *f.* sum
sommeil *m.* sleep, nap
sommes *pres. ind.* être
son, sa, ses his, her, its
son *m.* sound
sonnerie *f.* ring, sound of a bell
sonore sonorous
sont *pres. ind.* être
sortir go (come) out (of), leave, issue from
sou *m.* cent
soudain *adj.* sudden; *adv.* suddenly
souffert *p.p.* souffrir
souffrant *adj.* ill, ailing
souffrir suffer
soumettre submit, undergo
soupçonner suspect
souper *v.* have supper; *n.m.* supper
soupir *m.* sigh
sourire *v.* smile; *n.m.* smile
sous under
sous-lieutenant *m.* second lieutenant
souterrain underground
souvenir (se) remember (*with* de)

souvent often
soyez *impv. & pres. subj.* être
squelette *m.* skeleton
stupéfait stupefied, astounded
su *p.p.* savoir
sud *m.* south
sueur *f.* sweat
suffire suffice, be sufficient (à for)
suffisant *adj.* enough, sufficient
suis *pres. ind.* être
suit *pres. ind.* suivre
suite *f.* continuation, sequence, succession; **tout de suite** at once, immediately
suivre follow
sujet *m.* subject; **au sujet de** concerning, about; *adj.* subject
supérieur higher, superior
supprimer suppress, abolish, do away with
sur on, upon, over, above
sûr *adj.* sure, certain
surprendre surprise
surpris *p.p.* surprendre
surtout especially
sut *p. abs.* savoir
sût *p. subj.* savoir

T

tabac *m.* tobacco
tableau *m.* picture
tache *f.* spot, stain
tant so much (many), so; **tant de** so many; **tant que** as long as
taper type
tard late; **au plus tard** at the very latest
teinte *f.* shade, tint
teinté *adj.* colored
teinter color, tint
tel, telle such, so; **un tel ...** such a ...

311

téléphoniste *f.* telephone operator

temps *m.* time; weather; **de temps en temps** from time to time; **en même temps** at the same time; **de mon temps** in my day

tendre hold out, stretch, extend

tenir hold, keep, have; remain; **tiens!** well! here! hold on! look here!

terrain *m.* soil, ground, land, field, space; **terrain de sport** athletic field

terre *f.* earth, land; floor; **à (par) terre** on the ground (floor)

testament *m.* will

tête *f.* head; **en tête** at the head, in front

tiendr-ai, –a *fut.* tenir

tien-s, –t, –nent *pres. ind.* tenir

tin-t, –rent *p. abs.* tenir

tirer draw, pull, take out of; fire (*a gun*); **se tirer** escape, recover

tiroir *m.* drawer

titre *m.* title; **titre de propriété** title of ownership

toit *m.* roof

tomber fall; **tomber sur** come across, happen upon; **laisser tomber** drop, let fall

tordre twist, wring

tort *m.* wrong

tôt soon; early

toucher touch; receive

toujours always, still, ever, constantly

tour *f.* tower

tout, toute, tous, toutes *adj. & pron.* all, the whole, every, everyone, everything; *adv.* very, quite, entirely, already; **tous (les) deux** both; **tout de**

même just (all) the same; **tout en** + *pres. part.* while + *pres. part.;* **tout à fait** wholly, completely

traduire translate

trahir betray

traîner drag

tranchant *adj.* sharp, cutting

tranquille quiet, tranquil; **laisser tranquille** leave alone, not bother; **je suis bien tranquille** my mind is at rest; **sois (soyez) tranquille!** don't worry!

travail *m.* work, task

travailler work

travailleur *m.* worker

traverser cross, traverse, go (come) through

treize thirteen

tremblement *m.* quivering; **tremblement de terre** earthquake

trente thirty

très very

trésor *m.* treasure

triste sad

tristesse *f.* sadness

trois three

troisième third

trône *m.* throne

trop too much, too many, too

trottoir *m.* sidewalk

trou *m.* hole, gap

troublé *adj.* confused, perplexed, disturbed

trouver find; think, judge; **se trouver** be, happen to be

tuer kill

tulipier *m.* tulip grower

tuyau *m.* pipe

U

un, une a, an; one

unième first

unir unite, join

usage *m.* use

312

usine *f.* factory, works
utile useful

V

valoir be worth; **valoir mieux**
be better (preferable)
vapeur *f.* steam; **moulin à**
vapeur steam mill
vase *m.* vessel, vase, bowl
veiller watch (**sur** over), take
care of
velours *m.* velvet
vendre sell」
venger avenge; **se venger**
avenge oneself (**de** upon)
venir come; **venir de** + *inf.*
to have just + *p.p.*
vent *m.* wind
vérité *f.* truth
vérole *f.* pox; **la petite vérole**
smallpox
verr–ai, –a, –ons, –ez *fut.* **voir**
verrait *p. fut.* **voir**
verre *m.* glass
vers towards, to; about
verser pour
veste *f.* jacket, short coat
vêtements *m. pl.* clothing,
clothes
vêtir clothe, dress; **peu vêtu**
scantily clothed
veu–x, –t, –lent *pres. ind.*
vouloir
veuillez *impv.* **vouloir** please
viande *f.* meat
vide empty; **à vide** empty
vie *f.* life
vieil, vieille *see* **vieux**
vieillard *m.* old man
vieillesse *f.* old age
vieillir grow old, age
viendr–ai, –a, –ez, –ont *fut.*
venir
viendr–ais, –ait, –aient *p. fut.*
venir
vien–s, –t, –nent *pres. ind.*
venir

vieux, vieil, vieille old
ville *f.* city
vin *m.* wine
vingt twenty
vint, vinrent *p. abs.* **venir**
violoncelle *m.* 'cello; 'cellist
vi–s, –t, –rent *p. abs.* **voir**
visage *m.* face
vit *pres. ind.* **vivre**
vite quick; *adv.* quickly; **le**
plus vite que possible as
quickly as possible; **au**
plus vite! as fast as you
can!
vitesse *f.* speed; **à toute**
(grande) vitesse at full
speed
vivant living, alive; *n.m.* living being
vivre live
vivres *m. pl.* provisions, food
voici here is (are); this is,
these are
voilà there is (are); that is,
those are; **voilà!** there!
me voilà! here I am!
voir see; **voyons!** come,
come!
voisin *adj.* next, near-by,
neighboring; *n.m.* (*f.* **voi-**
sine) neighbor
voiture *f.* wagon, cart, carriage, car, automobile, ve-
hicle
voix *f.* voice; **d'une (à) voix**
basse in a low voice
vol *m.* theft
vol *m.* flight
voler steal
voler fly
volonté *f.* will
votre (*pl.* **vos**) your
vôtre *pron.* (**le vôtre**) yours
voudr–ai, –a, –ez, –ont *fut.*
vouloir
voudr–ais, –ait, –iez, –aient
p. fut. **vouloir**
vouloir wish, want, like, will;

313

je le **veux bien** I am willing; **vouloir dire** mean; **mais que voulez-vous?** what do you expect? but how could it be otherwise?

voulu *p.p.* **vouloir**

vous you, to you, yourself, yourselves, to yourself, to yourselves, each other, to each other; **vous-même** yourself, **vous-mêmes** yourselves

voyage *m.* travel, trip, journey

voyant *pres. part.* **voir**

voyageur *m.* traveler

vrai true, real

voy–ez, –ons *pres. ind.* **voir**

vu *p.p.* **voir**

vue *f.* sight, view

W

wagon *m.* railway car

Y

y *adv.* there, here, within; *pron.* to (for, at, in) it (them); **il y a** there is (are); ago

yeux *pl. of* œil

314